修 編 序

　　英文實在很難，甚至連美國人，都很少有人能夠寫出正確的句子。英文和中文不一樣，少一個 s，少一個 ed，少一個冠詞，句子就寫錯了，所以，很多美國人，即使大學畢業，還不會寫文章。電腦裡面的文法檢查，並不完全正確，**沒有文法知識，就很容易寫出錯誤的句子**。英文容易寫錯，也容易說錯，就連美國人也是一樣。例如，「多吃點水果。」，就不能說：*Eat more fruits.* 要說：***Eat more fruit.*** 才對。

　　文法就是一種歸納，語言千變萬化，有歸納就成為規則，如果背了錯誤的規則，就很可怕了。**看看下面這個害人的公式：**

$$\text{If} + 主詞 + 現在式動詞\cdots，主詞 + \left\{ \begin{array}{l} \text{shall} \\ \text{will} \end{array} \right\} + 原形動詞$$

　　這個規則，在中外文法書中，讀者都常看到，可是這個規則將會害到你，英文一輩子學不好。**如果你背了這個公式，就不敢造出：**

　　　　　　If you *are* right, I *am* wrong.
　　　　　　If you *were* right, I *was* wrong.

　　有人把這個公式當作是假設法的現在式，這是非常錯誤的觀念。我們應該有這樣的文法觀念：**英文表達思想的方式有三種，一是「直說法」**── 心裡想說什麼，就說什麼，敘述事實，有十二種時態；二是**「假設法」**── 心裡存在的是假想的觀念，只有三種時態，即**現在式**（與現在事實相反）、**過去式**（與過去事實相反），以及**未來式**（說話者認為與未來事實相反）。

例如：　I wish $\left\{ \begin{array}{l} \text{I } \textbf{\textit{could be}} \text{ there tomorrow.（假設法未來式）} \\ \text{I } \textbf{\textit{were}} \text{ there now.（假設法現在式）} \\ \text{I } \textbf{\textit{had been}} \text{ there yesterday.（假設法過去式）} \end{array} \right.$

這是典型的假設法的三種時態。另外一個表達思想的方式是「命令句」，只有一種時態。**寫任何英文句子，就要用到其中的一種表達思想的方式。**

　　一般人把 If it rains, I will stay at home. 這個句子當成假設法，然後再說是假設法的現在式，表不確定的未來，**這是極錯誤的觀念。這個句子應該這樣解釋：**If it rains, I will stay at home. 整個句子是**「直說法的未來式」**，If 子句是副詞子句，表條件（因為副詞子句修飾動詞，可歸納為表動作的時間、條件、原因等），主要子句是 I will stay at home（我將待在家裡），**心中沒有存在假的觀念，所以不是假設法，這是直說法的十二種時態之一。**

「文法寶典」出版已有二十多年，至今仍然被很多學校老師肯定，編者深感榮幸，**只要努力編寫有生命的書，就能永恆**，不會隨時間而淘汰。很多英美的文法書很奇怪，造一些奇怪的文法名詞，像「限詞」之類的，很使人困擾。有的文法書把簡單變複雜，一本人人都看不怎麼懂的書，對讀者反倒有害，會增加他們對英文法的恐懼。

　　很多人學文法，從名詞開始學，學到連接詞，名詞就忘記了。**文法該怎麼學呢？** 在「**文法寶典**」中，讀者只要看第一冊第一篇的「**英文法概論**」就可以了。先對文法有了大致的了解，以後碰到不會做的文法題目，或是在文章中看到很奇怪的句子，再查閱「**文法寶典**」，徹底了解後，你的英文和文法，就會同步地進步。

　　英文以動詞為核心，主詞＋動詞＋受詞／補語，凡是你說的話，別人聽得懂，有完整的意思，就是個句子。英文常常用一個動詞，就可以表達完整的意思，如 Come! 就算是一個句子。動詞的**主詞**、動詞的**受詞**、動詞的**補語**，主詞、動詞、受詞和補語，就像是數學的「加、減、乘、除」，可創造出無限多的句子。原則上，一個句子只有一個主要動詞，動詞就是整個句子的靈魂。我們在這套文法書中第 28 頁特別有一章「**英文句子分析法**」，**讀者學會了文法分析，就會很快地找出主詞和動詞**，無論句子有多長，只要它是一個句子，到最後必然可歸納為：主詞＋動詞＋受詞／補語，再依動詞的性質，分為「五大基本句型」，初學文法的人，碰到「五大基本句型」，會愈弄愈糊塗，可以先從不定詞開始學起，或看「學習」出版的「**文法入門**」，再看不下去，就先做「**文法入門**」後面的練習題，做練習題可以使你專心，一條題目、一條題目地做，不會的就找出原因來，你就會開始對文法有興趣了。要將英文學好，學習文法是一個捷徑。

　　本套書共分為五冊：

第一冊：概論，大寫，標點，名詞，英語發音寶典（新增）。

第二冊：代名詞，形容詞，副詞。

第三冊：動詞，助動詞，時式，語法，語態，一致。

第四冊：動狀詞，連接詞。

第五冊：介系詞，特殊構句（倒裝句、省略句、插入語、否定構句）。

每一冊的目錄都非常詳盡，相當於「文法寶典」的索引。

劉　毅

CONTENTS

第一篇　英文法的概論

第一章　句子

Ⅰ. 五種基本句型（按動詞種類分）……… 2

Ⅱ. 五種句子（按功用分）……… 4

  1. 敘述句 ……… 4

  2. 疑問句 ……… 4

  3. 祈使句 ……… 4

  4. 感嘆句 ……… 4

  5. 祈願句 ……… 4

    附加問句 ……… 6

Ⅲ. 四種句子（按結構分）……… 8

  1. 單句 ……… 8

  2. 合句 ……… 8

  3. 複句 ……… 8

  4. 複合句 ……… 8

Ⅳ. 句子的成分 ……… 9

  1. 主要成分 ……… 9

    ⑴ 主詞 ……… 9

    ⑵ 動詞 ……… 11

    ⑶ 受詞 ……… 12

    ⑷ 補語 ……… 14

  2. 附屬成分 ……… 16

    ⑴ 修飾語 ……… 16

    ⑵ 連結詞 ……… 18

  3. 獨立成分 ……… 19

    ⑴ 感嘆詞 ……… 19

    ⑵ 稱呼主格 ……… 19

    ⑶ 感嘆主格 ……… 19

    ⑷ 單字 ……… 19

    ⑸ 片語 ……… 19

    ⑹ 插入語 ……… 19

第二章　片語

Ⅰ. 片語種類 ……… 20

  1. 按結構分 ……… 20

  2. 按功用分 ……… 21

Ⅱ. 同一個片語的不同作用 ……… 22

第三章　子句

Ⅰ. 名詞子句 ……… 24

Ⅱ. 形容詞子句 ……… 25

Ⅲ. 副詞子句 ……… 26

第四章　英文句子分析法

Ⅰ. S＋V 的句型 ……… 29

Ⅱ. S＋V＋SC 的句型 ……… 30

Ⅲ. S＋V＋O 的句型 ……… 31

Ⅳ. S＋V＋O＋OC 的句型 ……… 32

Ⅴ. S＋V＋IO＋DO 的句型 ……… 33

第五章　英文之大寫 ……… 34

第六章　標點

Ⅰ. 句點；省略號 ……… 37

Ⅱ. 問號 ……… 37

Ⅲ. 驚嘆號 ……… 38

Ⅳ. 逗點 ……… 38

Ⅴ. 分號 ……… 40

Ⅵ. 冒號 ……… 41

Ⅶ. 破折號 ……… 42

Ⅷ. 引號 ……… 43

Ⅸ. 連字號 ……… 44

Ⅹ. 所有格符號；撇號 ……… 46

Ⅺ. 括號 ……… 47

Ⅻ. 斜線號 ……… 47

第二篇　名詞（Nouns）

第一章　名詞的種類

Ⅰ. 名詞的種類 ……………………… 48

Ⅱ. 名詞的用法 ……………………… 48

　(Ⅰ) 普通名詞 …………………… 48

　　1. 定義 ……………………… 48

　　2. 特性 ……………………… 48

　　3. 用法 ……………………… 49

　(Ⅱ) 集合名詞 …………………… 49

　　1. 定義 ……………………… 49

　　2. 用法 ……………………… 50

　　　⑴ 代表集合體之用法 ……… 50

　　　⑵ 代表集合體之組成份子的

　　　　用法 ……………………… 50

　　　⑶ 幾個常用的集合名詞 …… 51

　　　　① Family ………………… 51

　　　　② People ………………… 51

　　　　③ Committee …………… 51

　　　　④ Class …………………… 52

　　　　⑤ School ………………… 52

　　　　⑥ Village ………………… 52

　　　　⑦ Crowd ………………… 52

　　　　⑧ Audience ……………… 53

　　　⑷ 幾個容易混淆的集合名詞 … 53

　　　　① Alphabet ……………… 53

　　　　② Hair …………………… 53

　　　　③ Beard …………………… 53

　　　　④ Police …………………… 53

　　　　⑤ Cattle …………………… 54

　　　　⑥ Furniture ……………… 54

　　　⑸ 表「群」字的集合名詞用法 … 54

　　　　①「人」群 ……………… 54

　　　　② 笨重的「獸」群 ……… 54

　　　　③「禽、畜」群 …………… 54

　　　　④「狗」群 ……………… 54

　　　　⑤ 趕著走的「家畜」群 …… 54

　　　　⑥「魚」群 ……………… 54

　　　　⑦「昆蟲」群 …………… 54

　　　　⑧ 藝術品、唱片、郵票…等之

　　　　　收藏 …………………… 54

　　　　⑨ 一窩（孵出的小雞） … 54

　　　⑹ 其他表示數量的集合名詞 … 54

　(Ⅲ) 物質名詞 …………………… 55

　　1. 定義 ……………………… 55

　　2. 特性 ……………………… 55

　常見的物質名詞 ………………… 55

　　　⑴ 材料 …………………… 55

　　　⑵ 食品、飲料 …………… 55

　　　⑶ 氣體、液體、固體之化學名詞 … 55

　　　⑷ 其他 …………………… 55

　　3. 用法 ……………………… 55

　　　⑴ 一般性的用法 ………… 55

　　　⑵ 特定的用法 …………… 55

　　　⑶ 部份用法 ……………… 56

　　　⑷ 修飾的用法 …………… 56

　　　⑸ 做普通名詞的用法 …… 56

　　4. 用表「單位」的名詞來表示物質

　　　名詞數的觀念 …………… 57

　　5. 幾個易於混淆的物質名詞 … 58

　　　⑴ Fish …………………… 58

　　　⑵ Fruit …………………… 59

　　　⑶ Furniture ……………… 59

　　　⑷ Clothes ………………… 59

　(Ⅳ) 專有名詞 …………………… 60

　　1. 定義 ……………………… 60

　　2. 特性 ……………………… 60

　　3. 專有名詞與冠詞 ………… 60

　　　⑴ 專有名詞與不定冠詞 … 60

　　　⑵ 專有名詞與定冠詞 …… 61

　(Ⅴ) 抽象名詞 …………………… 65

　　1. 定義 ……………………… 65

　　2. 特性 ……………………… 65

　　3. 用法 ……………………… 65

　　　⑴ 一般性的用法 ………… 65

　　　⑵ 特定的用法 …………… 65

　　　⑶ 表程度的用法 ………… 65

　　　⑷ 做普通名詞的用法 …… 65

　　　⑸ 做集合名詞的用法 …… 67

　　4. 普通名詞、物質名詞、抽象名詞

　　　用法的比較 ……………… 68

　　5. 抽象名詞的慣用法 ……… 69

　　6. 抽象名詞的形成 ………… 71

　　　⑴ 由形容詞轉來的 ……… 71

　　　⑵ 由動詞轉來的 ………… 73

　　　⑶ 由普通名詞轉來的 …… 74

第二章　名詞的數

I. 複數名詞的形成 ……………… 75
　(I) 規則的複數變化 ……………… 75
　　1. 普通在單數字尾上加 s …… 75
　　2. 字尾若是 s, z, x, sh, ch 則
　　　加 es ……………………… 75
　　3. 字尾為子音＋y → 子音＋i＋es；
　　　字尾為母音＋y → 母音＋y＋s ‥ 76
　　4. 字尾為子音＋o，加 es；
　　　字尾為母音＋o，則加 s … 76
　　5. 字尾是 f 或 fe 的，變為 ves … 77
　　6. 字母、文字、數字、符號的
　　　複數形，以加 's 為原則 … 78
　(II) 不規則的複數變化 …………… 79
　　1. 少數名詞在字尾加 en 或 ren … 79
　　2. 變化母音字母而成複數形者 … 79
　　3. 單數與複數同形的一些名詞 … 79
　(III) 合成名詞的複數 ……………… 79
　　1. 將其主要字變複數 ………… 79
　　2. 如合成字中沒有可數的名詞時，
　　　就把最後一個字加 s ……… 79
　　3. 合成字的前後兩個元素字都要變
　　　成複數形 ………………… 79
　　4. 有兩個不同形式的複數形 … 80
　　5. 字尾為 ful 之名詞的複數形 … 80
　(IV) 外來名詞的複數 ……………… 80
　(V) 複數名詞的形成歸納表 ……… 82
II. 單複數在用法上應注意之點 …… 83
　(I) 群眾名詞本身為複數 ………… 83
　(II) 有些名詞形式看來是複數，但其
　　　意義為單數 ………………… 83
　(III) 複數形名詞 …………………… 83
　　1. 由兩個部份所組成的物件
　　　名稱 ……………………… 83
　　2. 其他常用複數形的名詞 …… 84
　(IV) 不同的複數形表不同的意義 … 84
　(V) 兩種意義的複數形名詞 ……… 85

　(VI) 意義不同的單複數名詞 ……… 86
　(VII) brace, dozen, gross, head, yoke,
　　　score, hundred, thousand 等字的
　　　複數 ………………………… 87
　(VIII) 以複數形表各年代的名詞 …… 87
　(IX) 以單數形表形容詞的名詞 …… 87
　(X) 稱謂的複數 …………………… 88
　　1. Mr. 的複數 ……………… 88
　　2. Mrs. 的複數 ……………… 88
　　3. "Mr." 和 "Mrs." 並用時 ……… 88
　　4. Miss 的複數 ……………… 88
　　5. 其他 ……………………… 88
　(XI) -s 或 -es 的讀法 ……………… 88

第三章　名詞的性

I. 定義 ……………………………… 89
II. 類別 ……………………………… 89
　　1. 陽性 ……………………… 89
　　2. 陰性 ……………………… 89
　　3. 通性 ……………………… 89
　　4. 無性 ……………………… 89
III. 表示名詞的陽性與陰性的三種方法 … 89
　　1. 使用不同的字 …………… 89
　　2. 改變字尾 ………………… 90
　　3. 另加表示性別的字 ……… 90
IV. 名詞的性之用法 ………………… 91
　　1. 以陽性代表陰陽兩性的動物 … 91
　　2. "man" 包括 woman 在內 …… 91
　　3. 用中性代名詞 "it" 表示 "baby" 和
　　　"child" ……………………… 91
　　4. 可用 it, its 代表動物 ……… 92
　　5. 名詞「擬人化」的性別 ……… 92

第四章　名詞的格

I. 定義 ……………………………… 93
II. 種類 ……………………………… 93
　　1. 主格 ……………………… 93
　　2. 受格 ……………………… 93
　　3. 所有格 …………………… 93

Ⅲ. 用法 ………………………… 93
　1. 主格的用法 ………………… 93
　　⑴ 做主詞 …………………… 93
　　⑵ 做主詞補語 ……………… 93
　　⑶ 做主詞的同位語 ………… 93
　　⑷ 稱呼用 …………………… 93
　　⑸ 感嘆用 …………………… 93
　　⑹ 做形容詞用 ……………… 93
　　⑺ 做分詞意義上的主詞 …… 93
　2. 受格的用法 ………………… 93
　　⑴ 做動詞的受詞 …………… 93
　　⑵ 做介詞的受詞 …………… 94
　　⑶ 做受詞補語 ……………… 94
　　⑷ 做受詞的同位語 ………… 94
　　⑸ 做同系受詞 ……………… 94
　　⑹ 做保留受詞 ……………… 94
　　⑺ 做副詞性受詞 …………… 94
　3. 所有格名詞的形成和用法 ……… 94
　　⑴「人」或「動物」名詞在字尾
　　　加（'s）或（'）…………… 94
　　　① 單數名詞＋（'s）……… 94
　　　② 複數名詞 ……………… 94
　　　　a. 字尾有 s 的複數名詞＋（'）… 94
　　　　b. 字尾無 s 的複數名詞＋（'s）… 94
　　　③ 字尾為 s 的單數專有名詞依
　　　　發音而定 ……………… 94
　　⑵ 無生命名詞用 of 表示 …… 95
　　⑶ 複合名詞或名詞片語加（'s）…… 96
　　⑷ 名詞之後有同位語時，把（'s）
　　　加在同位語的字尾 ……… 96
　　⑸ 表各別所有，把（'s）加在各
　　　個名詞上 ………………… 96
　　⑹ 略語，單數加（'s），複數加（'）… 96
　4. 獨立所有格 ………………… 96
　　⑴ 所有格後面的名詞 ……… 96
　　⑵ 被所有格修飾的名詞 …… 96
　5. 雙重所有格 ………………… 97
　6. 所有格的作用 ……………… 97
　　⑴ 表所有 …………………… 97
　　⑵ 表起源 …………………… 97
　　⑶ 表目的、用途 …………… 98

　　⑷ 表同位語 ………………… 98
　　⑸ 所有格＋名詞＝主詞＋動詞
　　　之關係 …………………… 98
　　⑹ 所有格＋名詞＝動詞＋受詞
　　　之關係 …………………… 98
　　⑺ 所有格＋動名詞＝主詞＋動詞
　　　之關係 …………………… 98
　7. 所有格（'s）的讀音 ……… 98

第五章　名詞的用法

　Ⅰ. 做主詞 …………………… 99
　Ⅱ. 做受詞 …………………… 99
　Ⅲ. 做補語 …………………… 99
　　1. 做主詞補語 ……………… 99
　　2. 做受詞補語 ……………… 99
　Ⅳ. 稱呼用 …………………… 99
　Ⅴ. 做同位語 ………………… 99
　Ⅵ. 做形容詞 ………………… 100
　Ⅶ. 做副詞性的受詞（名詞當副詞用）… 100
　Ⅷ. 容易錯用的名詞 ………… 102

第六章　名詞的代用語

　Ⅰ. 代名詞 …………………… 104
　Ⅱ. 形容詞 …………………… 104
　Ⅲ. 不定詞 …………………… 104
　Ⅳ. 動名詞及其片語 ………… 105
　Ⅴ. 片語 ……………………… 105
　Ⅵ. 子句 ……………………… 105

練習一～十七

【附錄 —— 英語發音寶典】

　1. KK 音標發音秘訣 ………… 附錄–1
　2. 母音字母的讀音 …………… 附錄–4
　3. 重要子音字母的讀音 ……… 附錄–25
　4. 不發音的字母 ……………… 附錄–34
　5. 重要同字異音表 …………… 附錄–36
　6. 重要同音字 ………………… 附錄–39
　7. 單字的重音 ………………… 附錄–47
　8. 字群的重音 ………………… 附錄–59

第一篇　英文法的概論

第一篇
- **A. 句 子** Sentence
  - I. 五種基本句型
    1. S＋V
    2. S＋V＋SC
    3. S＋V＋O
    4. S＋V＋O＋OC
    5. S＋V＋IO＋DO
  - II. 按句子的功用區分五種（Classified by Use）
    1. 敘述句（Declarative Sentence）
    2. 疑問句（Interrogative Sentence）
       - 一般疑問句
       - 選擇問句
       - 修辭問句
       - 附加問句
    3. 祈使句（Imperative Sentence）
    4. 感嘆句（Exclamatory Sentence）
    5. 祈願句（Optative Sentence）
  - III. 按句子的結構區分四種（Classified by Structure）
    1. 單句（Simple Sentence）
    2. 合句（Compound Sentence）
    3. 複句（Complex Sentence）
    4. 複合句（Compound-complex Sentence）
  - IV. 句子的成分（The Elements of the Sentence）
    1. 主要成分（Essential Elements）
       - (1) 主詞（Subject）
       - (2) 動詞（Verb）
       - (3) 受詞（Object）
       - (4) 補語（Complement）
    2. 附屬成分（Dependent Elements）
       - (1) 修飾語（Modifier）
       - (2) 連結詞（Connective）
    3. 獨立成分（Independent Elements）
- **B. 片 語** Phrase
  - I. 片語的種類（Kinds of Phrases）
  - II. 同一片語不同的用法（Various Functions of the Same Phrase）
- **C. 子 句** Clause
  - I. 名詞子句（Noun Clause）
  - II. 形容詞子句（Adjective Clause）
  - III. 副詞子句（Adverbial Clause）
- **D. 大 寫** Capitalization
- **E. 標 點** Punctuation

第一章 句 子（Sentence）

I. 五種基本句型
（按動詞種類分）

1. **S＋V**（主詞＋完全不及物動詞）
   Dogs bark.（狗叫。）
   Jack smiled.（傑克微笑。）

2. **S＋V＋SC**（主詞＋不完全不及物動詞＋主詞補語）
   Reading is a pleasure.（閱讀是一種樂趣。）
   The movie was good.（這部電影不錯。）

3. **S＋V＋O**（主詞＋完全及物動詞＋受詞）
   He collects stamps.（他集郵。）
   He reads the book.（他讀這本書。）

4. **S＋V＋O＋OC**（主詞＋不完全及物動詞＋受詞＋受詞補語）
   The teachers consider my brother a genius.
   （老師們認為我哥哥是天才。）
   They appointed him manager.（他們任命他為經理。）

5. **S＋V＋IO＋DO**（主詞＋授與動詞＋間接受詞＋直接受詞）
   Jim bought Mary a present.（吉姆買了一個禮物給瑪麗。）
   The tailor made John a suit.（裁縫師做了一套西裝給約翰。）

1. 問： 為什麼要學文法？
   答： 文法是一種句子的歸納，使得造句有規則可循。

2. 問： 什麼是句子？
   答： 凡是能夠表達完整思想的，就是句子。也許是一個字，像 Wonderful!（好極了！）；也許是一群字，像 What a view!（景色真好！）但是，**絕大部份的句子，都以動詞為核心**，原則上，**一個句子要有一個主要動詞**。

3. 問： 為什麼要學「五種基本句型」？
   答： 英文以動詞為核心，由於動詞的性質，演變出「五種基本句型」，像：Dogs bark.（狗叫。）無論中文或英文，動詞 bark（吠叫）這個字，後面不需要接任何字詞，就能表達完整思想，所以 bark 就稱作「**完全不及物動詞**」。

4. 問： 什麼是「主詞補語」？
   答： 「補語」分成「主詞補語」和「受詞補語」，像 *Reading is*（閱讀是），中英文句意都不完全，後面須加上其他字詞來補充說明才行。在 Reading is a pleasure. 中的 a pleasure 就是「主詞補語」，is 後面不需要接受詞，是「不及物動詞」，因為它需要接「補語」，所以是「**不完全不及物動詞**」，在 p.276 中有詳細說明。

5. 問： 什麼是「受詞補語」？
   答： *The teachers consider my brother*（老師們認為我哥哥）這句話句意不完全，在受詞後須加其他字詞才完全，像 The teachers consider my brother a genius. 句中的 consider 雖然「及物」，有受詞，但句意不完全，所以稱作「**不完全及物動詞**」（詳見 p.277）。對受詞加以補充說明的，叫作「受詞補語」。「補語」在 p.14 有詳細說明。

學習「五種基本句型」的新方法

很多人學了「五種基本句型」，反倒對英文文法開始害怕，好像永遠學不會。「五種基本句型」可歸納成一種句型，就是：

> **主詞 + 動詞 + 受詞 / 補語**
> **S ＋ V ＋ O ／ C**

我們不要管動詞是「及物」或「不及物」，「完全」或「不完全」，只要記住，一個句子只有一個動詞，有時一個動詞適合多種句型，只要句意合理就正確。當句意覺得要加受詞，就加受詞，覺得要加補語，就加補語。例如，make 這個字，適合五種基本句型，下面五個句子，句意連貫，老師容易敎。

I *__made__ for the tailor.*　　　　　　　　　　S + V
= left　　　　　裁縫店
　　　　　= tailor's shop
（我去裁縫店。）

> 句中的 for the tailor 為介詞片語，當副詞用，修飾 made。此時，made 為「完全不及物動詞」，和 left 意義相同。
>
> 這個句子也可把 made for 當成動詞片語，作「前往」解，即成為「S + V + O」的形式。
>
> I made for the tailor.
> 主詞　動詞片語　受詞

He *__made__* me a new suit.　　　　　　　　S + V + IO + DO
給…做　間接　直接受詞
　　　受詞
（他給我做一套新西裝。）

It *__made__* me *very* happy.　　　　　　　　S + V + O + OC
　使　受詞　受詞補語
（這件事使我真高興。）

I will *__make__* a handsome person.　　　　　S + V + C
＝　　　　　主詞補語
become
（我會成為很帥的人。）

Clothes *__make__* the man.　　　　　　　　　S + V + O
製造　受詞
（【諺】人要衣裝，佛要金裝。）

> 如果你知道，make 有時等於 become，碰到諺語 Practice makes perfect. 你就知道這個諺語字面的意思是「練習變得完美。」引申為「熟能生巧。」

II. 五種句子（按功用分）

五種句子（按功用分）

1. **敘述句**
   Declarative Sentence
   - He is an early riser.
   - I did not sleep well last night.

2. **疑問句**
   Interrogative Sentence
   - ⑴ 不帶疑問詞的一般疑問句：
     - Are you fond of travelling?
     - Can you swim?
   - ⑵ 帶有疑問詞的一般疑問句：（詳見 p.144, 166）
     - *What* are you looking for?
     - *Who* told you that?
     - *When* is the next train for Taipei?
   - ⑶ 選擇疑問句：
     - Is straw light *or* heavy?
   - ⑷ 修辭疑問句：
     - 肯定疑問句＝否定敘述句；否定疑問句＝肯定敘述句
     - What is the use of worrying about such a thing?
     - ＝ *It is no use worrying about such a thing.*
     - Who doesn't desire happiness?
     - ＝ *Everyone desires happiness.*
   - ⑸ 附加問句：（詳見 p.6）
     - It is a nice day, *isn't it*?

3. **祈使句**
   Imperative Sentence
   - Be quiet!
   - Please listen to me.
   （詳見 p.358）

4. **感嘆句**
   Exclamatory Sentence
   - ⑴ **How** ＋ 形容詞或副詞 ＋ 主詞 ＋ 動詞！
     - How beautiful the girl is!
     - How beautifully the girl dances!
   - ⑵ **How** ＋ 形容詞 ＋ **a(n)** ＋ 單數名詞 ＋ 主詞 ＋ 動詞！
     - How beautiful a flower it is!
   - ⑶ **What** ＋ **a(n)** ＋（形容詞）＋ 單數名詞 ＋ 主詞 ＋ 動詞！
     - What a bright daughter you have!　　（詳見 p.148）
   - ⑷ **What** ＋ 形容詞 ＋ 複數名詞 ＋ 主詞 ＋ 動詞！（詳見 p.148）
     - What large eyes she has!

5. **祈願句**
   Optative Sentence
   - ⑴ 主詞 ＋ 原形動詞…！（詳見 p.368）
     - God bless you!
   - ⑵ **May** ＋ 主詞 ＋ 原形動詞！（詳見 p.368）
     - May you succeed!

【註1】 敘述句應注意事項：

敘述句通常之順序為**主詞**＋**動詞**，但 **there** 和 **here** 放在句首引導敘述句時，順序不同。（參照 p.250）

1. **There (Here)** ＋ **動詞** ＋ **主詞**（**名詞**）

There is no school today.（今天不必上課。）

Here is a letter for you.（有一封給你的信。）

Here comes the bus.（公車來了。）

2. **There (Here)** ＋ **主詞**（**代名詞**）＋ **動詞**

Here you are.（你要的東西在這裡。）

Here it comes.（它來了。）

【註2】 疑問句應注意事項：

1. 不帶疑問詞的一般疑問句在說話中句末用揚調（↗），通常用 **yes** 或 **no** 回答。

Are you a pilot? (↗)（你是飛行員嗎？）

Yes, I am.（是的，我是。）

2. 帶有疑問詞的疑問句在說話中句末用抑調（↘），不能用 *yes* 或 *no* 回答。

Who is your English teacher? (↘)（你的英文老師是誰？）

Mr. Smith.（史密斯先生。）

3. **間接疑問句**不是真正的問句，而是做句中主要動詞之受詞的名詞子句，所以**不可用疑問句的形式**。

He asked me *where was the post office*.【誤】

He asked me ***where the post office was***.【正】

（他問我郵局在哪裡。）

4. 否定的疑問句常被用來：

① 代替肯定的敘述句，以表示加強語氣。

Doesn't he understand English?（他不懂英文嗎？）

= *I think he understands English.*

② 代替感嘆句。

Isn't he foolish?（他不是很笨嗎？）

= *How foolish he is!*

【註3】 感嘆句裡的主詞一定要放在動詞之前，否則便成了疑問句。

How far is *it*?【疑問句】

（那有多遠？）

How far *it* is!【感嘆句】

（好遠啊！）

【註 4】 附加問句（Attached Question）的作法：

1. 敘述句後面的附加問句

① 敘述句的動詞若是**肯定**，附加問句的動詞要用**否定**；敘述句的動詞若是**否定**，附加問句則用**肯定**。

> She *is* a typist, *isn't she* (*or is she not*)?
> She *isn't* a typist, *is she*?

> He *can* swim, *can't he* (*or can he not*)?
> He *can't* swim, *can he*?

② 敘述句裡**沒有 be** 動詞、**have** 動詞或其他助動詞時，附加問句的主詞之前要用 **do, does** 或 **did**。

> She learns French, *doesn't she*?
> John went home, *didn't he*?
> They know me, *don't they*?

③ 敘述句的動詞為 **have, has, had**，但不作「有」解釋時，附加問句的主詞前不可用 *have, has, had* 而**要用 do, does, did**。

> He usually *has* apple pie for dessert, *doesn't he*?
> You *had* a letter from home, *didn't you*?
> You *have* a cold bath every morning, *don't you*?

④ 敘述句與附加問句裡動詞的時態要相同。

> Mary *is* a teacher, *isn't she*?
> Mary *was* a teacher, *wasn't she*?
> Mary *will be* a teacher, *won't she*?

⑤ 敘述句與附加問句的**主詞必須指同一人或同一事物**，敘述句的主詞無論屬於何種詞類，附加問句的主詞一定要用人稱代名詞。

> Bob can drive a car, *can't he*?
> Being idle is the cause of his failure, *isn't it*?

2. 祈使句後面的附加問句

① 肯定祈使句之後，表示「請求」用 **will you**；表「邀請、勸誘」用 **won't you**。

> Let me have a look, *will you*?
> Have another cigarette, *won't you*?

② 否定祈使句之後，表示「請求」，則只用 **will you**。

> Don't open the window, *will you*?
> Don't touch him, *will you*?

③ 表示不耐煩用 **can't you**。

> Come down quickly, *can't you*?
> Be quiet, *can't you*?

④ 由 **Let's** 引出的祈使句，肯定的用 **shall we**? 否定的用 **all right**? 或 **O.K.**? 做附加問句。

> Let's start early, *shall we*?
> Let's not go fishing, *all right* (*or* O.K.)?

3. **附加問句應注意事項：**

① **Let's 與 Let us 不同，比較下列兩句：**

Let's go to the movies, ***shall we***?【shall we 爲 shall we go 的省略，表示「提議」】
〔我們（包括聽話者）去看電影好嗎？〕

Let us go to the movies, ***will you***?【will you 爲 will you let us go 的省略，表示「請求」】
〔讓我們（不包括聽話者）去看電影好嗎？〕

② 附加問句與敘述句兩者的**主詞動詞相同時**，表示驚奇、懷疑或諷刺。

{ A: I hate my parents.　　　　　　　{ A: She wouldn't attend the weekly assembly.
{ B: Oh, you **do**, **do** you?　　　　　　{ B: Oh, she **wouldn't**, **wouldn't** she?

③ 複句的附加問句以主要思想的子句爲準（不一定是主要子句），因爲附加問句就是一
個省略的疑問句，如：

John **thinks** the war is ending, ***doesn't he*** (*think so*)?

Mary **said** that John thinks the war is ending, ***didn't she*** (*say so*)?

I suppose the war **is** ending, ***isn't it*** (*ending*)?

I heard say that he **was** very honest, ***wasn't he*** (*honest*)?

※ 主要子句是 **I think**〔**suppose, consider, believe, imagine, am afraid, guess,
take it** (= **consider**)**, dare say, hear say**〕時，附加問句不能以主要子句爲準，
因爲沒有 *Don't I think*… 這類沒有意義的疑問句，有時也有例外，完全看句意而定，
比較下面三句：

I believe that ***he is*** the best student, ***isn't he*** (*the best student*)?

I believed that he was the best student, ***didn't I*** (*believe so*)?

We don't believe that ***he is*** the best student, ***is he*** (*the best student*)?【本句如果用 do
we 的話，變成 do we believe so 則不合全句的意思，句尾附加問句應該是一個有意義的省略句】

④ **注意下面特殊附加問句的作法：**

She *seldom* made mistakes, ***did she***?【含有 barely, hardly, rarely, scarcely, seldom, few, little
等的句子，也是否定句，詳見 p.662】

Dick has two kids, { ***hasn't he***?　　【have 不當「有」解時，則附加問句只能用 do 類，參照 p.305】
　　　　　　　　　 { ***doesn't he***?

He ***used to*** live here, { ***usedn't he***?　　{ ***There is*** a lake, ***isn't there***?
　　　　　　　　　　　　 { ***didn't he***?（參照 p.323） { ***There are*** many lakes, ***aren't there***?

{ You ***had better*** go for a doctor, ***hadn't you***?
{ You ***had better not*** stay here, ***had you***?　（參照 p.305）

{ You ***dare not*** do that, ***dare you***?（參照 p.320）　{ He ***needn't*** come, ***need he***?（參照 p.322）
{ You ***don't*** dare to do that, ***do you***?　　　　　　{ He ***doesn't*** need to come, ***does he***?

{ Teddy ***will*** go fishing with us tomorrow, ***will you*** (= and you)?
{ Nancy ***went*** shopping last night, ***did you*** (= and you)?

{ You ***ought*** to help him, ***oughtn't you*** (= ought you not)?
{ You ***ought not to*** say that, ***ought you*** (to)?　（參照 p.319）

{ He ***must have been*** a fool, ***wasn't he***?【wasn't he 是 wasn't he a fool 的省略】
{ He ***must have failed*** in the exam, ***didn't he***?【didn't he 是 didn't he fail 的省略】

Nobody came, ***did they***?【nobody, none, no one, anybody, anyone, everybody, everyone 等
不定代名詞做主詞時，其附加問句通常用 they 做主詞】

III. 四種句子（按結構分）

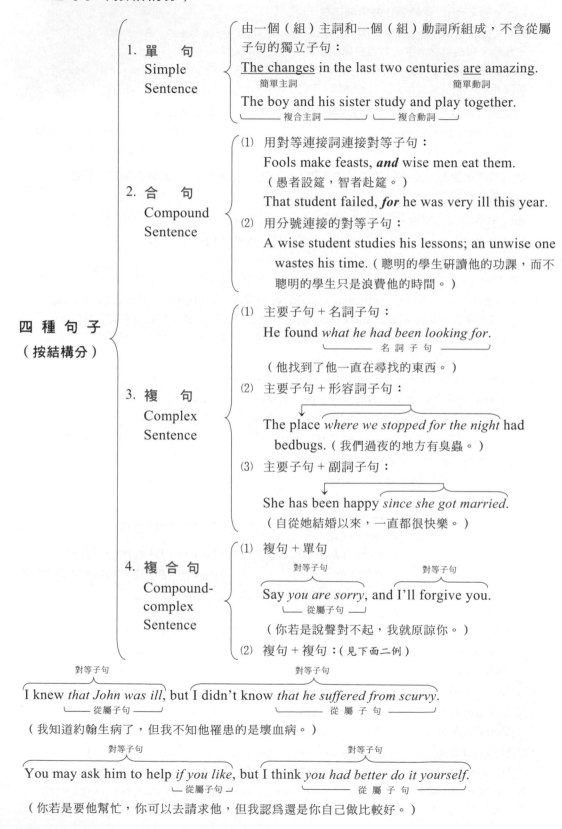

四 種 句 子
（按結構分）

1. 單 句
Simple
Sentence

由一個（組）主詞和一個（組）動詞所組成，不含從屬子句的獨立子句：

The changes in the last two centuries are amazing.
簡單主詞　　　　　　　　　　　　　簡單動詞

The boy and his sister study and play together.
複合主詞　　　　　複合動詞

2. 合 句
Compound
Sentence

(1) 用對等連接詞連接對等子句：
Fools make feasts, **and** wise men eat them.
（愚者設筵，智者赴筵。）
That student failed, **for** he was very ill this year.

(2) 用分號連接的對等子句：
A wise student studies his lessons; an unwise one wastes his time.（聰明的學生研讀他的功課，而不聰明的學生只是浪費他的時間。）

3. 複 句
Complex
Sentence

(1) 主要子句＋名詞子句：
He found *what he had been looking for*.
名 詞 子 句
（他找到了他一直在尋找的東西。）

(2) 主要子句＋形容詞子句：
The place *where we stopped for the night* had bedbugs.（我們過夜的地方有臭蟲。）

(3) 主要子句＋副詞子句：
She has been happy *since she got married*.
（自從她結婚以來，一直都很快樂。）

4. 複 合 句
Compound-
complex
Sentence

(1) 複句＋單句：
對等子句　　　　　　　　　　對等子句
Say *you are sorry*, and I'll forgive you.
從屬子句
（你若是說聲對不起，我就原諒你。）

(2) 複句＋複句：（見下面二例）

對等子句　　　　　　　　　　　　對等子句
I knew *that John was ill*, but I didn't know *that he suffered from scurvy*.
從屬子句　　　　　　　　　　　從 屬 子 句
（我知道約翰生病了，但我不知他罹患的是壞血病。）

對等子句　　　　　　　　　　　　對等子句
You may ask him to help *if you like*, but I think *you had better do it yourself*.
從屬子句　　　　　　　　從 屬 子 句
（你若是要他幫忙，你可以去請求他，但我認為還是你自己做比較好。）

IV. 句子的成分（The Elements of the Sentence）

1. 句子的主要成分：

⑴ 主詞（Subject）

① 主詞的種類
Kinds of
Subject

1. 核心主詞與完全主詞（Simple Subject & Complete Subject）：

The **students** *of this school* live in large dormitories.
核心主詞
完全主詞

2. 複合主詞（Compound Subject）：

The student and his friends talked all night.

3. 形式主詞與眞正主詞（Formal Subject & Real Subject）：（詳見 p.113）

To understand English is not difficult.
主詞（不定詞片語）

= *It* is not difficult *to understand English*.
形式主詞　　　　　　　　眞正主詞
同一件事

Calling Mr. Jones at this late hour is no use.
主詞（動名詞片語）

= *It* is no use *calling Mr. Jones at this late hour*.
形式主詞　　　　　　眞正主詞
同一件事

That he should have married her isn't surprising.
主詞（名詞子句）

= *It* isn't surprising *that he should have married her*.
形式主詞　　　　　　　　眞正主詞
同一件事

4. 意義主詞（Sense Subject）：

動狀詞的主詞稱爲意義主詞，用以區別主要動詞的主詞。

He was grateful for *our* attending his graduation.　（詳見 p.409, 426, 462）
意義主詞　動名詞片語

The *lecturer* having begun to speak, the audience listened intently.
意義主詞　分詞片語

He allowed *me* to stay there for the night.
意義主詞　不定詞片語

【註】動狀詞前無意義主詞，則以主要動詞的主詞爲其意義主詞，
　　　比較下列兩句：

He kept waiting very long.【He是主詞，同時也是分詞片語的
意義主詞　分詞片語　意義主詞】

He kept *me* waiting very long.【me是受詞，同時也是分詞片
意義主詞　分詞片語　語的意義主詞】

② **主詞的形式**
Forms of
Subject

名詞（Noun）
（詳見 p.99）

The *farmer* plowed his field.（農夫耕田。）
Man becomes the master of nature through science.
（人類經由科學變成了自然界的主宰。）

名詞代用語
（Noun
Equivalents）

1. 代名詞（Pronoun）：（詳見 p.106 第三篇代名詞各章）
He enjoys camping in the mountains.
（他喜歡在山中露營。）
No *one* could answer the question.
（沒有人能回答這個問題。）

2. **The** + 形容詞（The + Adjective）：（詳見 p.104, 192）
The rich are not always happier than *the poor*.
（有錢人未必比窮人快樂。）

3. 不定詞（Infinitive）：（詳見 p.411）
To sleep soundly is a good preparation for the morrow.
（熟睡是次日良好的準備。）

4. 動名詞（Gerund）：（詳見 p.427）
Quarreling is a foolish thing.（爭吵是愚蠢的事。）
Listening to the radio is good practice in understanding
　　English.（聽收音機在了解英文方面是個好的練習。）

5. **The** + 分詞（The + Participle）：（詳見 p.454）
The wounded were sent to the hospital.
（受傷的人被送去醫院。）
The killed and *the dying* lay on the battlefield.
（死者與垂死者躺在戰場上。）

6. 疑問詞 + 不定詞（Question Word + Infinitive）：
How to help him puzzles all of us.　（詳見 p.418）
（如何幫助他使我們大家很困惑。）

7. **For** + 名詞或受格的代名詞 + 不定詞：（詳見 p.410）
For him to study mathematics is a waste of time.
（學習數學對他來說是浪費時間。）

8. 介詞片語（Prepositional Phrase）：
（介詞片語有時可以當名詞，詳見 p.105）
From eight to twelve is my busiest time.
（從八點到十二點是我最忙的時間。）

9. 名詞子句（Noun Clause）：（詳見 p.105, 479, 484, 487, 488）
When the meeting will be held has not been announced.
（什麼時候開會尚未宣佈。）

⑵ **動詞（Verb）**（詳見 p.275～284）

分　類

① 依有無受詞或補語分類

1. 不及物動詞 Intransitive Verb

　a. **完全不及物動詞**（不需受詞，不需補語）
　　He *works*. （他工作。）

　b. **不完全不及物動詞**（不需要受詞，但需要主詞補語）
　　Her father *is* <u>a policeman</u>. （她父親是位警察。）
　　　　　　　　　　主詞補語

2. 及物動詞 Transitive Verb

　a. **完全及物動詞**（只需要受詞）
　　I *love* <u>my family</u>. （我愛我的家庭。）
　　　　　　　受詞

　b. **不完全及物動詞**（需要受詞和受詞補語）
　　The lawyer *considered* <u>him</u> <u>innocent</u>.
　　　　　　　　　　　　　　受詞　受詞補語
　　（律師認為他是無辜的。）

　c. **授與動詞**（需要兩個受詞）
　　Tom *wrote* <u>his mother</u> <u>a letter</u>.
　　　　　　　間接受詞　直接受詞
　　（湯姆寫給他媽媽一封信。）

② 依是否受主詞之人稱和數的限制而分類

1. 限定動詞（Finite Verb）：
因主詞的人稱和數的不同而有所變化的動詞。
This book *is* mine. （這本書是我的。）
He *looks* happy. （他看起來快樂。）

2. 非限定動詞（Non-finite Verb）：
形式穩定，不受主詞的人稱與數的限制而有所變化的動詞，即動狀詞。
They expect to *succeed*. （他們希望成功。）
The thief was *caught*, *tried*, and *sent* to prison.
（那小偷被逮捕、被審判，然後關進監牢。）
He likes *reading* novels. （他喜歡閱讀小說。）

③ 依在動詞群中的位置而分類

1. 主要（本）動詞（Main Verb）：
動詞群中表示實際意義的動詞，通常是動詞群中的最後一個，可單獨用。
They cannot *run* fast. （他們無法跑得快。）

2. 助動詞（Auxiliary Verb）：
動詞片語中協助主要動詞表示時式、語氣、語態、疑問、否定等的動詞。後面必須跟主要動詞，不可單獨使用。
We *should* <u>observe</u> the law.
　　　　　主要動詞
（我們應該遵守法律。）

⑶ **受詞（Object）**

1. **直接受詞（Direct Object）：**
   We should respect *the old*.
   My father shot *a wolf*.

2. **間接受詞（Indirect Object）：**
   Henry bought *his mother* some flowers.
   My uncle found *me* a job.

3. **保留受詞（Retained Object）：**（詳見 p.379）

   主動：He told <u>us</u> <u>an interesting story</u>.
             間受   直受

   被動：
   <u>An interesting story</u> was told to ***us*** by him.
   主詞（主動句的直受）   保留受詞
   <u>We</u> were told ***an interesting story*** by him.
   主詞（主動句的間受）   保留受詞

4. **同系受詞（Cognate Object）：**（詳見 p.280）
   He *slept* a sound ***sleep***.
                同系受詞
   Let us *run* a ***race***.
           同系受詞

5. **反身受詞（Reflexive Object）：**（詳見 p.117）
   <u>He</u> threw ***himself*** on the grass to rest.
           反身受詞
   └── 同一人 ──┘

6. **形式受詞與眞正受詞（Formal Object & Real Object）：**（詳見 p.114）
           補語
   I think <u>it</u> impossible <u>*to finish this work in a day*</u>.
       形式受詞   眞正受詞
   └──── 同一件事 ────┘

           補語
   He found <u>it</u> hard <u>*trying to persuade her*</u>.
       形式受詞   眞正受詞
   └──── 同一件事 ────┘

           補語
   I consider <u>it</u> true <u>*that she is an American*</u>.
       形式受詞   眞正受詞
   └──── 同一件事 ────┘

7. **核心受詞和完全受詞（Simple Object & Complete Object）：**
   Andrew laid a brown carpet on the <u>floor</u>.
                             核心受詞
                        完全受詞

   ※「核心受詞」又稱作「單一受詞」。

① **受詞的種類 Kinds of Object**

1. **名詞**（Noun）：（詳見 p.99）

   Birds eat *worms*.（鳥吃蟲。）

   We live in a *village*.（我們住在一個村莊。）

2. **代名詞**（Pronoun）：（詳見 p.106 第三篇代名詞各章）

   I see *her* every day.（我每天見到她。）

   He is standing beside *her*.（他正站在她旁邊。）

3. **The** + 形容詞（The + Adjective）：（詳見 p.192）

   We honor *the brave*.（我們尊敬勇敢的人。）

   They built an institution for *the blind*.（他們為盲人建立了一個機構。）

4. 副詞（Adverb）：

   少數副詞沒有同意義的名詞，因此用副詞代替名詞（詳見 p.228）。

   My friend came from *afar* to see me.

   （我的朋友從遠方來看我。）

5. **不定詞**（Infinitive）：（詳見 p.411）

   He likes *to trap sparrows*.（他喜歡誘捕麻雀。）

   When a bird is about *to die*, its notes are mournful.

   （鳥之將死，其鳴也哀。）

② 受詞的形式 Forms of Object

6. **動名詞**（Gerund）：（詳見 p.427）

   We should avoid *hurting the feelings of others*.

   （我們應該避免傷害別人的感情。）

   We receive good by *doing good*.（我們會因為行善而受益。）

7. **The** + 分詞（The + Participle）：（詳見 p.454）

   We are going to visit *the wounded* and *the dying* in the hospital.

   （我們要去探視醫院裡受傷的人和臨死的人。）

8. **疑問詞** + 不定詞（Question Word + Infinitive）：（詳見 p.147, 418）

   I don't know *how to play golf*.（我不知道如何打高爾夫球。）

   We don't know *what to do*.（我們不知道該怎麼辦。）

9. **介詞片語**（Prepositional Phrase）：（詳見 p.545）

   A mouse ran out from *under the floor*.

   （一隻老鼠從地板下面跑出來。）

   This test will be finished in *from fifty minutes to two hours' time*.

   （這個測試將在五十分鐘到二小時之內完成。）

10. **名詞子句**（Noun Clause）：（詳見 p.105 及 p.479 I.）

    I wish *that you would study hard*.（我希望你能用功讀書。）

    We cannot perceive *where the difference lies*.

    （我們無法看出差別在哪裡。）

(4) **補語（Complement）**：補語是字或字群，用來補充說明由動詞所造成之意義上不足的主詞或受詞；對主詞加以補充說明者爲**主詞補語**，對受詞加以補充說明者爲**受詞補語**。補語通常是**名詞、形容詞**或**其代用語**。

① **主 詞 補 語**
Subjective
Complement

1. **形　式**
Forms

　a. **名詞（Noun）**：主詞補語爲名詞時，必定與主詞相等。
　　She is a ***typist***.（她是個打字員。）
　　　主詞　　　主詞補語

　b. **代名詞（Pronoun）**：
　　It is ***he***.
　　Is this *ballpoint pen* ***yours***?（這枝原子筆是你的嗎？）

　c. **形容詞（Adjective）**：
　　The *teacher* is ***busy***.

　d. **副詞（Adverb）**：
　　Her *birthday* is ***soon***.（她的生日快到了。）
　　My *brother* is ***out***.（我哥哥出去了。）
　　上列之副詞並無相同意義之形容詞形式，如果有相同之形容詞，就不能用副詞做主詞補語了。
　　The soup tastes *well*.【誤】
　　The soup tastes ***good***.【正】

　e. **不定詞（Infinitive）**：
　　His *hobby* was ***to collect autographs***.
　　（他的嗜好是收集簽名。）

　f. **動名詞（Gerund）**：
　　His *hobby* is ***making model airplanes***.
　　（他的嗜好是做模型飛機。）

　g. **分詞（Participle）**：
　　She remained ***sitting alone in the dark***.
　　He seemed ***disappointed***.

　h. **介詞片語（Prepositional Phrase）**：（詳見 p.545）
　　He never seems ***at ease***.（他好像從來都沒有放輕鬆過。）

　i. **疑問詞＋不定詞（Question Word＋Infinitive）**：
　　Our *problem* was ***how to raise enough money***.
　　（我們的問題是如何籌到足夠的錢。）

　j. **名詞子句（Noun Clause）**：
　　This is ***what I think***.（這就是我所想的。）

2. **常需主詞補語之動詞**：即不完全不及物動詞，因爲其所表達的意義並不完整，非有補語加以補充不可，這種動詞有無數個（詳見 p.276），如 be 動詞, seem, appear, look, sound, taste, smell, feel, become, prove, turn out, get, grow, turn, remain, continue,…

3. **常需主詞補語之被動式動詞**：不完全及物動詞的主動式句型變爲被動式時，原來的受詞變爲主詞，而受詞補語也變爲主詞補語（參照 p.381）。屬於這類的動詞有：be made, be thought, be called, be elected, be chosen, be named, be declared, be appointed,…

a. **名詞**

They named the <u>*child*</u> ***John***.【受詞補語爲名詞時，必定與受詞相等】
　　　　　　　　受詞　受詞補語

b. **代名詞**

Whom do you think *me*?（你以爲我是誰？）

c. **形容詞**

Studying keeps *him* ***busy***.（讀書使他忙碌。）

d. **副詞**【此種情況不多，少數副詞因沒有同意義的形容詞，而用副詞代替
　　　　　形容詞做補語】

I want my *money* ***back***.

e. **現在分詞**

Don't keep *me* ***waiting***.（別讓我等待。）

f. **過去分詞**

Your achievements made *us* ***astonished***.

g. **不定詞**

I advise *you* ***to see a lawyer***.（我勸你去找律師。）

I felt the *car* ***move***.【感官動詞後 to 省略】

The teacher made the *student* ***rewrite the paper***.

【使役動詞後 to 省略】

They helped *me* (***to***) ***do my assignment***.【help 後有 to 沒 to 都可】

h. **介詞片語**（詳見 p.545）

She kept *him* ***on pins and needles***.（她使他坐立不安。）

i. **名詞子句**

She will name *him* ***whatever she wants to***.

1. 形　式
Forms

② 受 詞 補 語
Objective
Complement

2. 常需受詞補語之不完全及物動詞

常需接受詞補語的動詞有無數個（詳見 p.277），主要有：

a. **感官動詞**

behold, feel, hear, look at, listen to, notice, observe, perceive, see, smell, watch,⋯

b. **使役動詞**

bid, have, let, make,⋯

　　動詞是否需要有受詞補語，完全要看該動詞在句中的意義而定。若動詞之後接了受詞，而意義還不夠完整，就必須有補語來加以補充說明。反之，若動詞之後接了受詞，意義已很完整，當然不需補語了。因此一個動詞，常可用於兩種以上句型（詳見 p.282）。

其他常需要受詞補語的動詞有：

appoint, believe, call, choose, command, consider, count, declare, deem, elect, expect, imagine, intend, judge, know, like, name, order, prefer, request, require, select, suppose, take, think, understand, want, wish,⋯

2. 句子的附屬成分：

⑴ 修飾語（**Modifier**）

① 主詞的修飾語
Modifier of
Subject

1. 形容詞（Adjective）

   A big swift black horse ran down the street.

2. 現在分詞（Present Participle）

   Singing birds delight us.

3. 過去分詞（Past Participle）

   The *faded* flowers covered the ground.

4. 分詞片語（Participle Phrase）

   The man *writing something at the desk* is my cousin.

5. 不定詞（Infinitive）

   The desire *to succeed* is strong in youth.
   （在年輕時，想成功的慾望很強。）

6. 名詞當成形容詞（Noun Used as Adjective）（有些名詞可當形容詞用，詳見 p.100）

   The *summer* months are June, July, and August.

7. 介詞片語（Prepositional Phrase）

   The book *on the table* belongs to me.

8. 同位語（Appositive）

   Confucius, *the greatest sage of China*, had three thousand
   disciples.（孔子是中國最偉大的聖人，有三千個弟子。）

9. 形容詞子句（Adjective Clause）

   A friend *who helps you in time of need* is a real friend.

10. 所有格名詞（Noun in the Possessive Case）

    My *sister's* hair is brown.

11. 所有格形容詞（Possessive Adjective）

    Her performance is marvelous.（她的表演真了不起。）

12. 副詞（Adverb）（有些副詞可修飾名詞，詳見 p.228）

    Even Homer sometimes nods.（【諺】智者千慮，必有一失。）

② **動詞修飾語**
Modifier of Verb

1. 副詞：She read *slowly but distinctly*.

2. 副詞性受詞（名詞當副詞用）：The man has worked *two hours*.
（詳見 p.100）

3. 副詞子句：He will succeed *if his friend encourages him frequently*.

4. 不定詞：Men eat *to live*, not live *to eat*.

5. 介詞片語：He struggled *with courage*.

6. 分詞片語：*Seeing a bear coming*, he fled.

7. 獨立片語：*The teacher coming*, the students immediately became quiet.
（詳見 p.462）

③ **受詞修飾語**
Modifier of Object

1. 形容詞：I heard a *sweet* song.

2. 形容詞子句：We shot the horse *whose leg was broken*.

3. 分詞片語：We built a wide road *leading to the airport*.

4. 不定詞：I have a desire *to succeed*.

5. 介詞片語：Who doesn't like a girl *of fine character*?

6. 分詞：We visited an old *ruined* temple.

④ **主詞補語之修飾語**（Modifier of Subjective Complement）：

He was the first *to come* and the last *to leave*.

Dr. Sun Yat-sen is the father *of the Republic of China*.

⑤ **受詞補語之修飾語**（Modifier of Objective Complement）：

Don't keep me waiting *too long*.

Everybody thought her *very* clever.

⑥ **整句之修飾語**（Modifier of Whole Sentence）：

Fortunately, I did not fail.

To be frank, I love her madly.

⑦ **修飾語的修飾語**（Modifier of Modifier）：

A pack of *very* strong large wolves attacked the shepherds.

You should brush your teeth *at least* twice a day.

⑵ **連結詞（Connective）**（詳見 p.464～542）

① 連 接 詞 Conjunction

1. 對等連接詞 Coordinate Conjunction

連接「單字」
Mother **and** father are away today.

連接「片語」
Did you look *in the dictionary* **or** *in the encyclopedia*?

連接「從屬子句」
I do not know *what your name is*, **nor** *where you come from*.

連接「對等子句」
John moved away, **but** *Alice stayed in town*.

2. 從屬連接詞 Subordinate Conjunction

引導「名詞子句」
The boys believe **that** *Mary must leave at any cost*.

引導「形容詞子句」
This is not the dress **which** *Mary needed*.

引導「副詞子句」
We will meet **wherever** *the committee decides*.

② 關 係 詞 Relative

1. 關係代名詞（Relative Pronoun）

People **who** *do such things* are fools.（做這種事的人是傻瓜。）

The man **whom** *we met in the street* is my teacher.

2. 關係形容詞（Relative Adjective）

Was that the man **whose** *daughter you want to marry*?

He saves **what** *little he earns*.（他省下他所賺的一點點錢。）
———— 名詞子句 ————

3. 關係副詞（Relative Adverb）

That's one of the reasons **why** *I hate you*.

She follows him **wherever** *he goes*.（無論他走到哪裡，她都跟著他。）

③ 副詞連接詞
（準連接詞）Connectors

如 furthermore, nevertheless, however, therefore, otherwise, namely…
等具有副詞作用，僅意義上與連接詞相同，其前面應有分號或 and 之類的連接詞來完成文法上的連接（詳見 p.469, 471, 474, 478）。

Television is entertaining; ***furthermore***, it is instructive.
（電視是有趣的；此外，也是有益的。）
He has faults; ***nevertheless***, we love him.
Alice moved to New York; ***however***, her mother stayed in Boston.
You have disobeyed me; ***therefore***, I will not help you again.

3. 句子之獨立成分（和句子其他部分沒有文法上關連的成分）

(1) **感 嘆 詞**
（Interjection）

- ① 感嘆詞：*Oh!* He's going to fall!（噢！他要跌倒了！）
- ② 名　詞：*Fire!*（失火了！）　　*Danger!*（危險！）
- ③ 動　詞：*Listen!*（聽！）
- ④ 形容詞：*Wonderful!*（好極了！）
- ⑤ 副　詞：*Quickly!*（快！）
- ⑥ 片　語：*Well done!*（幹得好！）

※ 一個字或一個片語，加驚嘆號，就是一個句子。

(2) **稱呼主格**（Vocative Nominative）

Boys, don't waste your time.

When, *my dear*, shall I see you again?（親愛的，什麼時候我會再見到你？）

My friend, you are wrong!

(3) **感嘆主格**（Exclamatory Nominative）

Heavens! That fellow is here again!

Poor King John! Never again did he see a peaceful day.

（可憐的約翰王！他永遠再也見不到太平的日子。）

(4) **單字**（Word）

Certainly, I think so.

Again, I advise you.

Ridiculous! I don't believe it!（荒唐！我不相信！）

My! What a hot day it is!

(5) **片語**（Phrase）【也可說當副詞用，修飾全句】

To be sure, it is rather late.

To be frank, I don't know.（坦白說，我不知道。）

By the way, I have something to tell you.

Of course, I will help you.

Strictly speaking, this is incorrect.（嚴格地說，這是不正確的。）

(6) **插入語**（Parenthesis）（詳見 p.650）

He is, *I believe*, a big liar.

They are luckier, *however*, because they have a chance to correct their faults.

（不過，他們比較幸運，因為他們有機會改正錯誤。）

We left our university last month, *that is to say*, in May this year.

（我們上個月離開大學，也就是說，在今年的五月。）

請立刻做　練習一、練習二

第二章 片 語（ Phrase ）

A bird *in the hand* is worth two *in the bush*.

從結構上來分，是介詞片語；從功用上來分，是形容詞片語，所以分析文法時，我們說：in the hand 是介詞片語，當形容詞用。

I. 片語種類（ Kinds of Phrases ）

1. 按結構分
Classified
by Structure

(1) 名詞片語（ Noun Phrase ）
The invention of radio has changed the world.
The leader of bandits was a tall strong man.

(2) 動詞片語
（ Verb
Phrase ）
① 助動詞＋原形　shall do
② 進行式（ *be*＋現在分詞 ）　am doing
③ 完成式（ *have*＋過去分詞 ）
have done
shall have done
④ 被動語態（ *be*＋過去分詞 ）
am scolded
shall be scolded
shall have been scolded

(3) 不定詞片語（ Infinitive Phrase ）
I have no friend *to help me*.
To see is *to believe*.

(4) 分詞片語
（ Participle
Phrase ）
① 現在分詞片語
Having completed my assignments, I went to bed.
Puffing like steam engines, we reached the top of the tower.（ 我們到達了塔頂時，氣喘得像個蒸汽機。）
② 過去分詞片語
Impressed by his work, the boss promoted John.
My father, *angered by my behavior*, gave me a thorough beating.
（ 因為對我的行為很生氣，我父親痛打我一頓。）

(5) 動名詞片語（ Gerund Phrase ）
Winning first place in the speech contest was his special ambition.
（ 在演講比賽裡得到第一名是他的主要的野心。）
Painting beautiful pictures is interesting work.
（ 畫美麗的圖畫是件有趣的工作。）

(6) 介詞片語（ Prepositional Phrase ）
Two *of them* played tennis *for an hour*.
The Smiths lived *among the hills*.

⑴ **名詞片語**（Noun Phrase）

The first president of China was Dr. Sun Yat-sen. 【名詞片語做主詞】

To master a foreign language is not easy. 【不定詞片語當名詞片語用，做主詞】

She is fond of *reading novels*. 【動名詞片語做 of 的受詞】

A rat rushed out from *under the bed*. 【介詞片語當名詞用，做 from 的受詞】

⑵ **代名詞片語**（Pronoun Phrase）

We ought to help *one another*.

Those two loved *each other* very dearly.　　　}（詳見 p.142）

⑶ **形容詞片語**（Adjective Phrase）

He is a man *of ability*. （詳見 p.69）

The man *waiting for a bus* is the principal of our school.

I received a letter *written in English*.

It's time *to go* now.

This book is *of great value*.

⑷ **動詞片語**（Verb Phrase）

John *takes after* his father both in looks and in character.

I *look forward to* meeting you again in the near future.

⑸ **副詞片語**（Adverb Phrase）（詳見 p.269）

She treated him *with kindness*.

I am sorry *to bother you*.

She is too young *to get married*.

To tell the truth, I don't like him.

⑹ **介詞的片語**（Preposition Phrase）

He succeeded *by virtue of* hard work.

※ **介詞的片語**的功用相當於介詞，故又稱**片語介詞**，不可與**介詞片語**弄混。

{ Prepositional phrase（介詞片語）
{ = Preposition + Object = Preposition phrase + Object
　　　　　介　詞　　　　　受詞　　　　　　介詞的片語　　　　　受詞

Let us rest a while <u>under a tree</u>.
　　　　　　　　　　介詞　受詞
　　　　　　　└─ 介詞片語 ─┘

I shall wait <u>for you</u> *in front of* the station.
　　　　　　　介詞 受詞　介詞的片語　　受　　詞
　　　　　└介詞片語┘　└─────── 介詞片語 ───────┘

⑺ **片語連接詞**（Phrase Conjunction）：片語連接詞的功用相當於連接詞。

He talks *as if* he knew everything.

He has power *as well as* money.

⑻ **感嘆詞片語**（Interjection Phrase）

Dear me, what shall I do?（哎呀，我的媽呀，這怎麼辦呢？）

Good gracious, I've forgotten your letters.（糟糕，我忘了你的信。）

2. 按功用分
Classified
by Use

II. 同一個片語的不同作用：

片語按照用途來分，雖然有 8 種，但是在分析句子中，重要的有：① 名詞片語 ② 形容詞片語 ③ 副詞片語。有時同樣一個片語在句中有不同的作用。

1. He wishes *to go abroad for further training*.【不定詞片語當名詞用，做動詞的受詞】
   動詞 └──── 名 詞 片 語 ────┘

   He has given up the wish *to go abroad for further training*.【不定詞片語做形容詞用，
   名詞 　　　形 容 詞 片 語　　　修飾名詞】

   He is too poor *to go abroad for further training*.【不定詞片語做副詞片語用，修飾副詞 too】
   副詞 　　　副 詞 片 語

2. I like *reading in the library*.【動名詞片語當名詞片語用，做動詞的受詞】
   動詞 └── 名詞片語 ──┘

   The boy *reading in the library* is my brother.【做形容詞用，修飾名詞】
   名詞　 形 容 詞 片 語

   Reading in the library, my brother fell asleep.

   = My brother, *reading in the library*, fell asleep.

   把 *Reading in the library* 等於副詞子句 While he was reading in the library 修飾動詞 fell（說明睡的時間），所以是**副詞片語**。同時 Reading in the library 也可看成**形容詞片語**，修飾主詞 my brother。像這類句子含有兩種性質的片語，稱為**分詞構句**（詳見 p.457）。

3. The man stepped out from *behind the tree*.【介詞片語當名詞用，做介詞的受詞】
   └── 名詞片語 ──┘

   The man *behind the tree* may be our teacher.【做形容詞用，修飾名詞】
   　　形容詞片語

   The man was standing *behind the tree*.【做副詞用，修飾動詞】
   　　　　 副詞片語

   介詞片語當名詞用的情況不多，使用時要小心。在 from 後面常見，像 from under the desk（從桌子下）、from below the river（從河的下游）等。
   （詳見 p.545）

第三章　子 句（**Clause**）

子　句	說明／定義　種類	是一個有主詞與述語的字群且構成句子的部份。簡言之，**句中句就是子句。**
	主　要　子　句（獨立子句）	句子中的主體，可脫離其他子句而單獨成為一個完整的句子。
	從屬子句　名 詞 子 句 / 形容詞子句 / 副 詞 子 句	由從屬連接詞引導，附屬在主要子句上，不能脫離主要子句而單獨成為一個完整的句子。主要子句和從屬子句構成**複句**。
	對　等　子　句	由對等連接詞連接若干個子句而成的**合句**中的各個子句稱為對等子句，其中每個子句均能脫離其他子句而單獨成為一個完整的句子。

1. 主要子句
Main
Clause

> ***Although** I should have studied last night*, I watched several TV programs.
> ── 從 屬 子 句 ──　　── 主 要 子 句 ──

> I watched several TV programs.【句子】
> *Although I should have studied last night.*【不是一個完整的句子】

2. 從屬子句
Subordinate
Clause

> ⑴ 名詞子句（Noun Clause）
> ***What** you paid* was too much.
> He promised ***that** he would give me the money.*
> （他答應會給我那筆錢。）

> ⑵ 形容詞子句（Adjective Clause）
> People ***who** rarely think* should say little.
> （很少思考的人應少說話。）
> He is a boy *I never admired*.

> ⑶ 副詞子句（Adverbial Clause）
> The children are afraid ***when** it thunders.*
> Sow your seeds ***where** the soil is fertile.*
> （把你的種子種在土壤肥沃的地方。）

3. 對等子句
Coordinate
Clause

> My roommate studied, ***but** I watched several TV programs.
> ── 對 等 子 句 ──　　── 對 等 子 句 ──

> My roommate studied.【句子】
> I watched several TV programs.【句子】

I. 名詞子句（Noun Clause）

名詞子句
的 功 用

1. 做主詞（Subject）

   Whether he will go is undecided.

2. 做受詞（Object）

   I heard *that he flunked French*.

3. 做主詞補語（Subjective Complement）

   The important thing is *what a man does*, not *what he says*.

4. 做受詞補語（Objective Complement）

   You may call him *what you wish*.

5. 做同位語（Appositive）

   The fact *that the earth is round* cannot be denied.

6. 直呼用（Direct Address）

   Get out of my chair, *whoever you are*.

7. 做間接受詞（Indirect Object）

   Give *whoever finishes last* a consolation prize.

名詞子句
的引導字

1. **that**（詳見 p.479）

   That the earth moves around the sun is true.

2. **whether**（是否）（詳見 p.484）

   This depends upon *whether he'll consent or not*.

3. **if**（= whether）（用於表「詢問」或「懷疑」之類的動詞後）（詳見 p.485）

   Do you know *if*（= *whether*）*your brother is at home*?

4. **lest**（= that）（用於 fear, be afraid 等字之後）（詳見 p.486）

   We feared *lest he should get there too late*.

5. **but**（**that**）　① = that…not（用在疑問詞或否定字後）（詳見 p.486）

   　　　　　　　② = that〔在 no(t) doubt, no(t) deny, no question…之後〕

   I don't doubt *but*（= *that*）*he'll do it*.

   Who knows *but it may be so*?

6. 疑問代名詞：**who, whose, whom, which, what**（詳見 p.144, 487）

   I wonder *who broke the window*.

   Please tell me *which is better*.

7. 疑問副詞：**when, where, why, how**（詳見 p.238, 487）

   When he'll come back is not known to us.

8. 複合關係代名詞：**what, whoever, whosever, whomever, whichever, whatever**（詳見 p.156, 488）

   Give it to *whomever you like best*.

【註】疑問形容詞（見 p.166, 487）和複合關係形容詞（見 p.158）也可引導名詞子句。

II. 形容詞子句（**Adjective Clause**）

形容詞子句
的　功　用

> 1. 修飾名詞：
>
> The girl ***who*** *lives opposite my house* is very pretty.
> This is the house ***where*** *Mary was born.*
>
> 2. 修飾片語：
>
> He tried to escape, ***which*** *he found impossible.*
> 　　　　　　不定詞片語
>
> 3. 修飾子句：
>
> She said she was ill, ***which*** *was true.*
> 　　　　名詞子句
>
> 4. 修飾主要子句：
>
> It was raining hard, ***which*** *kept us indoors.*
> ———主要子句———

形容詞子句
的　引　導　字

> 1. **簡單關係代名詞**：**who, whose, whom, which, of which, that**（詳見 p.149）
>
> The man ***whose*** *house has been burned* is a millionaire.
> This is not the book ***which*** *you wanted.*
>
> 2. **準關係代名詞**：**as, but, than**（原爲連接詞）（詳見 p.159）
>
> (1) ***as*** 用在 as…, such（或 such…，或 so…）, the same（或 the same…）後。
>
> He is *as* brave a soldier ***as*** *ever lived.*
> He was not *such* a man ***as*** *would tell a lie.*
>
> (2) ***but*** 用在本身等於 that…not，且前面又有否定字（如 not, no, scarcely,
> hardly,…）時。
>
> There is *scarcely* a child ***but*** *likes candy.*
> = *Nearly every child likes candy.*
>
> (3) ***than*** 用在先行詞前有比較級形容詞所修飾時。
>
> He got *more* money ***than*** *he asked for.*
>
> 3. **關係副詞**：**when, where, why, how**（詳見 p.242）
>
> Sunday is the day ***when*** *I am least busy.*
>
> 【註】關係形容詞也可引導形容詞子句（見 p.166）。

III. 副詞子句（**Adverbial Clause**）

副詞子句的功用

1. 修飾動詞：

Don't come ***before*** *we are ready for you*. (不要在我們爲你準備好之前來。)

2. 修飾分詞：

Flying ***until*** *he was out of gas*, John crashed.
(一直飛到燃料用盡後，約翰墜機了。)

3. 修飾形容詞：

His reply was quicker ***than*** *it should have been*. (他的答覆比應有的快。)

4. 修飾副詞：

Winter came earlier ***than*** *it ever had before*. (冬天來得比以前早。)

副詞子句的引導字

1. **表時間** (詳見 p.489)

when (當…時候)，while (當…時候)，as (當…時候)，till (until) (一直
到…爲止)，whenever (無論何時)，since (自從…以來)，after (…之後)，
before (…之前)，as (so) long as (只要)，as often as (每次；每當)，
once (一旦；一…就)，by the time (that) (到了…時候就…)，not…long
before (*or* when) (…不久，就～)

{
hardly…when (*or* before)
= scarcely…when (*or* before)
= barely…when (*or* before)
= no sooner…than
} (一…就)

{
any time (任何時候)
every time (每次)
each time (每當…的時候)
next time (下次)
last time (上次)
the day (當…那天)
}

{
as soon as
= directly (when)
= immediately (when *or* after)
= the moment (that)
= the instant (that)
= the minute (that)
} (一…就)

2. **表地點** (詳見 p.498)

where (在…地方；到…地方)，wherever (任何地方)，whence 〔(到) …地方〕，
everywhere (that) (無論什麼地方)，anywhere (that) (無論…地方)

3. **表狀態** (詳見 p.499)

as (像；依照)，(just) as…so (像…那樣；猶如)，as if (= as though) (好像；宛如)

4. **表比較** (詳見 p.503)

than (比)，the…the～ (越…越～)，how (照…的樣子)，according as (依照)，
as…as (像…一樣)

{
in proportion as
in ratio as
} (按…比例；愈…愈～)
{
not so (*or* as)…as (不像…那樣)
no…so (*or* as)…as (沒有像…那樣)
}

5. **表原因**（詳見 p.507）

as（因為），because（因為），inasmuch as（ = in as much as）（因為），
it is that（是因為），not because…but because～（不是因為…而是因為～）

$$\left.\begin{array}{l} \text{now (that)} \\ = \text{seeing (that)} \\ = \text{considering (that)} \\ = \text{since} \\ = \text{when} \end{array}\right\}（因為；既然；鑒於）\quad \left.\begin{array}{l} \left\{\begin{array}{l}\text{in that（因為）}\\\text{for that（由於；因為）}\end{array}\right. \\ \left.\begin{array}{l}\text{for the reason that}\\\text{by reason that}\\\text{on the ground(s) that}\end{array}\right\}（因為）\end{array}\right.$$

6. **表目的**（詳見 p.513）

$$\left.\begin{array}{l} \text{that} \\ \text{so that} \\ \text{in order that} \end{array}\right\}\cdots\text{may (might)}（為了…；以便…）【表肯定目的】$$

$$\left.\begin{array}{l} \text{lest} \\ \text{for fear (that)} \\ \text{in case (that)} \end{array}\right\}\cdots\text{should}（以免；惟恐；以防備；為了不）【表否定目的】$$

7. **表結果**（詳見 p.516）

$$\left.\begin{array}{l} \text{so}\cdots\text{that} \\ \text{such}\cdots\text{that} \end{array}\right\}（如此…以致於）\quad \left.\begin{array}{l} \text{but} \\ \text{but that} \\ \text{but what} \end{array}\right\}（而不）$$

so (that)（所以）

8. **表條件**（詳見 p.519）

if（如果），unless（除非；如果不），as (so) long as（只要），in case（如果），
if only（只要），only if（只有），on condition (that)（只要；假如），but that
（如果不是因為），so that（只要），once（一旦），where…there（若…則…），
in the event that（如果；萬一；一旦），only that（如果不是…）

$$\left.\begin{array}{ll} \text{suppose (that)} & = \text{supposing (that)} \\ = \text{provided (that)} & = \text{providing (that)} \end{array}\right\}= \text{if}（如果）$$

9. **表讓步**（詳見 p.524）

if（雖然；即使），whether…or（無論），notwithstanding (that)（雖然），
when（雖然），(al)though（雖然），as（雖然），for all (that)（儘管如此）

$$\left.\begin{array}{l} \text{even though} \\ \text{even if} \end{array}\right\}（即使；雖然）$$

$$\left.\begin{array}{l} \text{while} \\ \text{whereas} \end{array}\right\}（雖然；即使）\qquad \text{no matter}\left\{\begin{array}{l}\text{how}\\\text{what}\\\text{where}\\\text{when}\\\text{which}\\\text{who}\end{array}\right.= \sim\text{ever}（無論…）$$

$$\left.\begin{array}{l} \text{granting (that)} \\ \text{granted (that)} \\ \text{grant that} \\ \text{(while) admitting (that)} \\ \text{assuming (that)} \end{array}\right\}（即使）\quad \left.\begin{array}{l} \text{not but} \\ \text{not but that} \\ \text{not but what} \end{array}\right\}（雖然；並非不；然而）$$

副詞子句的引導字

第四章 英文句子分析法

　　綜合前面各章所討論的，我們可以發現，一個句子的主體是主詞與動詞，再由動詞的種類及意義而決定是否需要補語或受詞，故有五種基本句型之別。至於其他的附屬成分如修飾語、連結詞等，可依句意的需要而加在句子裡。又因爲句子的主要成分或附屬成分可能是一個字，也可能是字群，所以無論一個句子有多麼長，只要它是一個句子，我們將它加以分析的結果，必定能歸納於五種基本句型其中的一種。如：

He flies.（他飛行。）
主詞 動詞

He flies *from time to time.*（他時常飛行。）
主詞 動詞

He flies *from Taiwan to other countries.*
主詞 動詞

He flies from Taiwan to other countries *in the world.*
主詞 動詞

He flies from Taiwan to other countries in the world *including the United States of America.*
主詞 動詞

He flies *from time to time* from Taiwan to other countries in the world including the
主詞 動詞

United States of America.

（他時常從台灣飛行到世界的其他國家，包括美國。）

He flies
主詞 動詞

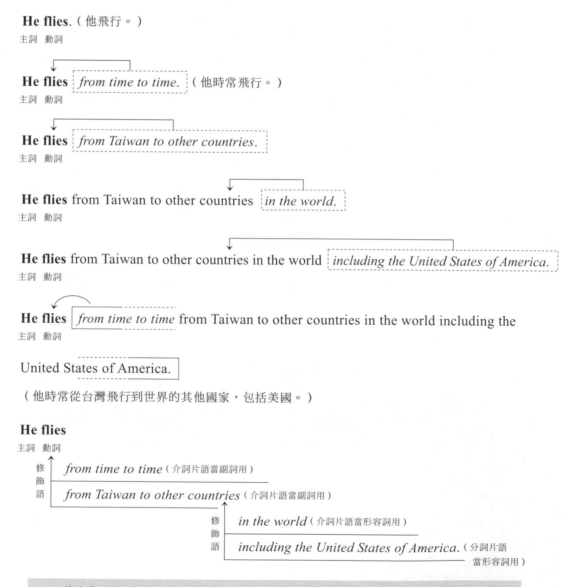

修飾語 ─ *from time to time*（介詞片語當副詞用）
　　　　 from Taiwan to other countries（介詞片語當副詞用）
　　　　　　　　修飾語 ─ *in the world*（介詞片語當形容詞用）
　　　　　　　　　　　　 including the United States of America.（分詞片語當形容詞用）

> 　　英文句子有時候很長，就要學會分析，會句子分析，有利於閱讀，和造句。要找出句子的主詞、動詞、受詞、補語，原則上，一個句子只有一個主要動詞。雖然句子千變萬化，**只要找出主詞、動詞，再複雜的句子，也會立即現出原形。**

I. S + V 的句型：

下面的例句雖然有的較短，有的較長，但分析的結果，都是屬於「主詞 + 動詞」
的句型，因為修飾語的多寡與長短有差別，才使句子的長度不一樣。此句型的動
詞都是完全不及物動詞。

My **parents** **live** in Taipei.（我父母親住在台北。）
修飾語　　主詞　　動詞　修飾語(副詞片語)
(形容詞)　　S　　　V

The **sun** **rises** in the east.　（太陽從東方升起。）
　　　S　　V

Fire burns.（火燃燒。）
　S　　　V

Our **desire** *always* **increases** with our possessions.
　　　　S　　　　　　　　　V
（我們的慾望總是隨著我們的財產而增加。）

You **must get up** very early to see the sunrise tomorrow morning.
　S　　　　V
（因為明天早上要看日出，你必須很早起床。）

It matters *little* what you use your money on, provided you do use it wisely.
　S　　V　　　└──── 名詞子句做真正主詞 ────┘
形式主詞

（如果你明智地運用你的錢，那你把它用在什麼方面並不重要。）

【註】像 He looked at the girl. 之類的句子，有兩種分析法。

(1) **S + V**

　　　　　　　　　　修飾語
　　He looked *at the girl*.（他對著這女孩看。）
　　　　動詞　　介詞片語當副詞用

(2) **S + V + O**

　　He <u>looked at</u> the girl.（他注視著這女孩。）
　　　　動詞片語　　　受詞

II. S + V + SC 的句型:

下面的例句都是屬於「主詞＋動詞＋主詞補語」的句型。此句型的動詞都是不完全不及物動詞。

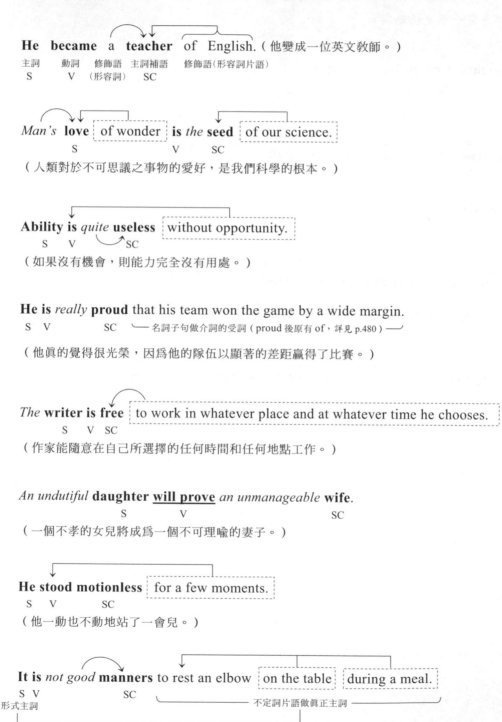

He became a teacher of English.（他變成一位英文教師。）
主詞　　動詞　　修飾語　主詞補語　修飾語（形容詞片語）
S　　　V　　（形容詞）　SC

Man's love of wonder is the seed of our science.
　　　 S　　　　　　　　V　　SC
（人類對於不可思議之事物的愛好，是我們科學的根本。）

Ability is quite useless without opportunity.
S　　V　　　　　SC
（如果沒有機會，則能力完全沒有用處。）

He is really proud that his team won the game by a wide margin.
S　　V　　　　SC　　└──名詞子句做介詞的受詞（proud 後原有 of，詳見 p.480）──┘
（他真的覺得很光榮，因為他的隊伍以顯著的差距贏得了比賽。）

The writer is free to work in whatever place and at whatever time he chooses.
　　　 S　　V SC
（作家能隨意在自己所選擇的任何時間和任何地點工作。）

An undutiful daughter will prove an unmanageable wife.
　　　　　　　　　　S　　　　　　V　　　　　　　　　　SC
（一個不孝的女兒將成為一個不可理喻的妻子。）

He stood motionless for a few moments.
S　　V　　　SC
（他一動也不動地站了一會兒。）

It is not good manners to rest an elbow on the table during a meal.
S V　　　　　　SC
形式主詞　　　　　　　└────不定詞片語做真正主詞────┘
（在用餐的時候把手肘放在桌子上是不禮貌的。）

Ⅲ. S＋V＋O 的句型：

下面的例句都是屬於「**主詞＋動詞＋受詞**」的句型。此句型的動詞都是完全及物動詞。

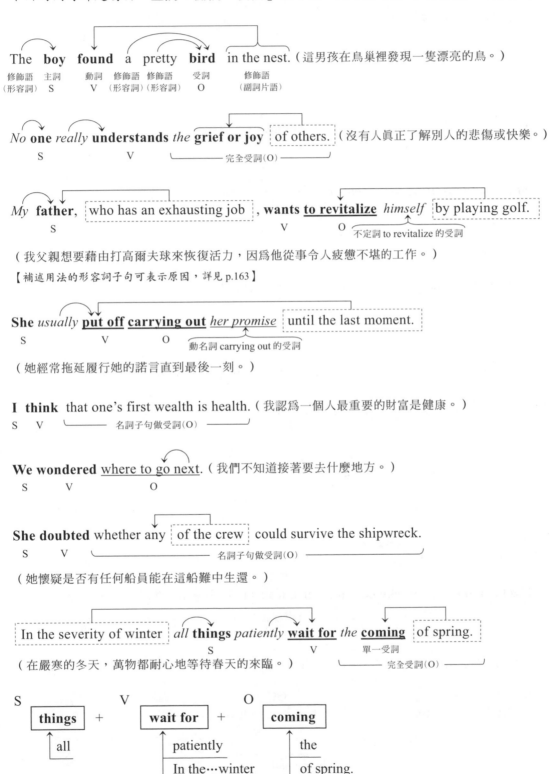

The **boy** **found** a pretty **bird** in the nest.（這男孩在鳥巢裡發現一隻漂亮的鳥。）
修飾語　主詞　　動詞　修飾語　修飾語　受詞　　修飾語
（形容詞）　S　　　V　（形容詞）（形容詞）　O　　（副詞片語）

No **one** *really* **understands** *the* **grief or joy** of others.（沒有人真正了解別人的悲傷或快樂。）
　　　S　　　　　　V　　　　　　└────完全受詞(O)────┘

My **father**, who has an exhausting job , **wants** **to revitalize** *himself* by playing golf.
　　　S　　　　　　　　　　　　　　　　　　　V　　　O　　不定詞 to revitalize 的受詞

（我父親想要藉由打高爾夫球來恢復活力，因為他從事令人疲憊不堪的工作。）
【補述用法的形容詞子句可表示原因，詳見 p.163】

She *usually* **put off** **carrying out** *her promise* until the last moment.
　S　　　　　　V　　　　　　　O　　　動名詞 carrying out 的受詞

（她經常拖延履行她的諾言直到最後一刻。）

I **think** that one's first wealth is health.（我認為一個人最重要的財富是健康。）
S　V　　└──── 名詞子句做受詞(O) ────┘

We **wondered** where to go next.（我們不知道接著要去什麼地方。）
　S　　　V　　　　　O

She **doubted** whether any of the crew could survive the shipwreck.
　S　　　V　　└──────── 名詞子句做受詞(O) ────────┘

（她懷疑是否有任何船員能在這船難中生還。）

In the severity of winter *all* **things** *patiently* **wait for** *the* **coming** of spring.
　　　　　　　　　　　　　　S　　　　　　　V　　　單一受詞
　　　　　　　　　　　　　　　　　　　　　　　　　　└──── 完全受詞(O) ────┘

（在嚴寒的冬天，萬物都耐心地等待春天的來臨。）

　　S　　　　　　　　V　　　　　　　O

things	＋	**wait for**	＋	**coming**
all		patiently		the
		In the…winter		of spring.

IV. S + V + O + OC 的句型：

下面的例句都是屬於「**主詞 + 動詞 + 受詞 + 受詞補語**」的句型。此句型的動詞都是不完全及物動詞。

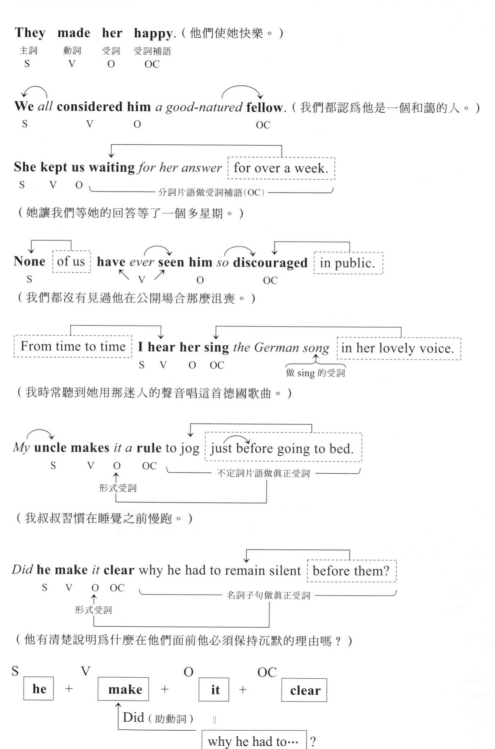

They made her happy. (他們使她快樂。)
主詞　　動詞　　受詞　　受詞補語
　S　　　V　　　O　　　OC

We *all* **considered him** *a good-natured* **fellow**. (我們都認為他是一個和藹的人。)
　S　　　　　　V　　　O　　　　　　　　　OC

She kept us waiting *for her answer* for over a week.
　S　　V　　O ───────── 分詞片語做受詞補語(OC) ─────────
(她讓我們等她的回答等了一個多星期。)

None of us **have** *ever* **seen him** *so* **discouraged** in public.
　S　　　　　　　V　　　　　　O　　　　　　OC
(我們都沒有見過他在公開場合那麼沮喪。)

From time to time **I hear her sing** *the German song* in her lovely voice.
　　　　　　　　　　S　　V　　O　OC
　　　　　　　　　　　　　　　　　　　做 sing 的受詞
(我時常聽到她用那迷人的聲音唱這首德國歌曲。)

My **uncle makes** *it* *a* **rule** to jog just before going to bed.
　　　S　　V　O　OC
　　　　　　　　形式受詞　　── 不定詞片語做真正受詞 ──
(我叔叔習慣在睡覺之前慢跑。)

Did **he make** *it* **clear** why he had to remain silent before them?
　　　　S　V　O　OC
　　　　　　　　形式受詞　　── 名詞子句做真正受詞 ──
(他有清楚說明為什麼在他們面前他必須保持沉默的理由嗎？)

S　　　　　　V　　　　　　O　　　　　OC
| he | + | make | + | it | + | clear |

Did (助動詞)　　‖
why he had to… ?

V. S + V + IO + DO 的句型：

下面的例句都是屬於「主詞 + 動詞 + 間接受詞 + 直接受詞」的句型。此句型的動詞都是「授與動詞」。

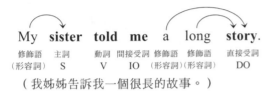

My **sister** **told** **me** a long **story**.
修飾語　主詞　　動詞　間接受詞　修飾語　修飾語　直接受詞
（形容詞）　S　　V　　IO　（形容詞）（形容詞）　DO

（我姊姊告訴我一個很長的故事。）

I lent him *a reference* **book**.（我借他一本參考書。）
S　V　IO　　　　　　DO

The **Indians taught** *the* **settlers** how to fish in the frozen river.
　　　　S　　　V　　　　IO
　　　　　　　　　　　　　└─ 疑問詞加不定詞片語做直接受詞（DO）─┘

（印第安人教殖民者如何在結冰的河裡捕魚。）

Would you tell me where to get tickets?
　　　S　V　IO └────── DO ──────┘

（請你告訴我在哪裡買票好嗎？）

This morning *the weather* **forecast warned us** that a big typhoon is approaching Taiwan.
　　　　　　　　　　　　S　　　V　　IO └────名詞子句做動詞的直接受詞（DO）────┘

（今天早上氣象預報警告我們，有一個大颱風正接近台灣。）

The old **man told me** that gray hair is a sign of age, not of wisdom.
　　　　S　V　IO └──────名詞子句做直接受詞（DO）──────┘

（這位老人告訴我，灰白的頭髮是年老的象徵，而不是智慧的象徵。）

However busy you may be, **you must allow yourself time** to write home at least
　　　　　　　　　　　　　S　　V　　IO　　DO

once a month.

（無論你有多忙，你都必須自己挪出時間，每個月至少寫一次信回家。）

S　　　　　V　　　　　IO　　　　　DO
you ＋ **allow** ＋ **yourself** ＋ **time**
　　　　　↑　　　　　　　　　　　↑
　　　　must（助動詞）　　　　to write…month.
　　　　However…may be,

第五章 英文之大寫（Capitalization of English Words）

1. 每句開始的第一個字母

Necessity is the mother of invention.（需要為發明之母。）

2. 引用句的第一個字母

Our teacher said, "**Don't** miss seeing that movie."

（我們的老師說：「不要錯過那部電影。」）

3. 每行詩的第一個字母

We look before and after,

   And pine for what is not:

Our sincerest laughter

   With some pain is fraught;

Our sweetest songs are those that tell of saddest thought.

               Shelley, "To a Skylark"

我們瞻前顧後，

   渴望眼前（現實）所沒有的：

我們最誠摯的笑聲

   充滿絲絲痛苦；

最悅耳的歌聲是那些訴說最傷感的幽思。

            —— 雪萊「寄情（語）雲雀」

4. 人名（不論是真人或虛構之人）

John（約翰），George Washington（喬治・華盛頓），Huckleberry Finn（哈克・芬）。

5. 階級、公職、貴族、學術或宗教的頭銜

Mr. Wang（王先生），Mrs. Roosevelt（羅斯福太太），Miss Adams（亞當斯小姐），
Dr. Smith（史密斯醫生），Sir Winston（溫斯頓爵士），King David（大衛王），
President Madison（麥迪遜總統），Prof. Lee（李教授），Father Martin（馬汀神父），
Mayor Kao（高市長），Capt. Chang（張船長）。

6. 戰爭、歷史大事

World War II（第二次世界大戰），the Middle Ages（中世紀），
the Stone Age（石器時代），the Renaissance（文藝復興）。

7. 神、宗教、經典之名稱

God, Lord, the Creator, the Almighty（上帝）【其代名詞及所有格也要用大寫，如：He, Him,
Thee, Thou】，Zeus（宙斯）【希臘神名】，Buddhism（佛教），Islam（伊斯蘭教；回教），
Catholic（天主教徒），the Bible（聖經），the Koran（可蘭經），Taoism（道教）。

8. **條約、重要文獻、藝術品、音樂**

the Treaty of Versailles（凡爾賽和約），the Gettysburg Address（蓋茨堡演說），
the Mona Lisa（蒙娜麗莎），Beethoven's Ninth Symphony（貝多芬第九號交響曲）。

9. **節日、星期各天、月份之名稱**

New Year's Day（元旦），Christmas Eve（聖誕夜），Monday（星期一），
October（十月）。

10. **政黨、政府機關、民間社團組織、學校**

the United Nations Security Council（聯合國安全理事會）

the Executive Yuan（行政院）

the Boy Scouts of China（中國男童子軍）

National Taiwan University（台灣大學）

a Democrat（一位民主黨員）

the Y.M.C.A.（基督教青年會）

11. **擬人用法**（就是將非人的事物當作人來看待，因此要大寫）

The **Sun** drove away the clouds with his powerful rays.（太陽用他的強光驅走了雲。）

Let **Peace** forever hold her sway over the earth.（讓和平永遠統治這世界。）

12. **書報、雜誌之名稱**

Have you read ***The Old Man and the Sea***?（你讀過「老人與海」了嗎？）

The ***Reader's Digest*** has a large circulation.（「讀者文摘」的發行量很大。）

China Post（中國郵報）　　　　　　　*War and Peace*（戰爭與和平）

Gone with the Wind（飄）

13. **天體之名稱**

Jupiter（木星），Venus（金星），Mars（火星），Mercury（水星），the North Star
（北極星），the Milky Way（銀河），the Great Bear（大熊座）。

14. **獨立使用之感嘆詞**

Oh!（噢！）　　　Wow!（哇！）　　　No!（不！）　　　Never!（絕不！）

15. **代名詞 "I" 與感嘆詞 "O" 要大寫**

May **I** go with you?（我可以和你一起去嗎？）

Hear us, **O** Lord!（噢，我的主呀，請聽我們禱告！）

16. **信首、信尾之稱呼**

Dear Mr. Jones,（親愛的瓊斯先生：）　　　Sincerely yours,（敬上）

17. **專有名詞之縮寫**

U.S.A. = the United States of America（美國）

U.K. = the United Kingdom（英國）　　　N.Y. = New York（紐約）

18. **公司、行號、商標、品牌**

General Motors（通用汽車公司），First Bank（第一銀行），Microsoft（微軟），
Coca-Cola（可口可樂）。

19. **地理名詞**

a. **地理區域**

Eastern Hemisphere（東半球），the Far East（遠東），the Antarctic Ocean（南冰洋），Africa（非洲），the North Pole（北極），Antarctica（南極洲）。

【註】只指方向時不用大寫，指世界或某一國的區域則須大寫。

China must develop her **Northwest**.【指國家的一個區域】（中國必須發展西北部。）
Turn **right** and drive ten miles **northwest**.【指方向】（向右轉，並向西北方開十哩。）
the mystery of the **East**（the **Orient**）【指東方】（東方的神秘）
the technology of the **West**（the **Occident**）【指西方】（西方的科技）

b. **民族、語言、國家、城市及其形容詞**

the Republic of China（中華民國），Sweden（瑞典），Peru（秘魯），Japanese（日文；日本人），Chinese（中文），Filipino(s)（菲律賓人），Spaniard（西班牙人），New York City（紐約市），France（法國），French（法國的；法文）。

c. **山、川、湖泊、海洋、島嶼**

Mount Everest（埃弗勒斯峰），the Mississippi River（密西西比河），
Lake Michigan（密西根湖），the Hawaiian Islands（夏威夷群島），
the Gulf of Mexico（墨西哥灣），the Pacific Ocean（太平洋）。

d. **街道、公路、公園、名勝古蹟之名稱**

Oxford Street（牛津街），Fifth Avenue（第五街），
Yellowstone National Park（黃石國家公園），the Eiffel Tower（艾菲爾鐵塔），
Times Square（時代廣場），U.S. Highway 62（美國 62 號公路）。

20. **家族內的稱呼**（可大寫也可小寫）

Where is **Brother** (*or my* **brother**) now?（哥哥在哪裡？）
I called **Mother** (*or my* **mother**) on the telephone.（我打電話給媽媽。）

21. **交通工具、太空船等之名稱**

the Titanic（鐵達尼號），the Apollo 13（太空船阿波羅 13 號）。

22. **獎金、勳章、獎章之名稱**

the Nobel Prize（諾貝爾獎），the Academy Award（奧斯卡金像獎）。

23. **被強調的詞語**

This ISN'T what I asked for.（這不是我要的東西。）
Please keep your voice DOWN.（請降低音量。）

第六章 標 點（**Punctuation**）

I. (.) 句點　　(…) 省略號　　　II. (?) 問號　　　III. (!) 驚嘆號　　IV. (,) 逗點
V. (;) 分號　　VI. (:) 冒號　VII. (—) 破折號　　VIII. ("") 和 (' ') 雙引號和單引號
IX. (-) 連字號　　X. (') 撇號　　XI. ( )〔 〕小括號和中括號　　XII. (/) 斜線號

I. **The Period**（*or* **Full Stop**）(**.**)　句點；**The Ellipsis Mark**（**…**）　省略號

1. **在敘述句與溫和的祈使句之後用句點。**

   When autumn comes, birds begin flying south.（當秋天來臨時，鳥就開始往南飛。）
   Drive carefully and avoid accidents.（小心駕駛，避免車禍。）
   Come over this evening and watch TV.（今晚來我家看電視。）

2. **在間接問句之末用句點。**

   John wondered when we would be ready to go.（約翰想知道什麼時候我們才準備好去。）
   Mr. Brown asked when I could report for work.（布朗先生問何時我能報到上班。）

3. **在標準縮寫之後用句點。**

   Mr. and Mrs. James Brown（詹姆士布朗夫婦）
   Henry Smith, M.D.（b.1900; d.1950）
   （亨利史密斯，醫學博士。）（1900 年生；1950 年死）
   R.S.V.P.（Please reply）（敬請答覆）　　　LL.D.（Doctor of Laws）（法學博士）
   PP.（pages）（頁數）　　　　　　　　　　a.s.a.p.（as soon as possible）（盡快）
   e.g.（for example）（例如）　　　　　　　P.S.（postscript）（附言）
   i.e.（that is）（就是）　　　　　　　　　viz.（namely）（也就是；即）

4. **句點用於小數點。**

   4.25 percent（4.25%）　　　　　　　　　$5.75（五元七角五分）

5. **連續三個句點表示省略。**但如果省略的部分在句末時，須保留原句末的標點符號。

   They…and put him in prison.（他們…且將他關進監牢裡。）
   My car is parked….（我的汽車停在…。）
   "Leave at once, or…!" shouted his father.（「走開，否則…！」他父親大聲說。）

   連續三個句點也可表示語句中的斷續、停頓或猶豫。
   "I'm sorry…I mean…I wasn't trying to offend you," he said humbly.
   （「我很抱歉…我是說…我並不想冒犯你，」他謙卑地說。）

II. **The Question Mark**（**?**）　問號

1. **在每個直接疑問句之後要用一個問號。**

   Where is the Administration Building?（辦公大樓在什麼地方？）
   Why are you so eager to go?（為什麼你這麼想去？）

2. **在括號內表示對於某字或某日期之懷疑。**

Shakespeare was born on April 23 (?), 1564. (莎士比亞可能是 1564 年 4 月 23 日生。)

This is a genuine (?) leather bag. 【此處的問號表示對那個字的拼法感到懷疑】

(這是一個真皮皮包。)

3. **在一句中一連幾個問題之後都要各用一個問號。**

Who will be there from your family? you? your brother? your parents?

(你們家誰會去？是你？你的弟弟？你的雙親？)

When will you arrive? on what airline? on what flight?

(你什麼時候會到？哪家航空公司？坐哪班飛機？)

【註】此種結構也可用不同的標點符號來表示。

　　　Will you be there? or your brother? or your parents?

　　　= Will you be there — or your brother — or your parents?

　　　= Will you be there, or your brother, or your parents?

　　　(是你去？或是你弟弟去？或者你的雙親去？)

III. The Exclamation Point = The Exclamation Mark（!） 驚嘆號

1. **用來表示強烈的感情、驚訝、強調，或諷刺。**

Help! Help! (救命！救命！)

What wonderful news! (多麼棒的消息！)

Here's to Smith, the Man of the Year! (敬史密斯先生，今年的風雲人物！)

【Here's to Smith! 是敬酒常用的話，說話時要舉起酒杯】

What a joke! That's unbelievable! (簡直是笑話！真令人不敢相信！)

2. **用來表命令。**

Column right, march! (成縱隊右轉彎走！)【軍人口令】

Run for your life! (快逃命啊！)

IV. The Comma（,） 逗點

1. **分隔相同結構中連續的單字、片語，或子句。**

He is tall, dark, and handsome. (他長得又高又黑，而且很英俊。)

The book tells the story of an old man, of his young wife, and of their many problems of adjustment. (本書描述一位老人和他年輕太太，以及他們相互適應的很多問題。)

Who he was, why he married her, what their problems were, and how it all ended happily, are told with all the skill of a good storyteller.

(他是誰，為何與她結婚，他們之間的問題是什麼，以及如何得到幸福的結局，都由一位擅長講故事的人的技巧描繪出來。)

2. **直接稱呼要用逗點分開。**

Harry, have you found my books? (哈利，你找到我的書了嗎？)

I am going to have my examinations next month, Jane. (珍，下個月我要考試了。)

3. **同位格的單字、片語，或子句要用逗點分隔。**

An American author, William Faulkner, won a Nobel Prize in 1949.
（一位美國作家，威廉・佛克納，於 1949 年獲得諾貝爾獎。）
Tim, the poorest student in the class, will surely fail.
（提姆，班上最差的學生，一定會不及格。）
Alice, the same Alice we saw yesterday, is not at school today.
（艾莉絲，就是我們昨天看到的那位艾莉絲，今天沒來上學。）

4. **用逗點分隔由對等連接詞（ and, but, or, nor, for, yet, so 等）所連結的獨立子句。**

Everybody expected rain, but it never came.（每個人都盼望下雨，但從沒下雨。）
Jim ran all the way, for he had to get there on time.
（吉姆一路都在跑，因為他必須準時到那裡。）

5. **用逗點在直接引用句中分隔引句和報告動詞。**

Tom said, "Will you go with us?"（湯姆說：「你要和我們一起去嗎？」）
"I am delighted to see you," he said.（「我很高興見到你，」他說。）

6. **逗點被用來表示省略重複的單字或片語。**

A bus is used for a short trip; a plane, for a long trip.
（巴士被用來作短途旅行；長途旅行則用飛機。）

7. **用逗點分隔日期，或地址的各項目，以及長的數字。**

Dr. Sun Yat-sen was born on November 12, 1866, at Chung-shan Hsien, Kwangtung.
（孫逸仙博士在 1866 年 11 月 12 日出生於廣東省中山縣。）
The US Government deficit may reach $5,565,000,000 this year.
（今年美國政府的赤字可能達到 5,565,000,000 元。）

8. **在非正式的社交信件的稱呼之後，以及所有信件的結尾語之後要用逗點。**

Dear Mary,（親愛的瑪莉）　Truly yours,（你眞實的朋友，）
※ Dear Sir:【商業書信要用冒號】（敬啓者：）

9. **用逗點分隔專有名字後面的學術或名譽的頭銜，或者兩個以上的連續頭銜。**

The project chief was Gordon French, Ph.D.（此方案的主持人是高登・佛蘭奇博士。）

10. **在 yes 或 no 之後，以及在句首的溫和感嘆詞像 oh, well, now, 和 why 之後用逗點。**

　⎰ Are you a teacher?（你是老師嗎？）
　⎱ No, I am not.（不，我不是。）
Oh, yes, I agree completely.（哦，是的，我完全同意。）

11. **用逗點分隔插入的單字、片語或子句。**

However, we do not disagree too much.（可是，我們的歧見並不太大。）
= We do not, however, disagree too much.
= We do not disagree too much, however.

We must, on the other hand, discuss every aspect of the problem.
（另一方面，我們必須討論問題的每個方面。）

I believe, if anyone should ask my opinion, that action should be postponed.
（如果有人要問我的意見，我相信，那行動應當延期。）

12. 用逗點分隔獨立分詞片語。

The game (being) over, the crowd soon scattered.（比賽完了，群衆很快就散去。）

The task having been finished, we started on our return trip.
（工作完成了，我們開始踏上歸途。）

13. **用逗點分隔對比的單字、片語或子句。**

Psmith begins his name with a P, not an S.（普史密斯的名字是 "P" 開頭，而不是 "S"。）

Books should be kept on the table, not on the floor.（書應該放在桌上，而不是地板上。）

The less haste some people make, the more progress they achieve.
（有些人越不匆忙，進步越大。）

14. 用兩個逗點括起非限定子句。

Chapter 10, which tells of the rescue, is well written.
（第十章，它描述該次的救援，寫得很好。）

如果是限定子句就不用逗點。

Indianapolis, which is the capital of Indiana, has a population of 427,200.【非限定用法】
（印第安那波利斯，它是印第安那州的首府，有 427,200 人口。）

The city which is the capital of Indiana has a population of 427,200.【限定用法】
（印第安那州首府的人口有 427,200 人。）

15. 附加問句在敘述部與問題部之間要用逗點分隔。

He's a devil, isn't he?（他是個惡魔，不是嗎？）

That wasn't too much to spend for this dress, was it?
（花那些錢買這件衣服不算太貴，是嗎？）

16. **爲了減少誤解要用逗點分隔。**

In 2010, 1,842 freshmen appeared on our campus.
（在 2010 年，有 1,842 位大一新生出現在我們校園。）

We ate bacon, and the Brownes ate eggs.（我們吃培根，而布朗尼斯家吃蛋。）

Instead of a hundred, thousands came.（不是一百，而是數以千計的來。）

V. Semicolon（；） 分號

1. 分號用來連接沒有連結詞的兩個或多個有密切關係的獨立子句：

The car stopped; Joe got in. = The car stopped and Joe got in.（車停了下來；喬上去。）

I went to work; I had a quick lunch; I came straight home.

= I went to work, had a quick lunch, and came straight home.
（我去工作；很快吃完午餐；直接就回家。）

2. **分號用來分隔由下列副詞連接詞所連結的對等子句：**（副詞連接詞用法詳見 p.469, 471, 474, 478）

anyhow（以任何方法），**besides**（此外），**furthermore**（此外），**moreover**（而且；此外），**however**（然而），**nevertheless**（然而），**otherwise**（否則），**likewise**（同樣地），**therefore**（因此），**thus**（因此），**then**（然後），**yet**（然而），**still**（仍然），**instead**（作為代替），**consequently**（因此），**notwithstanding**（雖然），**also**（此外）。

On the way to the station, we were delayed by heavy traffic; { still, however, nevertheless, } we managed to catch the train.
（在去車站的途中，我們被擁擠的交通所耽擱；可是我們還是趕上那班火車。）

The pianist was very ill; { consequently, therefore, thus, } the concert was canceled.
（那位鋼琴家病得很重；因此，音樂會就被取消了。）

3. **在下列單字、片語或縮寫字等之前也要用分號來引導一個解釋或例子。**

> namely（即；也就是），for example（例如），that is（就是；也就是說），
> i.e. (= that is)，e.g. (= for example)，viz. (= namely)

The child was bright; for example, he could do long division.
（那小孩很聰明；例如，他會算長的除法。）
The last thing, which I shall mention, is first in importance; that is, to avoid gambling.
（最後我要提的，也是最重要的；那就是，不要賭博。）

4. **當子句長或其中已含有逗點時，用分號分隔集合句中的子句。**

Success in college, so some maintain, requires intelligence, industry, and honesty; *but* others, fewer in number, assert that only personality is important.（有些人認為，在大學裡成功需要智慧、勤奮、和誠實；但其他少數的人則主張，只有人格最重要。）

5. **當為了使句意更清楚、更明白時，分號也可用來分隔長的片語或長的附屬子句或長的數字。**

Three men were elected to the board of directors: Arthur Crane, an insurance executive; George Blakely, the owner of a lumber mill; and Fred Blakenship, the manager of a department store chain.
（有三個人被選入董事會：亞瑟・克倫，一位保險公司的主管；喬治・布雷克利，一位木材廠的老板；以及弗瑞德・布萊肯什普，一位連鎖百貨公司的經理。）
The winning numbers were 1,273; 3,663; 8,462; and 2,370.
（中獎的號碼是 1,273；3,663；8,462；以及 2,370。）

VI. Colon（：）冒號

1. **引導長的或正式的引用句。**

General Robert E. Lee once said: "Duty is the sublimest word in the English language; no man should do more, nor should any man be expected to do less."
（羅伯特・李將軍曾說道：「『職務』在英文裡是個最莊嚴的字眼；沒有人應該多做一點，可是也沒有人能少做一點。」）

2. **在商業書信的稱呼之後要用冒號。**

Dear Sir:（敬啟者：） Dear Mr. Brown:（親愛的布朗先生：）

Gentlemen:（先生們：） My dear Mr. Burns:（我親愛的柏恩斯先生：）

3. **在介紹陳述之後的細節列舉。**

You will need the following equipment for the trip: a change of clothes, a few
　　toilet articles, and a supply of money.

（這次旅行你會需要下列的裝備：一套換洗的衣服、一些日用品，和一些錢。）

Three reasons have been given for his success: integrity, industry, and a good personality.

（聽說他成功有三個原因：正直、勤勉，及良好的個性。）

4. **當需要加強語氣時，用冒號介紹單字、片語，或子句。**

My aim in this course is easily stated: a high grade.

（我對此課程的目標很容易說明：要得高分。）

Only one other possibility remains: to travel by air.（只有另一個可能：坐飛機去。）

This is our next problem: where do we go from here?

（這是我們下一個問題：我們從這裡要到什麼地方去？）

5. **冒號的其他用途：**

表時間：By my watch it is exactly 10:25 A.M.

　　　　　　（照我的錶，正好是上午 10 點 25 分。）

表比例：14：1（14 比 1）

表日期：12：24：2010【month：day：year】（2010 年 12 月 24 日）

　　　　　7：IX：2010【day：month：year】（2010 年 9 月 7 日）

表章節：John 3:16 is my best-loved Bible verse.

　　　　　　（約翰福音第 3 章 16 節是我最喜愛的聖經章節。）

VII. **Dash**（—） 破折號

1. **表示文意之突然變化。**

Here is a fuller explanation — but perhaps your class will not be interested.
（這是更完整的解釋 —— 但你們班上同學可能不感興趣。）

Do we — can we — dare we propose such action to the trustees?
（我們要不要 —— 能不能 —— 敢不敢向受託者提議這種行動？）

2. **引導總括或附加全句之意義的用語。**

Mathematics, chemistry, English — these give me more trouble than any other subject(s).
（數學、化學、英文 —— 這些比其他任何科目更使我頭痛。）

Food to eat, a place to sleep, a pleasant occupation, a congenial companion — what
　　more can anyone ask from life?

（有東西吃、有地方睡、有個愉快的工作、有情投意合的伴侶 —— 人生還有什麼可要求的呢？）

3. **用兩個破折號括起重複的、插入語的、同位的，或解釋的用語。**

We are in favor—completely in favor, we repeat — of the proposal.

（我們贊成 —— 再重複一遍，完全贊成 —— 那項提議。）

My advice—if you will pardon my impertinence — is that you apologize to your friend.

（我的忠告 —— 假如你能原諒我的鹵莽 —— 就是你要向你的朋友道歉。）

4. **用破折號表示字或字母的省略。**

General B — was an excellent soldier.（畢將軍是個傑出的軍人。）

"D — n you, you can go to — !" he shouted.

= "Damn you, you can go to the devil!" he shouted.（他大聲說：「混蛋！滾開！」）

5. **數與數間或字與字間用破折號表示："to"、"until"，或 "through"（直到⋯）。**

The First World War, 1914 — 1918, was fought to end all wars.

（1914到1918的第一次世界大戰是為了中止所有戰爭的戰爭。）

Visiting hours are 2:30 P.M. — 4 P.M.（參觀時間是下午兩點半到下午四點。）

John Kline is a pilot on the Chicago — New York run.

（約翰・克林是芝加哥到紐約航線的飛行員。）

Please study pages 3 — 15 for tomorrow's assignment.（明天的作業請研讀第3到15頁。）

VIII. Quotation Marks：分為雙引號（" "）和單引號（' '）

1. **用雙引號來包括一切的直接引用句。**

John asked, "What time shall I come?"（約翰問：「我什麼時候來？」）

"Dinner will be served at seven," replied Mary.（「晚飯七點就準備好，」瑪莉回答。）

2. **用單引號表示引用句中的引用句。**

Our instructor said, "When you say, 'I'll turn in my theme tomorrow,' I expect it to
be turned in tomorrow, not next week."

（我們老師說：「當你說：『明天我會交論文。』我希望就是明天交來，不是下禮拜。」）

3. **用引號來包括詩、短篇小說、論文、演講、章回等的題目名稱，而書、戲劇、報紙和雜誌等的名稱，則用斜體字表示。**

Read Chapter 2, "Early Childhood," of Thompson's *My Life and Times*.

（閱讀湯普生的「我的生活與時代」的第二章「童年初期」。）

You should read the editorials in the *Daily Globe*.（你應閱讀「地球日報」的社論。）

I have read Hemingway's short story *The Killers* and his novel *The Old Man and the Sea*.

（我看過海明威的短篇小說「殺人者」以及小說「老人與海」。）

【註 1】 藝術品、飛機，與船隻的名稱，都用斜體字。

Rembrandt's *Night Watch*（林布蘭的「守夜」）【名畫】

Lindbergh's plane, *The Spirit of St. Louis*（林白的飛機「聖路易精神號」）

【註 2】聖經所包括的各書名、章、節，不能用斜體字或引號。

John 3:16（約翰福音，第 3 章 16 節），The Old Testament（舊約），
the Apocrypha（偽經）（經外書）。

4. 用引號括起綽號、俚語、口頭禪、座右銘，幽默或諷刺的話。

Do you believe that "love conquers all"?（你相不相信「愛可克服一切」？）
John's classmates nicknamed him "the champ"; however, he always wondered why.
（約翰的同班同學為他取綽號叫「冠軍」；然而，他一直不明白為什麼。）

【注意】逗號、句號必須置於引號內，冒號、分號置於引號外。不屬於引用句的問號、
驚嘆號或破折號置於引號之外。

The President condemned his opponents' "scare tactics."
（總統譴責反對者的「恐嚇戰術」。）

IX. The Hyphen（-）連字號

1. 連接從二十一到九十九的十位數字。

forty-eight（48），eighty-fifth（第 85 個）。

2. 連接用文字表示的分數之分子與分母。（也可不用連字號）

three-fourths（四分之三）【也可寫作 three fourths】

※ 但分子或分母其中已有連字號就不必再用，以免造成誤解。
twenty-five forty-thirds（四十三分之二十五）

3. 連接數字與名詞；大寫字母與名詞。

a six-cylinder car（一部六汽缸的汽車），a two-base hit（一支二壘安打），
10-day trip（十天的旅行），an X-ray machine（一台 X 光機），
an A-bomb（一枚原子彈），a U-turn（一個 U 形轉彎【一百八十度的轉彎】）。

4. 連接 great 或 in-law 與表示家族關係的名詞：

mother-in-law（岳母；婆婆），brother-in-law（姊夫；妹婿），great-grandson（重孫）。

5. 將字首 ex, self，或字尾 elect 與其他名詞連接。

an ex-president（一位前總統），the president-elect（總統當選人），his ex-wife（他的
前妻），self-control（自制），self-respect（自尊；自重），self-sacrifice（自我犧牲），
self-help（自助），a self-addressed envelope（一個回郵信封）。

【例外】selfsame（完全相同的），selfless（無私的）。

6. 連接複合的度量單位：

kilowatt-hour（瓩時）（一度電），foot-pound（呎磅），light-year（光年）。

7. 分隔由副詞或介詞作結尾的複合字：

a go-between（媒人；中間人），a looker-on（旁觀者），a passer-by（過路人），
a sit-in（靜坐抗議）。

8. **分隔字首與由大寫字母開頭的字：**

mid-Atlantic（中大西洋的），a trans-Canadian highway（橫越加拿大的公路），
pro-American（親美的）。

9. **分隔兩個母音或三個子音的連接。**

anti-inflation（反通貨膨脹），semi-independent（半獨立），shell-like（貝殼狀的），
cross-stitch（十字縫法；十字形刺繡）。

10. **用連字號來區分複合字與相同拼法的單字之不同意義。**

Please re-sign the bill.
在此 re-sign 是「重新簽字」的意思。如果沒有連字號就變成 resign（辭職），因而會造成
誤解。
We will re-cover the chair.
在此 re-cover 是「重新做椅套；換新椅套」。如果沒有連字號就變成 recover（恢復），因
而導致誤解。

11. **下面是幾個用連字號連接的複合字：**

first-rate（第一流的），know-how（專門知識），court-martial（軍事法庭；軍法審判），
a has-been（過時的人或物），a free-for-all（混戰；打群架），a know-it-all（無所不知
的人），a never-to-be-forgotten day（一個永遠難忘的日子），out-of-date（過時的），
Jack-of-all-trades（萬事通）。

12. **用連字號分隔在一行末端跨越二行的字：**

The rambling old house, it is true, would have looked **con-
siderably** better if it had been freshly painted.
（說真的，如果能重新粉刷一下的話，那棟雜亂的舊房子一定會看起來好很多。）

【註】　a. 把連字號放在第一行的末端，千萬不能放在第二行的起端。
　　　　b. 永遠不能分隔單音節的字，雖然它們可能由五到七個字母組成。
　　　　　 像：breath, ground, thought, through 等就不能分隔。
　　　　c. 只由四個字母所組成的雙音節的字也不能分隔，像：also, only, open, into…等。
　　　　d. 一個字母一音節的字，或 e 不發音的 -ed 的字也不能分隔。
　　　　　 像：about, italics, many, asked, dressed, attacked 等。
　　　　　 如 attacked〔ə′tækt〕其中 ed 讀 /t/，e 不發音。

13. **用於兩個比分之間或兩個比賽對手之間：**

The Bulls defeated the Lakers 92-67.（公牛隊以 92 比 67 擊敗湖人隊。）
the Bears-Cowboys game（芝加哥熊隊和達拉斯牛仔隊的比賽）

14. **用於拼字：**

"What is your last name?" "Butzman, B-u-t-z-m-a-n, Butzman."
（「你姓什麼？」「Butzman, B-u-t-z-m-a-n, Butzman.」）

X. The Apostrophe（ ' ） 所有格符號；撇號

1. 用它表示名詞的所有格：

⑴ 不是以 "s" 結尾的名詞，不論單數或複數，在其後加撇號再加 "s" 即可。

The doctor's car is waiting at the door. (醫生的車子正等在門口。)
This store sells men's, women's, and children's shoes.
(這家商店賣男人的、女人的，以及小孩的鞋子。)

⑵ 以 "s" 結尾的複數名詞就只加撇號（普通名詞與專有名詞都一樣）。

During my two weeks' vacation, I worked in a store selling boys' clothing.
(在我兩週的假期中，我在一家賣男孩衣服的店裡工作。)
The Smiths' vacation was one that we all envied.
〔史密斯家的假期是我們大家都羨慕的一個（假期）。〕

⑶ 以 "s" 結尾的單數名詞如果只有一個音節，變所有格時用撇號再加 "s"。

the boss's daughter (老闆的女兒)，Jones's job (瓊斯的工作)，
Yeats's poetry (葉慈的詩)。

假如該名詞的音節超過一個以上就只用撇號。

Socrates' wisdom (蘇格拉底的智慧)，for goodness' sake (看在老天的份上)。

⑷ 複合名詞就在最後的一個字加撇號和 "s"。

John borrowed his brother-in-law's car. (約翰借他姊夫的車。)
Charge these goods to John Brown, Jr.'s account.
(把這些物品的帳款記在小約翰布朗的帳上。)
I left the restaurant wearing somebody else's hat. (我戴著別人的帽子離開了餐廳。)

2. 用撇號表示省略了字母或數字。

I'm, you're, he's, aren't, isn't, doesn't, won't,
o'clock = of the clock, 'tis = it is, the class of '72 (1972) (1972 年的畢業班)

3. 用撇號和 "s" 表示數字、字母、符號，或字的複數：

I have trouble making legible 8's. (我對寫易辨認的 8 字有困難。)
Three GI's in my uncle's battalion were Ph.D.'s from an eastern university.
(在我叔叔的營裡有三個美國大兵是從東部大學來的博士。)
Don't overuse and's, but's and for's in your writing.
(在你的文章裡不要用太多的 and, but 和 for。)

如果沒有誤解的可能，上面的例句可以不用撇號：

Three GIs in my uncle's battalion were Ph.D.s from an eastern university.
(我叔叔的營裡有三個美國大兵是東部大學來的博士。)
Many airlines now have many Boeing 707s in service.
(現在許多航空公司有很多波音 707 在服務。)

XI. **Parentheses and Brackets**（ ）〔 〕　圓括號和方括號

1. 用圓括號括起與文意關係不太重要的插入語。

    She met her uncle (her mother's brother) at the station.
    〔她在車站接她舅舅（她母親的弟弟）。〕
    Eat a green vegetable (spinach, beans, peas, or the like) every day.
    〔每天吃一樣青菜（菠菜、扁豆、豌豆，或其他的）。〕
    The meeting will start at 10 (please be on time!) and end at noon.
    〔會議要在 10 點開始（請準時！），在中午結束。〕

2. 用圓括號括起目錄或大綱的號碼或字母。

    The company has four main divisions: (1) Research and Development, (2) Production,
    　(3) Sales, (4) Advertising and Promotion.
    （該公司有四個主要部門：⑴研發部，⑵生產部，⑶業務部，⑷廣告與推廣部。 ）

3. 用圓括號括起可省略的詞語。

    He seems (to be) sick.（他看起來像是生病了。 ）

4. 用圓括號括起可供選擇的內容。

    Bring your item(s) to the cashier for checkout.（請把你的東西拿給收銀員結帳。 ）

5. 用方括號括起在引號內的解釋。

    He told me that his boss said, "You'd better report your symptoms〔fatigue and
    　rapid loss of weight〕to Dr. Smith right away."
    （他告訴我他的老板說：「你最好是把你的症狀〔疲倦與體重銳減〕立刻告訴史密斯醫生。」）

6. 用方括號改正被刪改句子中的錯誤。

    July 15〔14〕, Bastille Day, is a national holiday in France.
    （七月十五〔十四〕日，巴士底監獄解放日，是法國的國定假日。 ）

XII. **The Virgule**（ *or* **Slant**）（ / ）　斜線號

1. 用於分隔替換字。

    He will eat cake, pie, and/or brownies.（他會吃蛋糕、派，和/或布朗尼蛋糕。 ）

2. 用於分隔並列詞語。

    Leave your name/address/contact number with my secretary.
    （留下你的姓名/地址/連絡電話給我的秘書。 ）

3. 用於某些縮略詞中。

    a/c（account）（帳戶），L/C（letter of credit）（信用狀）。

4. 用於速度衡量等單位中。

    50 ft/sec（一秒鐘 50 英尺），100 km/hr（一小時 100 公里）。

5. 用於某些數字組合中。

    1/4（one-fourth）（四分之一），7/3/10（美指 July 3, 2010，英指 7 March, 2010）。

請立刻做　練習三、練習四

第二篇　名詞（Nouns）

第一章 名詞的種類

I. 名詞的種類：

1. 普通名詞　Common Noun ⎫
2. 集合名詞　Collective Noun ⎬ **可數名詞** Countable Noun

3. 物質名詞　Material Noun ⎫
4. 專有名詞　Proper Noun ⎬ **不可數名詞** Uncountable Noun
5. 抽象名詞　Abstract Noun ⎭

II. 各種名詞的用法：

(I) 普通名詞（**Common Noun**）

1. **定義**：同類的人、事、地、物所共用的名稱爲普通名詞。如：

   boy, dog, book, teacher, city, …

   【註1】 表示單位之名詞，雖然沒有具體的形體，也看作是普通名詞。

   inch（吋），foot（呎），yard（碼），meter（公尺），…
   second（秒），minute（分），hour（小時），day（日），week（週），
   month（月），year（年），…
   cent（分），penny（分；辨士），dollar（美元），pound（英鎊），…
   a handful of sand（一把沙）
   a spoonful of soup（一匙湯）
   a mouthful of water（一口水）

   【註2】 雖然沒有具體之形式，但有限度並可算其次數或回數之名詞，也可看作是普通名詞。

   I usually take a <u>walk</u> after dinner.（我經常在晚餐後散步。）
   We took a <u>rest</u> for a <u>while</u>.（我們休息一會兒。）
   Just have a <u>look</u> at it.（只要看一看就好。）
   We paid a <u>visit</u> to the museum yesterday.
   （我們昨天去博物館參觀。）
   I have a good <u>idea</u>.（我有個好主意。）

2. **普通名詞的特性：有單複數之區別，可加冠詞或數詞。**

   There is <u>a</u> book on <u>the</u> desk.（書桌上有一本書。）
   There are <u>two</u> books on <u>the</u> desk.（書桌上有兩本書。）

3. 普通名詞的用法：

用法＼類別	單　數　普　通　名　詞	複　數　普　通　名　詞
一般用法	前面要加 a (an) 或 the **A tiger** **The tiger** ｝ is a dangerous animal.	前面不需冠詞 **Tigers** are dangerous **animals**.
不定的用法	前面要加不定冠詞 a (an) My brother bought **a camera**. There is **a book** on the desk. He has **an apple**.	前面不需冠詞 They are **students**. It happened **centuries** ago. He worked for **hours**.
特定的用法	指定的一個，前面要加定冠詞 the **The book** *on the desk* belongs to me. **The girl** *whom I spoke to* is my secretary.	前面要定冠詞 the **The flowers** *in the vase* are roses. **The boys** *who are playing over there* are my classmates.
抽象用法	前面加定冠詞 the **The pen** is mightier than **the sword**. (= Literary influence is mightier than military power.)	×
修飾的用法	做形容詞用 I'm in want of **pocket** money. Will the bus stop at the next *v.* **bus** stop?	×

【註1】　由上表可知：用普通名詞指<u>同類的全體</u>時有三種方法：
　　　　　① **a (an)**＋單數
　　　　　　 <u>A horse</u> is a useful animal. (馬是有用的動物。)
　　　　　② **the**＋單數
　　　　　　 <u>The horse</u> is a useful animal. (同上)
　　　　　③ 複數（無冠詞）
　　　　　　 <u>Horses</u> are useful animals. (同上)

【註2】　**many a**＋單數普通名詞＝**many**＋複數普通名詞
　　　　　Many a man has been drowned in that river.
　　　　　＝ **Many men** have been drowned in that river.
　　　　　(已經有很多人在那條河裡淹死了。)

(II) **集合名詞（Collective Noun）**
　　 1. **定義：** 同類的人、事、物，所組成的集合體，便稱為集合名詞。如：
　　　　　　 family (家庭)，class (班級)，committee (委員會)，fleet (艦隊)，
　　　　　　 audience (觀眾)，crowd (群眾)，crew (船員)，party (團體；政黨)，
　　　　　　 army (軍隊)，…

2. 集合名詞的用法：

(1) **代表集合體之用法：和普通名詞的用法完全一樣，有單數形，也有複數形，也可加冠詞。**

單　　　數		複　　　數	
a family	（一個家庭）	families	（多個家庭）
a nation	（一個國家）	nations	（多個國家）
a people	（一個民族）	peoples	（多個民族）
an army	（一個軍隊）	armies	（多個軍隊）

{ My **family** is a small one. (我的家庭是個小家庭。)【單數】
{ Six **families** live in this apartment. (這棟公寓住了六戶人家。)【複數】

{ The Chinese are an industrious **people**.【單數】
{ (中國人是個勤奮的民族。)
{ There are many **peoples** in Asia. (亞洲有很多民族。)【複數】

(2) **表集合體之組成份子的用法時，本身為複數名詞。**

集　合　體		集合體中的各個體	
family	（家庭）	family	（家族；家人）
class	（班級）	class	（班上的學生）
committee	（委員會）	committee	（委員們）
jury	（陪審團）	jury	（陪審員們）

【註1】　字形雖為單數，意義卻為複數，所以字尾不可再加 "s" 表示複數形。

Whose are these *cattles*?【誤】

Whose are these **cattle**?【正】(這些牛是誰的？)

【註2】　做主詞時要用複數動詞。

My **family** *is* all early risers.【誤】

My **family are** all early risers.【正】

(我的家人都很早起床。)

The **jury** *was* divided in opinion.【誤】

The **jury were** divided in opinion.【正】

(陪審員們意見分歧。)

【註3】　代表此類名詞的代名詞應為 they, their, them。

The **committee are** divided in *its* opinions.【誤】

The **committee are** divided in **their** opinions.【正】

(委員們在他們的意見上有分歧。)

The **committee has** held its first meeting.【正】

(委員會已召開了其第一次會議。)

This **class are** studying English now.　Mr. Smith teaches *it*.【誤】

This **class are** studying English now.　Mr. Smith teaches **them**.【正】

【This class = the students of this class】

This **class** consists of 45 pupils.　Mr. Smith teaches **it**.【正】

【註4】　**the Chinese, the Japanese, the English**…均表全國國民的複數名詞，做主詞時要用複數動詞。(參照 p.62)

The Chinese *is* a polite people. 【誤】

The Chinese are a polite people. 【正】

(中國人是一個有禮貌的民族。)

※　a Chinese (一個中國人)，many Chinese (許多中國人)，
　　every Chinese (每一個中國人)，the Chinese (people) (全體) 中國人

【註5】　美國人不習慣用單數名詞加複數動詞，所以常用 **the members of** 或 **every one of**接集合名詞 **family, committee, class, crowd** 等，以表示「組成份子」，而避免用單數主詞＋複數動詞的形式。

The members of the committee are divided in their opinions.

Every one of my family is an early riser.

⑶ **幾個常用的集合名詞**

① **Family**

　　a. 表集合體 ── 指「家庭」，有單、複數形。

　　Almost every **family** in the village has a man in the army.

　　(這村子裡幾乎每一家都有一個男人從軍。)

　　There are only a few **families** in this village.

　　(這個村子只有幾戶人家。)

　　b. 表集合體的組成份子 ── 指「家人、子女」，本身為複數形。

　　My **family** are all tall. (我的家人都很高。)

　　Does he have any **family**? (他有家人嗎？)

② **People**

　　a. 表集合體 ── 指「民族」，有單、複數形。

　　The Japanese are an industrious **people**. (日本人是個勤奮的民族。)

　　There are many different **peoples** on the globe.

　　(世界上有很多不同的民族。)

　　b. 表集合體的組成份子 ── 指「人、人民」，本身為複數形。

　　Among the **people** at the party, I did not know a single person.

　　(在此宴會中的人，我一個也不認識。)

　　You meet all sorts of **people** when you travel.

　　(旅行時你可以遇到各式各樣的人。)

③ **Committee**

　　a. 表集合體 ── 指「委員會」，有單、複數形。

　　The **committee** meets in the town hall. (委員會在市政廳開會。)

　　The Executive Yuan has many **committees**. (行政院有很多委員會。)

b. 表集合體的組成份子 —— 指「委員們」，本身爲複數形。

The **committee** are divided in opinion. (委員們意見分歧。)

The **committee** have disagreed about the ways of investigation.

(委員們對調查方式意見不一致。)

④ **Class**

a. 表集合體 —— 指「班級」，有單、複數形。

This **class** consists of 40 students. (這一班有 40 個學生。)

The four **classes** are to elect their class leaders next week.

(這四個班級預定下週選舉班長。)

b. 表集合體的組成份子 —— 指「班上的學生們」，本身爲複數形。

This **class** are all diligent. (這班學生都很用功。)

The **class** suggest many different places for the destination of their journey.

(班上的同學提出很多地方作爲他們旅行的目的地。)

⑤ **School**

a. 表集合體 —— 指「學校」，有單、複數形。

There used to be no **school** in the town. (那個城鎮以前沒有學校。)

The city contains **schools** of art, law, medicine, and science.

(這個城市有藝術、法律、醫學和科學的學校。)

b. 表集合體的組成份子 —— 指「全校學生」。

The whole **school is** going on a picnic next Sunday. (全校學生下週日會去野餐。)

The whole **school was** punished. (全校學生都被處罰。)

※ 主詞 school 作「全校學生」解時，按習慣用單數動詞，可以說是集合名詞表組成份子
解時的一個例外。一般作組成份子解的集合名詞，其所用的動詞爲複數形。

⑥ **Village**

a. 表集合體 —— 指「村莊」，有單、複數形。

My uncle lives in a **village** near Taipei. (我叔叔住在台北附近的一個村莊。)

There are many fishing **villages** around Keelung. (基隆周圍有很多漁村。)

b. 表集合體的組成份子 —— 指「村民們」，本身爲複數形。

All the **village** remember the story. (全村子的人都記得這個故事。)

All the **village** are going to her wedding today. 【美國人有時也用 is】

(今天全村的人都要去參加她的婚禮。)

⑦ **Crowd**

a. 表集合體 —— 指「群」，有單、複數形。

A **crowd** of applicants stood in front of the works. (一群求職的人站在工廠前。)

There were **crowds** of people in the streets. (街上有一群一群的人。)

b. 表集合體的組成份子 —— 指「群眾」，本身爲複數形。

He shouted among the **crowd**. (他在群眾中吶喊。)

The **crowd** are gone. (群眾都離開了。)

⑧ **Audience**

　a. 表集合體 —— 指「觀眾、聽眾」，有單、複數形。

　　He knows how to attract an **audience**. (他知道如何去吸引聽眾。)

　　This lecturer draws large **audiences**. (這位演講者吸引了很多的聽眾。)

　b. 表集合體的組成份子 —— 指「觀眾、聽眾」，本身爲複數形。

　　The **audience** were moved to tears. (聽眾感動得流淚。)

　　The **audience** were enraptured. (聽眾都著迷了。)

⑷ **幾個容易混淆的集合名詞：**

① **Alphabet 有單、複數形**

　指一國語言的全部字母，是**單數名詞**；若指一個字母，不可用 alphabet，必須用 letter。

　The English **alphabet** has twenty-six **letters**. (英文字母有二十六個。)

　The English and French **alphabets** are nearly the same.

　(英文與法文的字母幾乎一樣。)

② **Hair**

　指全部頭髮時，是單數的集合名詞 (做主詞時用單數動詞)，**前面不可加 a**，也沒有複數形 hairs。**但指一根一根的頭髮時就是普通名詞，前面可用 a**，也可有複數形 (hairs) 表多根頭髮。

　【比較】 ┌ I had my **hair** cut yesterday. (我昨天理了髮。)【集合名詞】
　　　　　│ His **hair** is too long. (他的頭髮太長。)【集合名詞】
　　　　　│ Look at this, **a hair** in my soup. 【普通名詞】
　　　　　└ (你瞧，我的湯裡有根頭髮。)

　　　　　┌ She has grey **hair**. (她滿頭白髮。)【集合名詞】
　　　　　└ She has (some) grey **hairs**. (她有一些白頭髮。)【普通名詞】

③ **Beard**

　是集合名詞，但和 hair 不同；**指一人的全部鬍鬚時用 a beard** (有 a)；指一人的全部頭髮時則用 hair (沒 a)；**指多人的鬍鬚時用 beards** (複數形)；但指多人的頭髮時則用 hair (單數形)。

　【比較】 ┌ This old man has **a long beard**. (這老人有長鬍鬚。)【有 a】
　　　　　└ This old man has long **hair**. (這老人有長頭髮。)【無 a】

　　　　　┌ These old men have long **beards**. 【複數形】
　　　　　│ (這些老人都有長鬍鬚。)
　　　　　│ These old men have long **hair**. 【單數形】
　　　　　└ (這些老人都有長頭髮。)

　【註】一根鬍鬚用 a whisker，也有複數形 whiskers 表多根鬍鬚。

④ **Police**

　要加定冠詞 the 而不加 s 或 es，通常用作複數，且用複數形動詞。當指一個警察時用 a policeman。又 **police = policemen**

　┌ **The police are** on the track of the thief. (警察正追蹤小偷。)
　└ There is **a policeman**. (那裡有位警察。)

⑤ **Cattle**（牛），**mankind**（人類）等，通常不加 s，但被用作複數且接複數動詞，以單數形作複數之意使用。

⑥ **Furniture**（傢俱）表示「所有傢俱的總稱」，意義上為集合名詞，但文法上則為物質名詞，即不可數名詞，只能用單位名詞（a piece of, an article of,…）來表示數的觀念，如有形容詞修飾時，應加在單位名詞前，如 a useful piece of furniture。

同類有 **clothing**（衣服），**merchandise**（商品）。

There are *a few*（or *many*）*furnitures* in the room.【誤】

There is **a little**（or **much**）furniture in the room.【正】

〔房間裡有一些（或許多）傢俱。〕

A clock is *a piece of useful furniture*.【誤】【形容詞應加在單位名詞前】

A clock is **a useful piece of furniture**.【正】（時鐘是有用的傢俱。）

A desk is **a piece of furniture**.（書桌是一件傢俱。）

He bought several **pieces of furniture**.（他買了幾件傢俱。）

Much clothing is needed in cold countries.（寒帶國家需要很多衣服。）

The shop has very **little merchandise**.（這商店的商品很少。）

(5) **表「群」字的集合名詞用法：**

① 「人」群

a multitude of people（一大群人）　　　a gang of thieves（一幫盜賊）

a crowd of students（一群學生）　　　a stream of people（川流不息的人群）

a group of girls（一群女孩）

② 笨重的「獸」群

a herd of cattle (deer, elephants, horses, pigs)〔一群牛（鹿，象，馬，豬）〕

③ 「禽、畜」群

a flock of geese (turkeys, birds, sparrows, sheep)〔一群鵝（火雞，鳥，麻雀，羊）〕

④ 「狗」群

a pack of dogs (wolves, foxes)〔一群狗（狼，狐狸）〕

⑤ 趕著走的「家畜」群

a drove of pigs (sheep, oxen)〔一群豬（羊，牛）〕

⑥ 「魚」群

a school of fish (shrimps, turtles)〔一群魚（蝦，烏龜）〕

⑦ 「昆蟲」群

a swarm of bees (flies, mosquitoes, ants)〔一群蜜蜂（蒼蠅，蚊子，螞蟻）〕

⑧ 藝術品、唱片、郵票…等之收藏

a collection of stamps（所收藏的一批郵票）

⑨ 一窩（孵出的小雞）

a brood of chickens（一窩孵出的小雞）

(6) **其他表示數量的集合名詞**

a couple of days（兩天或幾天）　　　a number of books（一些書）

a score of eggs（二十個蛋）　　　the majority of people（大多數的人）

【註】 表示數量的集合名詞，可看作普通名詞，因此有單、複數形。

如：a crowd of people（一群人）　crowds of people（一群一群的人）

（III）物質名詞（Material Noun）

1. **定義**：表示材料、食品、飲料以及氣體、液體與固體的化學元素的名稱。
2. **特性**：除了特殊用法之外，物質名詞通常不加冠詞，是不可數名詞，只能用單位名詞來表示數的觀念。

下面是最常見的物質名詞：

(1) **材料的名稱：**

metal（金屬），wood（木頭），stone（石頭），lime（石灰），coal（煤），chalk（粉筆），brick（磚頭），earth（泥土），glass（玻璃），bone（骨頭），cloth（布），cotton（棉），silk（絲），paper（紙），ivory（象牙），wool（羊毛），ink（墨水），oil（油），soap（肥皂）。

(2) **食品、飲料的名稱：**

food（食物），salt（鹽），coffee（咖啡），chicken（雞肉），barley（大麥），vinegar（醋），wine（酒），cheese（乳酪），meat（肉），rice（米），sugar（糖），tea（茶），mutton（羊肉），flour（麵粉），honey（蜂蜜），beer（啤酒），fish（魚肉），beef（牛肉），wheat（小麥），sauce（醬汁），milk（牛奶），ham（火腿），bread（麵包），fruit（水果），soup（湯），butter（奶油），pork（豬肉）。

【註】　各種水果之名稱，不是物質名詞而是普通名詞。
例如：

apple（蘋果），pear（梨），lemon（檸檬），grapefruit（葡萄柚），sugarcane（甘蔗），tangerine（橘子），orange（柳橙），watermelon（西瓜），peach（桃子），papaya（木瓜），banana（香蕉），pineapple（鳳梨），tomato（蕃茄）。　　※一般人常把 orange 誤譯成「橘子（tangerine）」。

(3) **氣體、液體、固體之化學名稱：**

air（空氣），steel（鋼），tin（錫），copper（銅），hydrogen（氫），gas（瓦斯），aluminum（鋁），lead（鉛），gold（金），nitrogen（氮），oxygen（氧），iron（鐵），silver（銀），water（水）。

(4) **其他：**

ice（冰），grass（草），money（錢），wind（風），snow（雪），rain（雨），fire（火），smoke（煙）。

3. **物質名詞的用法：**

(1) **一般性的用法（總稱的用法）**── 用其本來的形態，不加冠詞。
   Beef is more nourishing than pork.（牛肉比豬肉更營養。）
   Air, **food** and **water** are necessary to life.（空氣、食物和水是生命所必需的。）

(2) **特定的用法** ── 前要加定冠詞 **"the"**。

   The beef *I had at supper* was very good.（我晚餐時吃的牛肉非常好。）

   The water in *this well* is not good to drink.（這口井裡的水是喝不得的。）

【註】 物質名詞一般用法與特定用法之比較：

> **Beer** is a harmless drink. (啤酒是一種沒有害處的飲料。)【一般用法】
> **The beer** *we drank yesterday* was sour. 【特定用法】
> (昨天我們喝的啤酒是酸的。)

> He takes **sugar** in his tea. (他喝茶放糖。)【一般用法】
> **The sugar** *he takes in his tea* comes from Taiwan. 【特定用法】
> (他茶裡所放的糖是產自台灣。)

> **Tea** *without sugar* is undrinkable. (沒放糖的茶不好喝。)【一般用法】
> **The tea** *without sugar* is yours. (那杯沒放糖的茶是你的。)【特定用法】

> **Sugar** *made from beetroots* is cheaper. (甜菜根做的糖比較便宜。)【一般用法】
> **The sugar** *made in Jamaica* is more expensive. 【特定用法】
> (牙買加產的糖比較貴。)

⑶ 部份用法 —— 前面常有 **most**, **some**, **any**, **a great deal of**, **much**, **(a) little** 等表量的形容詞，但絕不能用 *many*, *few*, *a few* 等表數的形容詞。

There is **some wine** in the bottle. (瓶子裡有一些酒。)
We had **much rain** this summer. (今年夏天下了很多雨。)

⑷ 修飾的用法：做形容詞用，修飾普通名詞以表示「原料」。

My uncle bought me a **gold** watch as a Christmas gift.
(叔叔買一只金錶給我作爲聖誕禮物。)

【註】 **gold** 用作形容詞時表「金質的」，**golden** 則是「金色的」或「寶貴的」，兩者不可混淆。

> **golden** hair (金色頭髮)
> a **golden** sunset (金色的落日)
> a **golden** opportunity (千載難逢的好機會)
> the **golden** age (黃金時代)
> **golden** hours (幸福的時光)

A **paper** box is made of paper. (紙盒子是用紙做的。)

【比較】
> a **silver** coin (銀幣)
> the **silvery** light of the moon (銀白色的月光)

> a **stone** wall (石牆)
> a **stony** heart (鐵石心腸)

⑸ 做普通名詞的用法：

① 表種類：

> Don't drink too **much wine**. (不要喝太多酒。)【物質名詞】
> This is an excellent **wine** for women. 【普通名詞 (一種)】
> (這是女人喝的一種上等酒。)
> They sell **various wines** at that store. 【普通名詞 (多種)】
> (那家店販賣各種酒。)

② 表製成品：

> We make many things out of **paper**.【物質名詞】
> （我們用紙做出很多東西來。）
> Have you read today's **paper**?（你看過今天的報紙嗎？）【普通名詞】
> The **paper** *I am writing* is for a certain magazine.【普通名詞】
> （我在寫的報告是給某雜誌的。）
> There are **some papers** in the drawer.【普通名詞】
> （抽屜裡有些文件。）

> This bridge is made of **iron**.（這橋是用鐵造的。）【物質名詞】
> I will buy an **iron**.（我會買一個熨斗。）【普通名詞】
> He was put in **irons**.（他被加上鐐銬。）【普通名詞】

③ 表個體：

> The moist air from the Pacific brings us **much rain**.【物質名詞】
> （來自太平洋的濕氣給我們帶來大量的雨。）
> There was a heavy **rain** last night.（昨晚下了一場大雨。）【普通名詞】
> The Keelung River rose after heavy **rains**.【普通名詞】
> （基隆河的水位在幾場大雨過後上升了。）

> The sun gives us **light** and heat.（太陽給我們光與熱。）【物質名詞】
> I saw a **light** in the distance.（我看見遠方有一盞燈。）【普通名詞】

> Our house is built of **stone**.（我們的房子是用石頭建造的。）【物質名詞】
> Don't throw **stones** at them.（別對他們扔石頭。）【普通名詞】

4. 物質名詞是不可數名詞，前面不可有不定冠詞，也不能帶有數詞（ *one, two*… ），但卻可用表「單位」的名詞來表示其數的觀念。其公式為：

> 數詞 ＋ 單位名詞 ＋ **of** ＋ 物質名詞

> three cartons of cigarettes（三條香煙）

(1) 以容器表單位

a cup (two cups) of tea (coffee)　一杯（兩杯）茶（咖啡）
【「兩杯咖啡」口語常說成 two coffees】

> a glassful of wine（一杯酒）
> a glass (two *or* three glasses) of milk (wine, water)
> 一杯（兩、三杯）牛奶（酒，水）【cup 通常用於熱飲，glass 則用於冷飲】

a bag (ten bags) of flour (rice)　一袋（十袋）麵粉（米）
a bowl (two bowls) of rice　一碗（兩碗）飯
a bottle (several bottles) of beer (wine)　一瓶（幾瓶）啤酒（酒）
a box (many boxes) of butter　一箱（很多箱）奶油
a pat (two pats) of butter　一小塊（兩小塊）奶油（可直接塗在麵包上）
a spoonful (a few spoonfuls) of salt (sugar)　一匙（幾匙）鹽（糖）
a mouthful (several mouthfuls) of water
= a drink (several drinks) of water　一口（幾口）水

⑵ **以形狀表單位**

a piece (two pieces) of chalk　一枝（兩枝）粉筆

a piece (two pieces) of paper; a sheet (two sheets) of paper　一張（兩張）紙

a piece (three pieces) of bread　一塊（三塊）麵包（用手撕開的一小塊）

a loaf (two loaves) of bread　一條（兩條）麵包（枕頭形的）

a slice (two slices) of bread (meat)　一片（兩片）麵包（肉）

a cake (five cakes) of soap　一塊（五塊）肥皂

※ 也可用 a bar (five bars) of soap　一條（五條）肥皂

a body (a sheet) of water　一片水（汪洋）

a lump (two lumps) of sugar　一塊（兩塊）方糖

a tube (two tubes) of toothpaste　一條（兩條）牙膏

a pack (two packs) of cigarettes　一包（兩包）香煙

⑶ **度、量、衡的單位**

a pound (two pounds) of sugar　一磅（兩磅）糖

a catty (two catties) of beef　一斤（兩斤）牛肉

a yard (two yards) of cloth　一碼（兩碼）布

a foot (two feet) of snow　一呎（兩呎）深的雪

a bushel (two bushels) of wheat　一蒲式耳（兩蒲式耳）小麥

a gallon (two gallons) of gasoline　一加侖（兩加侖）汽油

a liter (two liters) of gasoline　一公升（兩公升）汽油

5. **幾個易於混淆的物質名詞：**

⑴ **Fish**

①　| 做普通名詞 |

I caught a **fish**.（我抓到一條魚。）

其複數形有二：

a. **如指許多條魚在數詞（two, three,…）之後時，用 fish(es)。**（但如果前面
有不定數詞 some, several, many 等字，後不能加 es。）

He had a string of eight **fish** (*or* **fishes**).（他有一串八條的魚。）

There are **lots of fish** in the pond.（池塘裡有很多魚。）

There are **several fish** in the pool.（水池裡有一些魚。）

b. **如指許多種類的魚，則用 fishes。**

Most of the income of the island is from these **fishes**: cod, halibut, and sword.
（這座島的收入大部份來自這些魚類：鱈魚、大比目魚，及旗魚。）

How many **fishes** do you know by name?（你知道多少種魚的名稱？）

②　| 做物質名詞 —— 指魚肉（不可數）|

Do you like **fish**?（你愛吃魚嗎？）

Fish is cheap today.（今天的魚很便宜。）

Will you have a little more **fish**?（你再吃點魚好嗎？）

(2) **Fruit**

① 做普通名詞用時，fruits 指許多不同種類的水果，a fruit 指一種水果。

What **fruits** are in season now?（目前何種水果正合時令？；目前盛產何種水果？）
There is **a fruit** as big as an apple.（有一種像蘋果一樣大的水果。）
We get a lot of **fruits** from South Africa.（我們買了很多種從南非來的水果。）

② 做物質名詞（有人稱集合名詞，因指各種水果的總稱）**不用複數**。

He does not eat much **fruit**.【不能用 *many fruits*】（他不大吃水果。）
He is growing **fruit** in California.（他在加州種水果。）

③ 比喻用法，可用單複數

He is enjoying the **fruit** of his labors.（他享受著他辛勞所換來的成果。）
We enjoy the **fruits** of all our hard work.（我們享受我們辛苦工作的成果。）

(3) **Furniture**

傢俱是家中所用的桌、椅、床、櫃、櫥等東西的總稱，因而將其歸入集合名詞，但是在用法上相當於物質名詞，因為它前面不能加不定冠詞，必須永遠把它看成單數，做主詞時要使用單數形的動詞，藉 **much, (a) little** 表其量，用 **a piece** (*or* **an article, an item) of**, **many pieces** (*or* **articles, items) of** 表其數。

Furniture $\left\{ \begin{array}{l} \textit{are}【誤】 \\ \textbf{is}【正】 \end{array} \right\}$ chiefly made of wood.（傢俱主要是用木材製造。）

Tables, chairs and beds are all $\left\{ \begin{array}{l} \textit{furnitures.}【誤】 \\ \textbf{furniture.}【正】 \end{array} \right\}$（桌子、椅子和床都是傢俱。）

They have $\left\{ \begin{array}{l} \textit{many (few, a few)}【誤】 \\ \textbf{much (little, a little)}【正】 \end{array} \right\}$ **furniture** in the room.
〔他們房間裡有很多（很少，一些）傢俱。〕
We bought several pieces of **furniture**.【物質名詞可用單位名詞來表示數的觀念】
（我們買了幾件傢俱。）

(4) **Clothes**

cloth（布）	複數＋s（表多種布類）	a yard of cloth
clothes（衣服）	永遠是複數形	a suit of clothes
clothing（衣服）	永遠是單數形	an article of clothing

用 much 形容 clothing，用 many 形容 clothes。

The coat is made of thick **cloth**.（這件外套是用厚的布做的。）
I need warm **clothing** for the winter.（我需要暖和衣服過冬。）
The **clothes** were hung up to dry.（這些衣服被掛起來晾乾。）
Poor people are generally dressed in mean **clothing**.（窮人通常穿破舊的衣服。）
What do you think of this suit of **clothes**?（你認為這套衣服如何？）
They sell **cloths**, such as cotton cloth, silk cloth, and woolen cloth.
（他們賣很多種的布，像棉布、絲綢，和毛料。）
The **clothes** of men are different from those of women.（男人的衣服和女人的不同。）
These **clothes** do not suit me.（這些衣服不適合我。）

請立刻做　練習五

(Ⅳ) 專有名詞（**Proper Noun**）

1. **定義**：特定的一人、一地或一事物所專用的名稱，稱之為專有名詞。

(1) **人　名**：Dr. Sun Yat-sen（孫逸仙博士），Newton（牛頓），Beethoven（貝多芬），William Shakespeare（威廉・莎士比亞），Thomas Edison（湯瑪斯・愛迪生）。

(2) **地　名**：The Republic of China（中華民國），Nanking（南京），Taipei（台北），Roosevelt Road（羅斯福路），Fifth Avenue（第五街）。

(3) **書　名**：the Bible（聖經），the Reader's Digest（讀者文摘）。

(4) **機構名**：Bank of Taiwan（台灣銀行），China Airlines（華航），English Department of Taiwan Normal University（台灣師大英語系）。

(5) **一星期的七天，一年的十二個月**（但一年的四季為普通名詞）：
Sunday（星期天），Monday（星期一），Tuesday（星期二）…等。
January（一月），February（二月），March（三月）…等。

(6) **山名、河名、湖名**：Mt. Ali（阿里山），the Yellow River（黃河），Sun Moon Lake（日月潭）。

(7) **節日名**：Christmas（聖誕節），Thanksgiving Day（感恩節），Columbus Day（哥倫布紀念日）。

(8) **國名、國民及其語文名**：China（中國），the Chinese（中國人），Chinese（中文）。

(9) **天體名**：Jupiter（木星），Mars（火星），Mercury（水星），Venus（金星）…等。

【註】　日（sun），月（moon），**地球**（earth）**為普通名詞**，前面要加定冠詞 the。
（表示地球為太陽系的九大行星之一時，要算專有名詞，第一個字母要大寫。）

2. **特性**：專有名詞的第一個字母必須大寫，除了特殊或例外，通常不加冠詞，也沒複數形。

3. **專有名詞與冠詞**：原則上專有名詞之前是不需冠詞的，但有些情況專有名詞依然要用冠詞。

(1) **專有名詞與不定冠詞**：有下列情況之一時，**在人名或地名之前可加不定冠詞 a (an)**。

① 所指的人或事物與專有名詞有類似的性質者，要用不定冠詞。

I wish to become **an Edison**.
（我希望成為像愛迪生那樣的人——我想成為一位偉大的發明家。）

上例中的 **"Edison"** 不是屬於愛迪生所專用的名詞，故不是專有名詞，而是一個普通名詞，表示像愛迪生那樣偉大的發明家，既然當普通名詞用，自然也就有複數形了。

I hope there may be many future **Edisons** in this class.
（我希望這班上會有許多將來的愛迪生。）

② 專有名詞普通化時，要加不定冠詞。

A Miss Chen came to see you this morning.（今天早上有位陳小姐來看你。）

此例中，說話的人並不認識陳小姐，只是告訴對方，有位姓陳的小姐來找他，到底是陳什麼，說話的人並不知道，因此，此時不是某人所專用的名稱，故稱之為普通化。

I met **a John Smith** at the party.
（我在宴會上遇到了一位姓史密斯名叫約翰的人。）

同姓氏的人也可算是專有名詞普通化，例如「張」這個姓氏有很多人使用，則「張先生」就可以做指一般姓「張」的普通名詞用。

例如：

There are **three Changs** in this class.（這班上有三個姓張的。）

上例是複數形，也可改用單數，像下面的例子：

His father was **a Lee**, and his mother **a Chen**.（他父親姓李，母親姓陳。）

在第一次提到一個不認識的人的姓名時，也可附加不定冠詞。

Our music teacher is **a Miss Smith**.

（我們的音樂老師是一位姓史密斯的小姐。）

若用 "a certain" 或 "one" 來代替 "a" 也具同樣的意思。

This store is run by **a certain** (*or* **one**) **Wang**.

（這家店是一位姓王的開的。）

③　某時的某地，或某種樣子的某地的專有名詞前，要加不定冠詞。

She is now **a different Japan** from what she was ten years ago.

（現在的日本和十年前的日本不同了。）

Did you dream of **such a Taipei**?（你夢想過台北是這種樣子嗎？）

(2) **專有名詞與定冠詞：有下列情形之一時，要用定冠詞。**

①　**專有名詞可轉做普通名詞用，表示別的人或物具有該專有名詞之特質，此時該加定冠詞或不定冠詞。**（參照 p.60，(1)之①）

He is **the Newton** of the age.（他是當代的牛頓。）

※ 本句表示他是當代的偉大科學家，**此時 Newton 不是從前牛頓本人所專有的名詞。**

Taipei is **the New York** of Taiwan.（台北是台灣的紐約。）

George imagined himself **a Plato**.（喬治想像自己是個柏拉圖。）

②　限定用法的專有名詞要加 **the**。

The Europe *of the 18th century* was different from that of the 20th century.

（十八世紀的歐洲和二十世紀的歐洲不同。）

She is not **the Mrs. Smith** *that I know*.（她不是我所認識的史密斯太太。）

The club meets on **the** *first* **Sunday** *of each month*.

（該俱樂部每月的第一個禮拜天聚會。）

③　有性質形容詞所修飾的人名要加 **the**。

the ambitious **Caesar**（野心勃勃的凱撒）

the dauntless **Sun Yat-sen**（勇敢的孫逸仙）

the sagacious **Solomon**（賢明的所羅門）

④　表全體國民的專有名詞要加 **the**。

the Chinese（中國人）　　**the** English（英國人）　　**the** Americans（美國人）

the Japanese（日本人）　　**the** French（法國人）

⑤ 在以某國語言的名稱表作品時，或指某一特定的字義時；或其後有 "language" 一字時，都要用定冠詞 the。

一國語言的名稱，如：Chinese（中文），English（英文），German（德文），French（法文）等前面固然不需 **"the"**，但在特別指某一字義時，就要冠上一個 **"the"**。比較下列例句：

　Do you know **German**? (你會德文嗎？)【不用 the】
　What is **the German** for "flower"? (德文的「花」怎麼說？)【用 the】

　To him **English** is easier than French. (對他而言，英文比法文容易。)【不用 the】
　"Chrysanthemum" is **the English** for the Chinese "菊". 【用 the】
　(英文的 "chrysanthemum" 是中文的「菊」。)
　This story is translated from **the English**. (這本短篇小說是從英文翻譯過來的。)

　Many foreigners say **the Chinese language** is hard to learn. 【用 the】
　(很多外國人說中文不好學。)
　Chinese is my native language. (中文是我的本國語。)【不用 the】

　He is quite at home in **the English language**. (他精通英文。)【用 the】
　He is good at **English**. (他英文很好。)【不用 the】

專有名詞用以表「國家」、「專有形容詞」、「人民」、「語言」之比較。

國　家	專有形容詞	國民（總稱）	人（單數）	人（複數）	語　言
China	Chinese　中國的	the Chinese	a Chinese	two Chinese	Chinese
Japan	Japanese　日本的	the Japanese	a Japanese	two Japanese	Japanese
America	American　美國的	the Americans	an American	two Americans	English
England	English　英國的	the English	an Englishman	two Englishmen	English
France	French　法國的	the French	a Frenchman	two Frenchmen	French
Spain	Spanish　西班牙的	the Spanish	a Spaniard	two Spaniards	Spanish

⑥ 複數姓氏之前也要用 **"the"** —— 指某家的夫婦、兄弟、姐妹或全家人。

Don't play with **the Changs** from now on. (今後不要和張家的孩子們玩。)
When will you invite **the Chens** to dinner, mother?
(媽媽，妳什麼時候請陳家吃飯？)

⑦ 帝國名、朝代名等，前面要用 the。

the Ming Dynasty (明朝)　　　　**the** British Empire (大英帝國)
the British Commonwealth of Nations (大英國協)

⑧ 機關、學校、醫院、商店或其他公共建築物的名稱要加 the。

the Ministry of Foreign Affairs (外交部)
the University of California in Los Angeles (= UCLA) (加州大學洛杉磯分校)
the University of Southern California (= USC) (南加大)
the Red Cross Hospital (紅十字醫院)
the Commercial Press, Ltd. (商務印書館)
the White House (白宮)

【例外】　Westminster Abbey（西敏寺）
　　　　　London University（倫敦大學）
　　　　　London Bridge（倫敦橋）
　　　　　Oxford University（= the University of Oxford）（牛津大學）
　　　　　Yale University（耶魯大學）
　　　　　New York University（紐約大學）

⑨　複數形（字尾有 **s**）的專有名詞要加 **the**。

the United Nations（聯合國）　　　　　**the** United States（美國）
the Himalayas（喜馬拉雅山脈）　　　　**the** Alps（阿爾卑斯山脈）
the Rockies（洛磯山脈）
the Philippine Islands（*or* **the** Philippines）菲律賓群島（菲律賓）
the Pescadores（澎湖群島）　　　　　　**the** Loochoo Isles（琉球群島）

【註】　獨山、孤島或湖，不加定冠詞；Lake 置於湖名前時不加冠詞，但有 of 時要加 the。
　　　　Mt. Ali（阿里山），Mt. Fuji（富士山），Taiwan（台灣島），Hainan（海南島），
　　　　Lake Michigan（密西根湖）
　　　　※ the Lake of Constance（康斯坦茨湖）

⑩　船、艦、艦隊、鐵道的名稱要加 **the**。

the Battleship Missouri（密蘇里戰艦）
the Chungshan（中山艦）
the Victoria（維多利亞戰艦）
the Queen Mary（瑪麗皇后號）
the Trans-Siberian Railway（西伯利亞鐵路）
the Baltic Squadron（波羅的海艦隊）

【註】　為了與人名做區別，除了加定冠詞 **the** 之外，也有在船名上加引號或用斜體字的。
　　　　the "Mikasa"（三笠艦）　　　　　　the *Hai chi*（海圻艦）
【比較】
　　Queen Mary has just started.【人名】（瑪麗女王剛剛起程。）
　　The **Queen Mary** crossed the Atlantic, and reached New York on the 5th of May.
　　（瑪麗皇后號橫渡了大西洋，於五月五日抵達紐約。）

⑪　江、河、海、洋、運河、半島、森林、沙漠、海峽、港灣的名稱要加 **the**。

the Yangtze（*or* **the** Yangtze Kiang）〔揚子江（長江）〕
the Yellow River（*or* **the** Hwang Ho）（黃河）
the China Sea（中國海）
the Pacific（*or* **the** Pacific Ocean）（太平洋）
the Atlantic（*or* **the** Atlantic Ocean）（大西洋）
the Suez Canal（蘇伊士運河）　　　　　**the** Malay Peninsula（馬來半島）
the Black Forest（黑森林）　　　　　　**the** Sahara Desert（撒哈拉沙漠）
the Taiwan Strait（台灣海峽）　　　　　**the** Persian Gulf（波斯灣）

【註1】 "**Mount**"（山），"**Lake**"（湖），"**Cape**"（角）等，像頭銜似的附在專有名詞之前，則不用 "**the**"。

Mount Everest（埃弗勒斯峰；聖母峰），Cape of Good Hope（好望角），
Lake Baikal（貝加爾湖）

【註2】 將 "**Bay**"（海灣）附在專有名詞的後面時，也不用加 "**the**"。

Kiao-chow Bay（膠州灣），Oyster Bay（牡蠣灣）

【註3】 將 "**province**"、"**prefecture**" 等附於專有名詞的後面時，也不用 "**the**"。

Jiang Su province（= the province of Jiang Su）（江蘇省）
Jiang Ning prefecture（= the prefecture of Jiang Ning）（江寧縣）

【註4】 有 "**Street**"、"**Park**"、"**Station**" 等字的專有名詞上，通常不用 "**the**"。

East or West Changan Street（東或西長安街），Central Park（中央公園），
Taipei Station（台北車站）

⑫ 書籍、報紙、雜誌的名稱要加 **the**。

the Bible（聖經），the New York Times（紐約時報），the Reader's Digest（讀者文摘）

【註1】 如果這些專有名詞以 "**A**" 字起頭時，就不能再用 "**the**"。

A Daily Use of English-Chinese Dictionary（日用英漢字典）

【註2】 以人名為書名時不用 "**the**"。

Have you read **Robinson Crusoe**?（你讀過「魯濱遜飄流記」嗎？）
I am reading **Lincoln**.（我正在看「林肯傳」。）

【註3】 以作者的名字表示作品時也不用 "**the**"。

Have you read **Shakespeare**?（你讀過莎士比亞的作品嗎？）
I am reading **Byron**.（我正在看拜倫的詩。）

【註4】 新聞、雜誌、書籍像船名一樣，也可用引號，或斜體字表示。

the "King Coal"（煤炭大王）【傳記】
the *Youth's Companion*（青年之友）【雜誌名】

⑬ 政黨的名稱要加 **the**。

the Democratic Progressive Party（民進黨），**the** Kuomintang（國民黨），
the People First Party（親民黨），**the** Taiwan Solidarity Union（台聯），
the New Party（新黨），**the** Republican Party（共和黨），
the Democratic Party（民主黨），**the** Reform Party（改革黨），
the Communist Party（共產黨）

（Ⅴ）抽象名詞（Abstract Noun）

1. **定義：無形狀，只表示性質、動作、狀態、學科、疾病等名稱之字。此類名詞都是些非物質的抽象觀念，故稱之為「抽象名詞」。如：**

   ⑴ kindness（仁慈），honesty（誠實），poverty（貧窮），……………… 【表性質】
   ⑵ action（動作），advice（忠告），argument（爭論），…………………… 【表動作】
   ⑶ slavery（奴隸制度），childhood（童年），friendship（友誼），………… 【表狀態】
   ⑷ history（歷史），economics（經濟學），physics（物理），…………… 【表學科】
   ⑸ cancer（癌症），cholera（霍亂），measles（麻疹），malaria（瘧疾），… 【表疾病】

2. **特性：除了特殊用法外，抽象名詞通常是不加冠詞的，也沒有複數形。**

3. **抽象名詞的用法：**

   ⑴ **一般性的用法（總稱的用法）**── 前面無冠詞。

      Happiness consists in contentment.（知足常樂。）
      Brevity is the soul of **wit**.（言以簡潔為貴。）

   ⑵ **特定的用法** ── 抽象名詞後有修飾語時，前面要加定冠詞 "the"。

      He has **the wisdom** *of Solomon*.（他有所羅門的智慧。）

      The love *of money* is the root of all evil.（貪財是萬惡之源。）

   ⑶ **表程度的用法** ── 前面可用 some, any, much, little, a little 等表示該抽象名詞的程度。

      She has **some experience** in bookkeeping.（她對簿記有些經驗。）
      This work doesn't require **any skill**.（這項工作不需要任何技巧。）

   ⑷ **做普通名詞的用法** ── 抽象名詞可用作普通名詞，不表示性質、情況或動作，而表示此性質、情況或動作之所有者或結果。

Abstract（抽象）		**Common**（普通）	
art	藝術	an art	一種技藝
authority	權威	an authority	權威者
		authorities	當局；當權的人
beauty	美	a beauty	美人
celebrity	名聲	a celebrity	名人
character	性格	a character	人物
composition	作文	a composition	文章
conquest	征服	a conquest	征服之地
curiosity	好奇心	a curiosity	珍品；奇人
fortune	命運	a fortune	財富
height	高度	a height	高地
judg(e)ment	判斷	a judgement	判決
justice	正義	a justice	法官
kindness	仁慈	a kindness	仁慈行為
office	公職；職務	an office	辦公室
painting	繪畫藝術	a painting	（一幅）畫
power	權力	a power	強國
room	餘地；空間	a room	房間

royalty	王權	royalties	皇族
sight	視力	a sight	風景
society	社交	a society	社會
speech	言語	a speech	演說
study	研究	a study	研究之問題
success	成功	a success	成功者；成功的事
time	時間	times	時代；次數
variety	變化	a variety	種類
vision	眼界	a vision	幻影
will	意志	a will	遺囑
witness	證據	a witness	證人
wonder	驚奇	wonders	奇觀
work	工作	works	工廠；作品
youth	青春	a youth	（一個）青年

One must not choose a wife for her **beauty** only. 【抽象名詞】
（人不能僅以美貌選擇妻子。）
She was **a beauty** while she was young. 【普通名詞（單數）】（她年輕時是個美女。）
Her smile is one of her chief **beauties**. 【普通名詞（複數）】
（她的微笑是她主要的優點之一。）

Kindness costs nothing, and gains many friends. 【抽象名詞】
（和善不費一文，但可獲得很多朋友。）
He has done me **a kindness**. 【普通名詞】（他幫了我一個忙。）

It gave me much **pleasure** to see you again. 【抽象名詞】
（再見到你使我非常快樂。）
It was **a pleasure** to see you again. 【普通名詞（單數）】（再見到你真是一件樂事。）
Study and hard work seem to be his chief **pleasures**. 【普通名詞（複數）】
（讀書和努力工作似乎是他的主要樂趣。）

I am learning **composition**. 【抽象名詞】（我在學作文 —— 學問。）
I am writing **a composition**. 【普通名詞】（我在寫作文 —— 文章。）

The sense of **sight** is the keenest of all senses. 【抽象名詞】（視覺是五官中最敏銳的。）
It was **a fine sight**. 【普通名詞（單數）】（它是美景。）
There are many **sights** to see in Taiwan. 【普通名詞（複數）】（台灣有很多名勝。）

Knowledge is **power**. 【抽象名詞】（知識就是力量。）
China is now also one of the five greatest **powers**. 【普通名詞】
（中國現在也算是五大強國之一。）

Time is money. 【抽象名詞】（時間就是金錢。）
I have been there two or three **times**. 【普通名詞】（我已去過那裡兩三次了。）

There is **room** for one more. 【抽象名詞】（還有空間可以再容納一個。）
The new house has five **rooms**. 【普通名詞】（這新房子有五個房間。）

Who is not struck with **wonder** at that grand sight?【抽象名詞】
（有誰看了那樣宏偉的景觀不會覺得驚奇呢？）
What are the seven **wonders** of the world?【普通名詞】
（世界七大奇觀是什麼？）

Happiness cannot be bought with money.【抽象名詞】
（幸福不能用金錢來買。）
He felt **an** unspeakable **happiness**.【普通名詞】
（他感到一種無法言喻的快樂。）

Failure is the mother of **success**.【抽象名詞】（失敗為成功之母。）
He was **a failure** (*or* **success**) as a novelist.【普通名詞】
〔以小說家而言，他是位失敗者（或成功者）。〕

(5) **做集合名詞的用法** —— 抽象名詞可用作集合名詞，表示擁有此抽象概念的實質或實際之人。

Abstract（抽象）		Collective（集合）	
age	年老	age	老年人
audience	謁見	audience	聽眾
community	共有	community	大眾
nobility	高貴	nobility	貴族
painting	繪畫學	painting	繪畫【總稱】
priesthood	祭司之職；神職	priesthood	神職人員【總稱】
society	社交	society	社會
youth	青春	youth	青年們

He knows the secret of keeping his **youth**.【抽象名詞】
（他知道保持青春的秘訣。）
Youth (= Young people) should respect **age** (= old people) .【集合名詞】
（年輕人應該尊敬老年人。）

Age disables us from working.【抽象名詞】
（年老使我們不能工作。）
The Chinese people have great respect for **age** (= aged persons) .【集合名詞】
（中國人非常尊敬老人。）

She possesses both **wit and beauty**.【抽象名詞】（她才色兼備。）
All the **wit and beauty** of the town were present.【集合名詞】
（全鎮的才子佳人都到了。）

【註】動詞上加 ing 的抽象名詞也有與之相應的普通名詞：

Verb（動詞）	Abstract Noun（抽象名詞）	Common Noun（普通名詞）
walk	walking	a walk
ride	riding	a ride
drive	driving	a drive

Walking is a good exercise.【抽象名詞】（散步是個好運動。）
I take **a walk** every day.【普通名詞】（我每天都散步。）

4. 普通名詞、物質名詞、抽象名詞用法的比較：

用法 \ 種類 / 例句	普 通 名 詞	物 質 名 詞	抽 象 名 詞
一般用法 — 特性	單數的前面有 a (an) 或 the；複數前面無冠詞。	前面無冠詞。	前面無冠詞。
一般用法 — 例句	**A fox** is a cunning animal. **The fox** is a cunning animal. **Foxes** are cunning animals.	**Beer** is made from barley. **Iron** is more useful than **gold**. Without **water** nothing could live.	**Wisdom** is gained by experience. **Idleness** is the root of all evil.
特定用法 — 特性	前面有定冠詞 **the**	前面有定冠詞 **the**	前面有定冠詞 **the**
特定用法 — 例句	**The book** *on the desk* is mine.	**The water** *of this brook* is as clear as crystal.	People do not know **the value** *of health* until they lose it.
表數、量、程度的用法 — 特性	前面有 many 或 some, any, few 或表數的形容詞。	前面有 much 或 some, any 或表量的形容詞。	前面有 much 或 some, any 或表量的形容詞。
表數、量、程度的用法 — 例句	A selfish person has **few friends**.	Lend me **some money**.	There is **little hope** of his success.

【註 1】 抽象名詞與物質名詞同為不可數的名詞，所以不可有不定冠詞，也沒有複數形；但可以用數量名詞（單位名詞）來表數的觀念。

a piece of information (*or* advice) 一則消息（忠告）

a word of advice 一句忠告

What **a stroke of** luck! （多麼好的運氣！）

What **a piece of** impudence! （真是厚臉皮！）

【註 2】 有些抽象名詞以 "s" 結尾，看來像是複數形，但做主詞時不能用複數動詞，須用單數動詞。

$\left.\begin{array}{l}\textbf{Civics}\\\textbf{Physics}\\\textbf{Mathematics}\end{array}\right\}$ is not interesting to me. (我對 $\left\{\begin{array}{l}公民\\物理\\數學\end{array}\right\}$ 沒興趣。)

No **news** is good **news**. (沒消息就是好消息。)

但 Her present **whereabouts** is (*or* are) unknown. (參照 p.393)
(她現在下落不明。)

5. 抽象名詞的慣用法：

(1) $\left\{\begin{array}{l}\textbf{of} + 抽象名詞 = 形容詞\\\textbf{of} + \textbf{great} + 抽象名詞 = \textbf{very} + 形容詞\\\textbf{of} + \textbf{no} + 抽象名詞 = \textbf{not} + 形容詞 (\textit{or} \textbf{-less}, \textbf{un-})\end{array}\right.$

He is a man **of wisdom**. = He is a **wise** man. (他是個聰明的人。)

It is **of great value**. = It is **very valuable**. (它很有價值。)

The camel is **of great value** to the Arab. (駱駝對於阿拉伯人而言是很珍貴的。)
= The camel is **very valuable** to the Arab.

It is **of no use**. = It is **not useful**. = It is **useless**. (它沒有用處。)

The matter is **of no consequence**. (那件事不重要。)
= The matter is **unimportant**.

He is twenty years **of age**. = He is twenty years **old**. (他今年二十歲。)

a man **of ability** = an **able** man (能幹的人)

a man **of learning** = a **learned** man (有學問的人)

a man **of wealth** = a **wealthy** man (有錢的人)

a man **of experience** = an **experienced** man (有經驗的人)

a woman **of great beauty** = a **very beautiful** woman (非常美麗的女人)

a matter **of no importance** = an **unimportant** matter (不重要的事情)

(2) $\left.\begin{array}{l}\textbf{with}\\\textbf{in}\\\textbf{by}\\\textbf{on}\end{array}\right\}$ + (**great** *or* **much**) + 抽象名詞 = (**very**) + 副詞

He treated me **with kindness** (= *kindly*). (他親切地對待我。)

He speaks French **with great fluency** (= *very fluently*).
(他法文說得非常流利。)

The victor marched off **in triumph** (= *triumphantly*).
(勝利者洋洋得意地離去。)

The doctor told me **in private** (= *privately*) that the invalid will die.
(醫生私下告訴我，這個病人快死了。)

By good luck (= *Luckily*) I found him at home. (幸好我在家裡找到他。)

The maid broke the dish **on purpose** (= *purposely*) . (女傭故意把碟子打破。)

with ease = easily (輕易地)

with care = carefully (小心地)

with diligence = diligently (勤勉地)

with patience = patiently (耐心地)

with difficulty = difficultly (困難地)

with calmness = calmly (冷靜地)

with fairness = fairly (公平地)

by chance = by accident = accidentally (偶然地；無意中)

in wonder = wonderfully (驚奇地)

in earnest = earnestly (認真地)

in despair = despairingly (絕望地)

in amazement = amazedly (驚訝地)

in public = publicly (公開地)

in time = early enough (及時地)

in fact = actually (事實上)

on time = punctually (準時地)

(3)
> 抽象名詞 + **itself**
> = **all** + 抽象名詞
> = **the incarnation of** + 抽象名詞
> = 抽象名詞 + **personified**
> = **full of** + 抽象名詞
> = **very** + 形容詞

She is **kindness itself**.

= She is **all kindness**.

= She is **the incarnation of kindness**.

= She is **kindness personified**.

= She is **full of kindness**.

= She is **very kind**.

她是親切的化身。= 她充滿著親切。= 她很親切。

(4) **have the** + 抽象名詞 + 不定詞 = **be so** + 形容詞 + **as** + 不定詞

He **had the** *kindness* **to** show me the way.

= He **was so** *kind* **as to** show me the way.

= He *kindly* showed me the way.

= He *was kind enough to* show me the way. (他親切地指點我。)

【註】 抽象名詞中，為了表示意義的區別，有些也用複數形態。

honor	(光榮；榮譽)		manner	(方式；樣子)
honors	(榮譽獎；優等)		manners	(禮貌)

height	（高度）	depth	（深度）
heights	（高處）	depths	（深處）
pain	（疼痛）	chance	（機會）
pains	（辛苦；苦心）	chances	（希望；可能性；形勢）

We should value **honor** above life. （我們應當視名譽重於生命。）
I do not aspire to high **honors**. （我並不渴望得到優等成績。）
He graduated with **honors**. （他以優等成績畢業。）

In what **manner** did he die? （他是怎麼死的？）
Where are your **manners**?
（你的禮貌何在？；你不懂禮貌嗎？）

What is the **depth** of the well? （這口井有多深？）
The ship sank into the **depths** of the Pacific. （那艘船沉入太平洋的深處。）

Do you feel any **pain**? （你覺得痛嗎？）
He seems to have taken great **pains** over this work.
（他似乎在這件工作上花費很多苦心。）

Chance made us acquainted. （機會使我們相識。）
What are the **chances**? （形勢如何？）
The **chances** are in my favor (against me). 〔情勢有利（不利）於我。〕

6. **抽象名詞的形成**：大部份抽象名詞是由其他詞類轉換而來的。

⑴ **由形容詞轉來的：**

① **用 ness 做結尾的：**

形容詞 ——→ 抽象名詞			形容詞 ——→ 抽象名詞		
careless	carelessness	（粗心）	ill	illness	（疾病）
clever	cleverness	（聰明）	kind	kindness	（親切）
eager	eagerness	（渴望）	lazy	laziness	（懶惰）
empty	emptiness	（空虛）	mean	meanness	（卑鄙）
faithful	faithfulness	（忠實）	polite	politeness	（禮貌）
foolish	foolishness	（愚蠢）	rude	rudeness	（粗魯）
frank	frankness	（坦白）	sick	sickness	（疾病）
great	greatness	（偉大）	sweet	sweetness	（甜蜜）
happy	happiness	（幸福）	useless	uselessness	（無用）
idle	idleness	（怠惰）	willing	willingness	（樂意）

② **用 th 做結尾的：**

形容詞 ——→ 抽象名詞			形容詞 ——→ 抽象名詞		
broad	breadth	（寬度）	strong	strength	（力量）
dead	death	（死亡）	true	truth	（真理）
deep	depth	（深度）	warm	warmth	（溫暖）
healthy	health	（健康）	wide	width	（廣度）
long	length	（長度）	young	youth	（年輕）

③ 用 **ty** 做結尾的：

形容詞	⟶ 抽象名詞		形容詞	⟶ 抽象名詞	
able	ability	（能力）	pure	purity	（純潔）
beautiful	beauty	（美麗）	rapid	rapidity	（迅速）
cruel	cruelty	（殘忍）	real	reality	（真實）
curious	curiosity	（好奇心）	safe	safety	（安全）
difficult	difficulty	（困難）	social	society	（社會）
equal	equality	（平等）	special	speciality	（專長）
generous	generosity	（慷慨）	stupid	stupidity	（愚蠢）
honest	honesty	（誠實）	vain	vanity	（空虛）
impossible	impossibility	（不可能）			
necessary	necessity	（需要）			
poor	poverty	（貧窮）			
possible	possibility	（可能性）			

【例外】
guilty	guilt	（罪）
thirsty	thirst	（口渴）
thrifty	thrift	（節儉）

④ 用 **ce** 做結尾的：

形容詞	⟶ 抽象名詞		形容詞	⟶ 抽象名詞	
absent	absence	（缺席）	indulgent	indulgence	（放縱；沉溺）
brilliant	{ brilliance / brilliancy }	（光輝）	innocent	innocence	（無罪）
			intelligent	intelligence	（聰明才智）
different	difference	（不同）	just	justice	（正義）
diligent	diligence	（勤勉）	obedient	obedience	（服從）
distant	distance	（距離）	patient	patience	（耐心）
elegant	elegance	（優雅）	present	presence	（出席）
excellent	excellence	（優秀）	silent	silence	（沉默；寂靜）
ignorant	ignorance	（無知）	tolerant	tolerance	（容忍）
important	importance	（重要性）	violent	violence	（暴力）

⑤ 其他的：

形容詞	⟶ 抽象名詞		形容詞	⟶ 抽象名詞	
free	freedom	（自由）	hungry	hunger	（飢餓）
wise	wisdom	（智慧）	jealous	jealousy	（嫉妒）
careful	care	（小心）	industrious	industry	（勤勉）
joyful	joy	（快樂）	zealous	zeal	（熱誠）
merciful	mercy	（慈悲）	dangerous	danger	（危險）
high	height	（高度）	courageous	courage	（勇氣）
hot	heat	（熱）	easy	ease	（容易）
comfortable	comfort	（舒適）	noisy	noise	（噪音）
honorable	honor	（光榮）	lucky	luck	（好運）
valuable	value	（價值）	brave	bravery	（勇敢）
terrible	terror	（恐怖）	false	falsehood	（虛偽）
angry	anger	（憤怒）	hard	hardship	（艱難）

⑵ **由動詞轉來的：**

① **用 tion 做結尾的：**

動　詞 ——→ 抽象名詞

act	action	（行動）
add	addition	（加）
construct	construction	（建造）
converse	conversation	（會話）
create	creation	（創造）
educate	education	（教育）
elect	election	（選舉）
examine	examination	（考試）
explain	explanation	（解釋）
imagine	imagination	（想像力）

動　詞 ——→ 抽象名詞

admire	admiration	（欽佩）
intend	intention	（意圖）
introduce	introduction	（介紹）
invent	invention	（發明）
invite	invitation	（邀請）
organize	organization	（組織）
pronounce	pronunciation	（發音）
select	selection	（選擇）
solve	solution	（解決）
stimulate	stimulation	（刺激）

② **用 sion 做結尾的：**

動　詞 ——→ 抽象名詞

decide	decision	（決定）
divide	division	（劃分）
discuss	discussion	（討論）

動　詞 ——→ 抽象名詞

admit	admission	（承認）
omit	omission	（省略）
permit	permission	（允許）

> 【例外】用 son 做結尾
> compare　comparison　（比較）

③ **用 ment 做結尾的：**

動　詞 ——→ 抽象名詞

advertise	advertisement	（廣告）
agree	agreement	（同意）
amuse	amusement	（娛樂）
argue	argument	（爭論）
astonish	astonishment	（驚訝）
develop	development	（發展）
employ	employment	（職業；雇用）

動　詞 ——→ 抽象名詞

enjoy	enjoyment	（享受）
entertain	entertainment	（娛樂）
improve	improvement	（改善）
judge	judg(e)ment	（判斷；審判）
move	movement	（移動；動作）
punish	punishment	（懲罰）
treat	treatment	（款待）

④ **用 ce 做結尾的：**

動　詞 ——→ 抽象名詞

accept	acceptance	（接受）
advise	advice	（忠告）
appear	appearance	（出現）
differ	difference	（區別）
disobey	disobedience	（不服從）

動　詞 ——→ 抽象名詞

exist	existence	（存在）
hinder	hindrance	（妨礙）
obey	obedience	（服從）
occur	occurrence	（發生）
prefer	preference	（偏愛）

⑤ **用 ing 做結尾的：**

動　詞 ——→ 抽象名詞

begin	beginning	（開始）
feel	feeling	（感情）

動　詞 ——→ 抽象名詞

read	reading	（閱讀）
write	writing	（寫作）

⑥ 其他：

動　詞 ——→ 抽象名詞			動　詞 ——→ 抽象名詞		
arrive	arrival	（到達）	believe	belief	（信念；信仰）
bear	birth	（出生）	breathe	breath	（呼吸）
complain	complaint	（抱怨）	marry	marriage	（婚姻）
conquer	conquest	（征服）	please	pleasure	（樂趣）
die	death	（死亡）	prove	proof	（證據）
discover	discovery	（發現）	propose	proposal	（提議）
do	deed	（行為）	rob	robbery	（搶劫）
fail	failure	（失敗）	see	sight	（視力）
grow	growth	（生長）	sell	sale	（出售）
hate	hatred	（仇恨）	speak	speech	（演說）
know	knowledge	（知識）	succeed	success	（成功）
live	life	（生命；生活）	try	trial	（試驗；審判）
lose	loss	（損失）	think	thought	（思想）

【註】有些抽象名詞與動詞相同：

decrease	（減少）	hope	（希望）	sleep	（睡覺）
experience	（經驗）	increase	（增加）	study	（學習）
exercise	（練習）	love	（愛）	wonder	（驚奇）
fear	（恐懼）	quarrel	（爭吵）		

(3) 由普通名詞轉來的：

普通名詞 ——→ 抽象名詞			普通名詞 ——→ 抽象名詞		
man	manhood	（成年；成人時期）	apprentice	apprenticeship	（學徒身份）
child	childhood	（童年）	friend	friendship	（友誼）
boy	boyhood	（少年時代）	leader	leadership	（領導能力）
girl	girlhood	（少女時代）	sportsman	sportsmanship	（運動家精神）
mother	motherhood	（母親的地位）	champion	championship	（冠軍的資格）
brother	brotherhood	（手足情誼）	infant	infancy	（幼年時代）
knight	knighthood	（騎士的身份）	slave	slavery	（奴隸制度）
widow	widowhood	（寡婦的身份；守寡）	rival	rivalry	（競爭）
neighbor	neighborhood	（鄰近地區）	bucher	buchery	（屠殺）
human	humanity	（人性）	robber	robbery	（搶劫）
hypocrite	hypocrisy	（偽善）	king	kingdom	（王國）

請立刻做　練習六

第二章　名詞的數

名詞在指一個事物時為單數（Singular Number），指兩個以上的事物時為複數（Plural Number）。

要點 1： 五種名詞中只有普通名詞有複數。

　　　a cat（單數）　　　　cats（複數）；　　　　a book（單數）　　　books（複數）

要點 2： 專有名詞、物質名詞、抽象名詞等，都沒有複數形，但是將它們用作普通名詞時，那就可以有複數了。

　a. 　{ 專有名詞：Edison（愛迪生）
　　　　{ 普通名詞：an Edison（一個像愛迪生那樣的人）── 單數，Edisons ── 複數

　b. 　{ 物質名詞：iron（鐵）
　　　　{ 普通名詞：an iron（熨斗）── 單數，irons ── 複數

　c. 　{ 抽象名詞：beauty（美麗）
　　　　{ 普通名詞：a beauty（一位美女）── 單數，beauties ── 複數

要點 3： 和普通名詞相等的集合名詞自然可以有複數，但群眾名詞（集合體的組成份子）形態雖是單數，意義卻是複數，所以作複數論。

　a. 集合名詞：a family（一個家庭）單數
　　　　　　　　families（多個家庭）複數
　b. 群眾名詞：family（家人們）形態雖為單數，意義卻是複數。

I. 複數名詞的形成

(I) 規則的複數變化：

1. 普通在單數字尾上加 **s**。

單　　數	複　　數	單　　數	複　　數
book（書）	books	nose（鼻子）	noses
cat（貓）	cats	pen（筆）	pens
dog（狗）	dogs	wage（工資）	wages
horse（馬）	horses		

2. 字尾若是 **s, z, x, sh, ch** 則加 **es**（如果只加一個 s，發音就有困難）。

單　　數	複　　數	單　　數	複　　數
ass（驢子）	asses	fox（狐狸）	foxes
glass（杯子）	glasses	brush（刷子）	brushes
adz(e)（手斧）	adzes	dish（盤子）	dishes
buzz（嗡嗡聲）	buzzes	bench（長椅）	benches
ax（斧頭）	axes	inch（吋）	inches

　【註】 如果字尾的 **ch** 為 **k** 的音時，只須加一個 **s**。

單　　數	複　　數	單　　數	複　　數
stomach（胃）	stomachs	monarch（君主）	monarchs
patriarch（長老）	patriarchs		

3. 如果字尾為子音＋y，就先將 y 變為 i，然後再加 es；字尾為母音＋y 時，則只加 s。

單　數	複　數		單　數	複　數	
army（軍隊）	armies		boy（男孩）	boys	
baby（嬰兒）	babies		day（天）	days	
city（城市）	cities	子音＋y → ies	key（鑰匙）	keys	母音＋y → s
duty（責任）	duties		monkey（猴子）	monkeys	
fly（蒼蠅）	flies		valley（山谷）	valleys	
lady（淑女）	ladies				

【註 1】 字尾為 quy 時，則必須將 y 變成 i 再加 es。

單　數	複　數
colloquy（對話）	colloquies
soliloquy（獨語）	soliloquies
【注意】guy（傢伙）	guys（guy 不是 quy）

【註 2】 有些名詞字尾雖然是子音＋y，但仍只加 s。

單　數	複　數
dry（禁酒論者）	drys
stand-by（聲援者）	stand-bys

4. 字尾若為子音＋o 時，加 es，但有例外；字尾若為母音＋o 時，則加 s。

單　數	複　數	
echo（回音）	echoes	
embargo（禁運）	embargoes	
hero（英雄）	heroes	
negro（黑人）	negroes	
no（不）	noes	子音＋o → ～es
potato（馬鈴薯）	potatoes	
tomato（蕃茄）	tomatoes	
torpedo（魚雷）	torpedoes	
veto（否決）	vetoes	

【例外】

單　數	複　數	
alto（男高音）	altos	
canto〔（詩歌的）篇〕	cantos	
casino（賭場）	casinos	
dynamo（發電機）	dynamos	
ego（自我）	egos	
obligato (obbligato)（伴奏）	obligatos	子音＋o → ～s
photo（照片）	photos	
piano（鋼琴）	pianos	
solo（獨奏）	solos	
soprano（女高音）	sopranos	
torso（人體的）軀幹	torsos	
two（二）	twos	

單　　　數	複　　　數	
bamboo（竹子）	bamboos	
cameo（明星客串；浮雕飾物）	cameos	
cuckoo（杜鵑鳥）	cuckoos	
duo〔二重奏（唱）〕	duos	
embryo（胚胎）	embryos	母音＋o → ～s
folio（對開的紙）	folios	
Hindoo（印度人）	Hindoos	
portfolio（文件夾）	portfolios	
radio（收音機）	radios	
studio（工作室）	studios	
zoo（動物園）	zoos	

下面的字尾 o 後可以加 s，但也可加 es。

單　　　數	複　　　數	複　　　數
archipelago（群島）	archipelagos	archipelagoes
banjo（五絃琴）	banjos	banjoes
buffalo（水牛）	buffalos	buffaloes
calico（印花布）	calicos	calicoes
cargo（貨物）	cargos	cargoes
commando（突擊隊）	commandos	commandoes
grotto（小洞穴）	grottos	grottoes
halo（日月的）光圈；光環	halos	haloes
lasso（套索）	lassos	lassoes
memento（紀念品；遺物）	mementos	mementoes
mosquito（蚊子）	mosquitos	mosquitoes
motto（座右銘）	mottos	mottoes
portico（門廊）	porticos	porticoes
proviso（但書；附文）	provisos	provisoes
tobacco（菸草）	tobaccos	tobaccoes
tornado（龍捲風）	tornados	tornadoes
volcano（火山）	volcanos	volcanoes
zero（零）	zeros	zeroes

5. 字尾是 f 或 fe 的，變為 ves。

單　　　數	複　　　數
elf（小精靈）	elves
half（一半）	halves
leaf（葉子）	leaves
loaf〔一條（麵包）〕	loaves
self（自己）	selves
shelf（架子）	shelves
thief（小偷）	thieves
wolf（狼）	wolves
knife（刀子）	knives
life（生命）	lives
wife（妻子）	wives

【註1】 有的在 **f** 或 **fe** 後面只加 **s**。

單　數	複　數	單　數	複　數
brief（摘要）	briefs	handkerchief（手帕）	handkerchiefs
belief（信仰）	beliefs	mischief（惡作劇）	mischiefs
chief（首領）	chiefs	proof（證據）	proofs
cliff（懸崖）	cliffs	reef（礁）	reefs
cuff（袖口）	cuffs	roof（屋頂）	roofs
fife〔（軍樂隊的）鼓笛〕	fifes	safe（保險箱）	safes
grief（悲傷）	griefs	strife（爭吵）	strifes
gulf（海灣）	gulfs	turf（草皮）	turfs

【註2】 下面的字尾直接加 **s** 或改爲 **ves** 均可。

單　數	複　數	複　數
dwarf（侏儒）	dwarfs	dwarves
hoof（蹄）	hoofs	hooves
scarf（圍巾）	scarfs	scarves
wharf（碼頭）	wharfs	wharves

【註3】 下面不同的複數形有不同的意義：

beef ｛ beefs（抱怨；牢騷） / beeves（肉牛） ｝　　calf ｛ calfs *or* calves（小牛） / calves（小腿） ｝

staff ｛ staffs（職員） / staves（五線譜） ｝

6. **字母、文字、數字、符號等的複數形，以加 ’s 爲原則，如無誤解的可能，也常只加 s。**

⑴ There are three **s**’s and two **c**’s in success.（success 裡有三個 s 和兩個 c。）

⑵ You have to dot the **i**’s and cross the **t**’s.（你不能馬虎，一是一，二是二。）

⑶ Don’t use too many **and**’s and **if**’s (*or* **ands** and **ifs**).（不要用太多的 and 和 if。）

⑷ Your 3**’s** (*or* 3**s**) look like 8**’s** (*or* 8**s**).（你的 3 看來像 8。）

⑸ All the -**’s** should be changed to +**’s**.（所有的 - 號應改成 + 號。）

【註1】 縮寫字的複數大部份是在單數形後面加 s。

apt. (apartment)　apts.（公寓）　　yr. (year)　yrs.（年）

hr. (hour)　hrs.（小時）　　No. (number)　Nos.（號碼）

【註2】 大部份度量衡單位的縮寫字，其單複數形式相同。

ft. (foot, feet)　　oz. (ounce, ounces)

in. (inch, inches)　　cm. (centimeter, centimeters)

【例外】 1 **lb.** (**pound**)　　3 **lbs.** (**pounds**)

【註3】 有些只有一個字母的縮寫字，重複該字母即爲複數。

p. 10 (page 10)　　　　　　　**pp**. 10-15 (pages 10 through 15)

（第 10 頁）　　　　　　　　　（從 10 到 15 頁）

l. 20 (line 20)　　　　　　　　**ll**. 20-25 (lines 20 through 25)

（第 20 行）　　　　　　　　　（從 20 到 25 行）

(II) **不規則的複數變化：**

1. **有少數的名詞在字尾加 en 或 ren**

ox（公牛）oxen　　　　　　child（小孩）child**ren**　　brother（敎友）bre**thren**

（但：brother 作「兄弟」解時，複數爲 brothers）

2. **變化名詞的母音字母而成複數形者有：**

foot（腳；呎）feet　　　　goose（鵝）geese　　　　louse（虱子）**lice**

mouse（老鼠）m**ice**　　　man（男人）men　　　　woman（女人）women

gentleman（紳士）gentlemen　Englishman（英國人）Englishmen

但：**German**（德國人）**Germans**

3. **單數與複數同形的一些名詞：**

aircraft（飛機），corps（軍團；兵團），deer（鹿），fish（魚），grouse（松雞），
salmon（鮭魚），sheep（綿羊），swine（豬），trout（鱒魚），Chinese（中國人），
Japanese（日本人），Swiss（瑞士人）

【註1】 **corps（軍團；兵團）單數發音爲〔kɔr，kor〕；複數發音爲〔kɔrz，korz〕**

【註2】 字尾是 ese 像 **Ceylonese, Chinese, Japanese, Lebanese, Portuguese,
Vietnamese** 均爲單複數同形。

(III) **合成名詞（複合名詞）的複數：**

1. **將其主要字變複數：**

(1) **主要字在合成字之前的：**

commander-in-chief（總司令）　　commanders-in-chief
father-in-law（岳父；公公）　　　fathers-in-law
mother-in-law（岳母；婆婆）　　　mothers-in-law
hanger-on（食客）　　　　　　　hangers-on
looker-on（旁觀者）　　　　　　lookers-on
man-of-war（戰艦）　　　　　　men-of-war
passer-by（過路人）　　　　　　passers-by
poet-laureate（桂冠詩人）　　　　poets-laureate

(2) **主要字在合成字之後的：**

bird's-nest（燕窩）　　bird's-nests　　onlooker（旁觀者）　onlookers
bystander（旁觀者）　　bystanders　　ox-cart（牛車）　　ox-carts
footman（僕役）　　　footmen　　　shoe-maker（鞋匠）　shoe-makers
horseman（騎馬者；騎師）horsemen　　step-mother（繼母）　step-mothers

2. **如合成字中沒有可數的名詞時，就把最後一個字加 s。**

forget-me-not（勿忘我）【草名】　　forget-me-nots
go-between（中間人；掮客；媒人）　go-betweens
holdup（搶劫）　　　　　　　　　holdups

3. **下面幾個合成字的前後兩個元素字都要變成複數形。（因都是主要字）**

men servants（男僕）　　　　　women servants（女僕）
men singers（男歌星）　　　　　women singers（女歌星）
women journalists（女記者）　　　women writers（女作家）
women doctors（女醫生）　　　　women drivers（女司機）

4. 下面兩個合成字有兩種不同形式的複數形。

court-martial（軍事法庭） ｛ courts-martial / court-martials

postmaster-general（郵政部長） ｛ postmasters-general / postmaster-generals

5. 字尾為 ful（表數或量）之名詞的複數形。

handful（一把） handfuls, handsful　　mouthful（一口之量） mouthfuls

spoonful（一匙之量） spoonfuls　　armful（一抱之量） armfuls

cupful（一杯之量） cupfuls　　bucketful（一桶之量） bucketfuls

(IV) 外來名詞的複數： 有些外來名詞的複數在英文中已非常常見，故沿用其本來之複數形，有些則依英文習慣在字尾加上 s 或 es 形成複數。

1. 拉丁語系：

單　　數	原文複數	英文複數
alga（海藻）	algae	algae
alumna（女校友）	alumnae	alumnae
alumnus（男校友）	alumni	alumni
antenna（天線）	antennae	antennae
apex（頂點）	apices	apices/apexes
appendix（附屬物）	appendices（附錄）	appendixes（盲腸）
aquarium（水族館）	aquaria	aquaria/aquariums
axis（軸）	axes	axes
bacillus（桿狀菌）	bacilli	bacilli
bacterium（細菌）	bacteria	bacteria
cactus（仙人掌）	cacti	cacti/cactuses
corrigendum（正誤表）	corrigenda	corrigenda
curriculum（課程）	curricula	curricula/curriculums
datum（資料）	data	data
erratum（錯誤）	errata	errata
focus（焦點）	foci	foci/focuses
formula（公式）	formulae	formulae/formulas
fungus（菌類；香菇）	fungi	fungi/funguses
genus（屬）	genera	genera
index（索引）	indices	indices/indexes
locus（位置）	loci	loci
matrix（矩陣）	matrices	matrices/matrixes
medium（媒介；媒體）	media	media/mediums
memorandum（備忘錄）	memoranda	memoranda/memorandums
nebula（星雲）	nebulae	nebulae
nucleus（核子）	nuclei	nuclei/nucleuses
ovum（卵細胞）	ova	ova
radius（半徑）	radii	radii/radiuses
stimulus（刺激）	stimuli	stimuli
terminus（終點）	termini	termini/terminuses
ultimatum（最後通牒）	ultimata	ultimata/ultimatums

【註】　單複數同形者：

> apparatus（裝置；器械）　apparatus *or* apparatuses
>
> series（系列；連續）　　　species（種）　　　　　means（方法；手段）

2. 希臘語系：

單　　　數	原文複數	英文複數
analysis（分析）	analyses	analyses
basis（基礎）	bases	bases
crisis（危機）	crises	crises
criterion（標準）	criteria	criteria/criterions
dogma（教條）	dogmata	dogmata/dogmas
ellipsis（省略）	ellipses	ellipses
hypothesis（假設）	hypotheses	hypotheses
parenthesis（括弧）	parentheses	parentheses
phenomenon（現象）	phenomena	phenomena（現象）； phenomenons（奇蹟）
thesis（論文）	theses	theses

3. 法語系：

beau（情郎）	beaux	beaux/beaus
bureau（局）	bureaux	bureaux/bureaus
madame（夫人）	mesdames	mesdames
monsieur（先生）	messieurs	messieurs
plateau（高原）	plateaux	plateaux/plateaus
trousseau（嫁粧）	trousseaux	trousseaux/trousseaus

Messieurs 簡寫爲 Messrs. 用作 Mr. 的複數：

Messrs. Wang and Kwo = Mr. Wang and Mr. Kwo

【註】　單複數同形者：

> chamois（歐洲山羚）　　chassis（底盤）
>
> corps（軍團；兵團）　　faux pas（失言；過失）
>
> patois（鄉音；方言）

4. 義大利語系：

bandit（土匪）	banditti	banditti/bandits
graffito（塗鴉）	graffiti【常用複數形】	graffiti
libretto（歌劇劇本）	libretti	libretti/librettos
virtuoso（大師；藝術品鑑賞家）	virtuosi	virtuosi/virtuosos

5. 希伯來語系：

cherub（普智天使；基路伯） 【九級天使中的第二級天使，掌管知識】	cherubim	cherubim/cherubs
seraph（熾愛天使；撒拉弗） 【基督教九級天使中地位最高者】	seraphim	seraphim/seraphs

(V) 複數名詞的形成歸納表

複數名詞的形成	規則的	字尾＋s	1. 一般普通名詞：pencil　pencils；desk　desks；egg　eggs
			2. 字尾為母音＋y 時：play　plays；boy　boys；day　days
			3. 字尾為母音＋o 時：radio　radios；bamboo　bamboos；zoo　zoos
			4. f 之前有一連兩個母音字母時： hoof　hoofs；brief　briefs；belief　beliefs；chief　chiefs
			5. 字尾為兩個 f 併連時：cliff　cliffs；cuff　cuffs
			6. 字尾為 ch 但發音為 /k/ 時：monarch　monarchs；stomach　stomachs
			7. 一些例外字：photos, pianos, Germans, safes（見註）
		字尾＋es	1. 字尾為 s, x, z, sh, ch（發音須為 /tʃ/）： bus　buses (or busses)；box　boxes；bench　benches buzz　buzzes　　　；dish　dishes；ax　axes watch　watches　　；ass　asses；brush　brushes
			2. 字尾為子音＋o 時：potato　potatoes；hero　heroes；negro　negroes
			3. 字尾為子音＋y 時，將 y 改成 i 再加 es： city　cities；baby　babies；duty　duties fly　flies；army　armies；lady　ladies
			4. 字尾為 f 或 fe 時，將 f 或 fe 改成 v 再加 es： leaf　leaves；wife　wives；half　halves；life　lives
		字尾＋es＋s 均可	mosquito　mosquitoes　mosquitos；cargo　cargoes　cargos tobacco　tobaccoes　tobaccos；motto　mottoes　mottos volcano　volcanoes　volcanos；tornado　tornadoes　tornados zero　zeroes　zeros；buffalo　buffaloes　buffalos
		字尾＋'s	1. 字母：two p's；three s's；two c's
			2. 數字：three 8's；two 5's；four 3's
			3. 縮寫字：two M.P.'s；three Ph.D.'s
			4. 單字（不作其本義解）：three and's；two if's；two or's
	不規則的		1. 改變母音者：man　men；foot　feet；goose　geese
			2. 少數名詞字尾＋ { **en**：ox　oxen　／　**ren**：child　children }
			3. 單數與複數同形者：sheep, deer, Chinese, corps, Swiss
			4. 將複合名詞中的主要元素字加 s： mother-in-law　　mothers-in-law　　；passer-by　passers-by commander-in-chief　commanders-in-chief；looker-on　lookers-on
			5. 複合名詞（很少數的）中之所有元素字都要變成複數形： man-servant　men-servants　；woman-writer　women-writers woman-doctor　women-doctors；man-singer　men-singers

【註】 **photo, piano** 按照子音＋**o** 的規則，應當為 *photoes*, *pianoes*，可是正確的是 **photos**, **pianos**，所以把它們稱為例外字。同樣地，**German** 應為 *Germen*，可是正確的卻為 **Germans**，因此才稱它為例外字。

　　　上表是為了便於記憶，提出原則性的規則，更多的字例還要參閱前面所講的細則。

II. 單複數在用法上應注意之點：

(I) 集合名詞中的群眾名詞，外形雖是單數，但其意義爲複數：

Some **people** say he is not honest. (有些人說他不誠實。)
Cattle feed on grass. (牛吃草。)
There are eight **sail** (= ships) in the harbor. (港口有八艘船。)
All other **vermin** were destroyed. (所有其他的害蟲都被消滅了。)
Poultry are scarce and dear in winter. (在冬季，家禽稀少而且昂貴。)
Several **police** were patrolling the neighborhood. (有幾個警察在附近巡邏。)

(II) 有些名詞形式看來是複數，但其意義爲單數：

Mathematics includes arithmetic, algebra, geometry, etc.
(數學包括算術、代數、幾何等。)
Ill **news** flies apace. (壞事傳千里。)
The United States is a big country. (美國是個大國。)
Measles is a children's disease. (麻疹是小孩生的病。)
Billiards is a good indoor game. (撞球是一種好的室內遊戲。)

【註 1】　有些字尾是 **ics** 的名詞，如表「科目」，視爲單數；若表「活動」或「行動」，
　　　　則應視爲複數。
　　　　比較下列兩組句子：
　　　　Tactics differs from strategy. (戰術與戰略不同。)
　　　　The general's **tactics are** successful. (這位將軍的戰術行動是成功的。)
　　　　Athletics is recommended for every student. (勸每位學生參加運動。)
　　　　Athletics include all kinds of sports, such as rowing, running, boxing, etc.
　　　　(運動包括各種競技，像划船、賽跑、拳擊等。)

【註 2】　除了下列帶有 **ics** 字尾的名詞外，還有不加 s 的學科名稱。
　　　　physics (物理學)，ethics (倫理學)，politics (政治學)，phonetics (語音學)，
　　　　gymnastics (體操)，…等。
　　　　【例外】
　　　　music (音樂)，logic (邏輯學)，arithmetic (算術)，rhetoric (修辭學)

【註 3】　如不當學科名稱用，則有些可做複數名詞用：
　　　　What are the **economics** of such a program? (這樣一個計劃的財務考慮爲何？)
　　　　Statistics are available on car ownership. (汽車所有權的統計數字是可以獲得的。)
　　　　His **politics** are his own affair. (他的政治意見是他自己的事。)

(III) 有些名詞常用複數形：

1. 由兩個部份所組成的物件名稱：

(1) **用具：**
binoculars (雙筒望遠鏡)，chopsticks (筷子)，compasses (圓規)，
fetters (腳鐐)，irons (手銬；腳鐐)，pincers (拔釘鉗)，pliers (鉗子)，
scales (天平)，spectacles (眼鏡)，scissors (剪刀)，shears (大剪刀)，
tongs (火鉗)

(2) **衣服：**

braces（吊帶【英】），briefs（三角褲），drawers（內褲），pajamas（睡衣【美】），pyjamas（睡衣【英】），pants（褲子），shoes（鞋子），shorts（短褲），slacks（寬鬆長褲），suspenders（吊帶【美】；吊襪帶【英】），tights（緊身衣），trousers（褲子）

常用 "pair" 表其數：

a pair of scissors（一把剪刀），two pair(s) of shoes（兩雙鞋），
three pair(s) of tongs（三把火鉗）。

2. **其他常用複數形的名詞：**

annals（編年史）	sands（沙地；沙灘）	remains（遺跡；殘骸）
assets（資產）	valuables（貴重物品）	savings（儲金）
contents（內容；目錄）	vitals（重要器官）	suds（肥皂泡；啤酒）
effects（動產）	ashes（灰燼；骨灰）	thanks（感謝）
greens（蔬菜）	bowels（腸；內臟）	ruins（廢墟）
riches（財富）	earnings（所得）	wares（貨物；商品）
stairs（樓梯）	goods（商品）	movables（動產）
drinkables（飲料）	eatables（可食用的東西）	tidings（消息）
sweets（糖果）	belongings（所有物品；財產）	circumstances（情況；環境）
winnings（獎金）	surroundings（環境）	greetings（問候）
facilities（設施）	wishes（願望；祝福）	compliments（問候；致意）
regards（問候）	remembrances（問候）	congratulations（恭喜）

從下面例句可以看出，如果這些名詞做主詞時，要用複數動詞：

Good **clothes open** all doors.（穿好衣服不致吃閉門羹。）

Riches have wings.（財富無常。）

The **scissors aren't** sharp.（這把剪刀不鋒利。）

【註】 有些複數形的名詞，可用作單數或複數：

注意比較下面各組例句：

He tried every **means**.【單數】（他用盡了各種方法。）
He tried all possible **means**.【複數】（一切可行的方法他都試過了。）

This means is【單數】
These means are【複數】 } not enough.〔這（些）手段是不夠的。〕

Great pains { **has**【單數】 **have**【複數】 } been taken to preserve secrecy.

（為了保守秘密，費了很大的心力。）

※ "pains" 雖有時為複數，但不能用 many 修飾它，一定要用 much, great,…等表「程度」的字來形容它。

(IV) **有些名詞有兩個不同的複數形，分別表示不同的意義：**

Take care of the **pence**, and the pounds will take care of themselves.
（小事注意，大事自成。）
There are five **pennies** on the table.（桌上有五個一分錢的銅板。）

penny 的複數形 **pence** 表金額、價值等。**penny** 的另一複數形 **pennies** 指銅幣數目。

其他同類的字：

1. appendix	appendixes　盲腸 appendices　附錄	2. brother	brothers　兄弟 brethren　教友；伙伴
3. cloth	cloths　布料 clothes　衣服	4. die	dice　骰子 dies　鑄模；印模
5. genius	geniuses　天才 genii　守護神；精靈	6. head	heads　頭（部） head　牲畜的頭數
7. index	indexes　索引 indices　【數學】指數	8. staff	staves　五線譜 staffs　職員

(V) 有些名詞的複數形有兩種意義：

Social **customs** vary in different countries. （社會風俗各國不同。）
How long will it take us to pass (get through) the **Customs**?
（要通過海關的檢查，會花費我們多久的時間？）

同類的字有：

1. color（顏色）　　　　colors　　（各種）顏色 ／ 旗；軍旗

2. drawer（抽屜）　　　drawers　　抽屜 ／ 內褲

3. effect（效果）　　　effects　　效果 ／ 動產

4. letter（字母；信）　letters　　字母；信 ／ 文學

5. manner（方法；態度）manners　方法 ／ 禮貌

6. minute（分鐘）　　　minutes　　分鐘【複數】／ 會議記錄

7. part（部分）　　　　parts　　部分 ／ 才能

8. premise（前提）　　premises　前提 ／ 房產

9. quarter（四分之一）quarters　四分之一【複數】／ 地方；住處

10. spectacle（景象）　spectacles　景象 ／ 眼鏡

11. scale（刻度）　　　scales　　刻度【複數】／ 天平；磅秤

(VI) 有些名詞單複數的意義不同：

He acted on my **advice**. (他按照我的忠告做。)
They received **advices** from abroad. (他們從國外得到消息。)

Put this **letter** on the desk! (把這封信放在書桌上！)
He is a man of **letters**. (他是一個文學家。)

This fruit isn't **sweet** enough. (這個水果不夠甜。)
He has tasted the **sweets** of success. (他已嘗到成功的快樂。)

Lazy people are not fond of **work**. (懶惰的人不愛工作。)
There is an iron **works**. (這裡有一家鐵工廠。)

There isn't enough **color** in the picture. (這張畫的色彩不夠。)
As a soldier, he has to salute the **colors**. (身爲一個軍人，他必須向軍旗致敬。)

Fresh **air** is important to city people. (對住在都市的人來說，新鮮的空氣很重要。)
He put on high **airs** with his learning. (他以飽學自居，裝腔作勢。)

She has an austere **manner**. (她的態度嚴肅不苟。)
Where did you learn your **manners**? (你怎麼這麼沒禮貌？)

同類的字有：

1. arm (手臂) / arms (武器；手臂)
2. attainment (達成) / attainments (學識；才能)
3. authority (權威) / authorities (當局)
4. care (擔心；小心) / cares (可憂慮之事)
5. cloth (布) / clothes (衣服)
6. compliment (稱讚) / compliments (問候；致意)
7. content (滿足) / contents (目錄)
8. custom (習俗) / customs (海關)
9. compass (範圍；界限) / compasses (圓規)
10. duty (義務) / duties (職務)
11. effect (效果) / effects (動產)
12. force (力量) / forces (軍力；軍隊)
13. glass (玻璃) / glasses (眼鏡)
14. good (利益；好處) / goods (商品)
15. iron (鐵) / irons (腳鐐；手銬)
16. mean (中庸) / means (方法；手段)
17. number (數目；號碼) / numbers (多數)
18. pain (痛苦) / pains (辛苦；費心)
19. part (部份) / parts (才能)
20. physic (藥) / physics (物理學)
21. premise (前提) / premises (房產)
22. provision (供給) / provisions (糧食)
23. quarter (四分之一) / quarters (地方；住處)
24. rag (破布) / rags (破衣服)
25. rank (階級) / ranks (士官；小兵)
26. return (回來) / returns (報酬；收益)
27. ruin (毀滅) / ruins (遺跡)
28. sand (沙子) / sands (沙地；沙灘)
29. saving (節約) / savings (儲蓄；存款)
30. scale (刻度；規模) / scales (天平)

【 savings 當主詞時，用單數動詞 】

31.	silk（絲） silks（絲綢的衣服）	32.	spectacle（奇觀） spectacles（眼鏡）
33.	spirit（精神） spirits（心情；心境）	34.	surrounding（包圍） surroundings（環境）
35.	term（期間） terms（條件；關係）	36.	water（水） waters（水域；海域）

(VII) brace（一對），dozen（一打），gross〔一籮（12 打，即 144 個）〕，head（一頭），yoke〔一對（牛）〕，score（二十），hundred, thousand 等字**表確定數目時，不必加 s；如表不定數目，則要加 s**：

1. **表確定數目**：

two brace of ducks（兩對鴨子）　　　three dozen (of) pencils（三打鉛筆）

four gross of knives（四籮小刀）　　　thirty head of cattle（三十頭牛）

six yoke of oxen（六對公牛）　　　two score and five years ago（四十五年前）

five thousand seven hundred and eight（5708）

【註】　eight million(s) of men ⎫
　　　　eight million men 　　⎭（八百萬人）

2. **表不定數目**：

a few dozens（幾打），dozens of eggs（好幾打蛋），herds of cattle（幾群牛），scores of trees（數十棵樹），thousands of people（好幾千人）

【註】　**當 foot 表示 infantry（步兵），horse 表示 cavalry（騎兵），sail 表示 ships（船）時，即使其前有數詞亦不加 s**：

20,000 foot and 1,000 horse（二萬名步兵和一千名騎兵）

fifty sail（五十艘船）

(VIII) **表示自某一年起至某一年止，其中各年代的名詞，要用複數形**：

She married while she was still in her **teens**.（她還在十幾歲時就結婚了。）

【**teens 是指自 thirteen（十三）至 nineteen（十九）中的年齡；teenage 指十三至十九的青少年時代，teenager 指十三至十九歲的青少年**】

The Industrial Revolution began in the **sixties** of the 18th century.

（工業革命是在十八世紀六〇年代開始的。）【sixties 是指 60 至 69 之間】

(IX) **名詞做形容詞來表示單位，應該取單數形**：（參照 p.100）

five two-dollar stamps（五張兩元的郵票），a four-story building（一棟四層樓的建築物）

a ten-year-old boy（一個十歲大的男孩），a twelve-inch rule（一把十二吋的尺）

a five-act play（一齣五幕的戲劇），the five-power naval conference（五強海軍會議）

summer vacation（暑假），a flower garden（花園）

【註 1】　**常用複數形的名詞，仍保留字尾的 s**：

a goods train（一列貨車）　　　　an honors graduate（優等畢業生）
a good train（一列好的火車）　　　the customs office（關稅局）

a big arms budget（大筆軍事預算）　　　a scissors grinder（磨剪刀的人）

the United Nations Charter（聯合國憲章）

【註 2】　**慣用語**：a two-thirds majority（三分之二的大多數）

(X) **稱謂的複數：**

1. **Mr.** 的複數：

Messrs. Brown (各位布朗先生)【文言體】
Messrs. Jones and Smith (瓊斯和史密斯二位先生)【文言體】
Mr. Jones and Mr. Smith (瓊斯和史密斯二位先生)【口語】
the two Mr. Smiths (二位史密斯先生)【口語】

2. **Mrs.** 的複數：

Mrs. Smiths (各位史密斯太太)
the two Mrs. Browns (二位布朗太太)

3. **"Mr."** 和 **"Mrs."** 並用時，其後面的姓名通常不用複數：

Mr. and Mrs. Brown (布朗夫婦)
General and Mrs. Ridgeway (里奇維將軍夫婦)

4. **Miss** 的複數：

the Misses Green = the Miss Greens (格林小姐們)
the Misses Smith, Brown and Green (史密斯、布朗，和格林三位小姐)

5. 其　他：

the two Drs. Brown = the two Dr. Browns〔二位布朗醫生 (博士)〕
professors Smith and Brown (史密斯和布朗二位教授)
Generals William and Johnson (威廉和強森二位將軍)

(XI) **-s 或 -es 的讀法：**

1. ～無聲子音 (f, k, p, t) + **s** → /s/

roofs〔rufs〕，books〔bʊks〕，maps〔mæps〕，hats〔hæts〕。

2. ～有聲子音 (b, d, g, l, m, n, ŋ, v) 及母音 + **s** → /z/

jobs〔dʒabz〕，pens〔pɛnz〕，birds〔bɝdz〕，dogs〔dɔgz〕，
hills〔hɪlz〕，rooms〔rumz〕，things〔θɪŋz〕，loves〔lʌvz〕。

3. 字尾為 **s, z, sh, ch, x** 複數 + **es** → /ɪz/

buses〔'bʌsɪz〕，roses〔'rozɪz〕，brushes〔'brʌʃɪz〕，churches〔'tʃɝtʃɪz〕，
boxes〔'baksɪz〕。

4. 字尾為 **ce, (d)ge** /dʒ/, **se** 等 + **s** → /ɪz/

faces〔'fesɪz〕，judges〔'dʒʌdʒɪz〕，horses〔'hɔrsɪz〕，houses〔'haʊzɪz〕。

5. 長母音或雙重母音 + **ths** → /ðz/

oaths〔oðz〕，mouths〔maʊðz〕。

6. 短母音或子音 + **ths** → /θs/

deaths〔dɛθs〕，months〔mʌnθs〕。

請立刻做　練習七

第三章　名詞的性

I. **定義：** 名詞中有指陽性的，有指陰性的，有指陽陰兩性的，也有指無性的，這種名詞的性別在文法上稱之為性（**Gender**）。

II. **類別：**

1. **陽性**（Masculine Gender）：表男、雄、公的性別之名詞，像：man, father, cock（用陽性代名詞 he, his, him 代替）。

2. **陰性**（Feminine Gender）：表女、雌、母的性別之名詞，像：woman, mother, hen（用陰性代名詞 she, her 代替）。

3. **通性：**（Common Gender）：表男女雌雄共通的性別之名詞，像：person, parent, fowl（通性名詞若指陽性，則用 he, his, him；若指陰性，則用 she, her 代替）。

4. **無性**（Neuter Gender）：不分男女、雌雄的性別之名詞，像：stone, tree, box（用無性代名詞 it, its 代替）。

III. **表示名詞的陽性與陰性的三種方法：**

1. **使用不同的字：**

陽　　　性	陰　　　性
man（男人）	woman（女人）
boy（男孩）	girl（女孩）
father（父親）	mother（母親）
papa（爸爸）	mamma（媽媽）
son（兒子）	daughter（女兒）
brother（兄弟）	sister（姐妹）
husband（丈夫）	wife（妻子）
uncle（叔叔；伯父；舅舅；姨丈；姑丈）	aunt（嬸嬸；伯母；舅媽；阿姨；姑姑）
nephew（姪子；外甥）	niece（姪女；外甥女）
king（國王）	queen（女王；王后）
gentleman（紳士）	lady（淑女）
sir（先生）【對男士的尊稱】	madam（太太）【對女士的尊稱】
bachelor（單身漢）	spinster（未婚女子；老處女）
widower（鰥夫）	widow（寡婦）
bridegroom（新郎）	bride（新娘）
wizard（男巫）	witch（女巫）
hero（英雄）	heroine（女英雄）
monk（僧侶；修道士）	nun（尼姑；修女）
czar（俄國沙皇）	czarina（俄國皇后）
kaiser（德國皇帝）	kaiserin（德國皇后）
horse（公馬）	mare（母馬）
bull（*or* ox）（公牛）	cow（母牛）
cock（*or* rooster）（公雞）	hen（母雞）
gander（公鵝）	goose（母鵝）
drake（公鴨）	duck（母鴨）
stag（公鹿）	hind（母鹿）

ram（公羊）	ewe（母羊）
drone（雄蜂）	bee（雌蜂）
dog（公狗）	bitch（母狗）

2. 改變字尾：

(1) **在陽性名詞後加 "ess"，變成陰性名詞：**

陽　　　性	陰　　　性
author（作家）	authoress（女作家）
count（伯爵）	countess（伯爵夫人）
heir（繼承人）	heiress（女繼承人）
host（主人）	hostess（女主人）
lion（公獅）	lioness（母獅）
mayor（市長）	mayoress（女市長；市長夫人）
poet（詩人）	poetess（女詩人）
prince（王子）	princess（公主）
patron（贊助者）	patroness（女贊助者）

(2) **將陽性名詞字尾略加改變後再加 "ess"，而變成陰性名詞：**

陽　　　性	陰　　　性
actor（演員）	actress（女演員）
abbot（修道院院長；住持）	abbess（女修道院院長）
duke（公爵）	duchess（公爵夫人）
emperor（皇帝）	empress（皇后）
god（神）	goddess（女神）
master（主人）	mistress（女主人）
Mr. = Mister（先生）	Mrs. = Mistress（太太）
negro（黑人）	negress（女黑人）
hunter（獵人）	huntress（女獵人）
waiter（服務生）	waitress（女服務生）
tiger（老虎）	tigress（母老虎）
lad（少男）	lass（少女）

(3) **陽性名詞＋ine 變成陰性名詞：**

陽　　　性	陰　　　性
hero（英雄）	heroine（女英雄）
Joseph（約瑟夫）	Josephine（約瑟芬）

3. 另加表示性別的字：

(1) 加在主要字的前面者有：

陽　　　性	陰　　　性
man-servant（男僕）	woman-servant（女僕）
	maid-servant（女僕）
boy-student（男學生）	girl-student（女學生）
he-goat（公山羊）	she-goat（母山羊）

陽性	陰性
billy-goat（公山羊）	nanny-goat（母山羊）
dog-fox（雄狐）	bitch-fox（雌狐）
he-bear（公熊）	she-bear（母熊）
jackass（公驢）	jenny-ass（母驢）
tomcat（公貓）	tabby-cat（母貓）
bull-calf（小公牛）	cow-calf（小母牛）
cock-pheasant（公雉）	hen-pheasant（母雉）

⑵ 加在主要字的後面者有：

陽　　　　性	陰　　　　性
airman（空軍士兵）	airwoman（空軍女兵）
landlord（房東）	landlady（女房東）
washerman（男洗衣工）	washerwoman（洗衣婦）
beggar man（男乞丐）	beggar woman（女乞丐）
orphan boy（孤兒）	orphan girl（孤女）
peacock（雄孔雀）	peahen（雌孔雀）

【註 1】　通性名詞如要區別陰陽性，可加性別的字：

陽　　　　性	陰　　　　性
male-cousin〔堂（表）兄弟〕	female-cousin〔堂（表）姐妹〕
male-reader（男讀者）	female-reader（女讀者）

【註 2】　由動詞或其他詞類變成而表示「動作者」的名詞，通常爲通性。

通　　　　　　　性	
buyer（買主）	debtor（債務人；借方）【creditor 債主】
reader（讀者）	seller（出售者）
scholar（學者）	thinker（思想家）

IV. 名詞的性之用法：

1. **通常以陽性代表陰陽兩性的動物，但雌性較有用時，則用陰性代表之：**

The horse is a useful animal.【包括 mare】（馬是有用的動物。）

A cow has no front teeth.【包括 ox】（牛沒有前齒。）

2. **"man" 指一般人時，亦包括 woman 在內；其代名詞則用 he 表示：**

Man does what he can; God (does) what He wills.

= Man proposes, God disposes.（謀事在人，成事在天。）

Every man has his weak side.（人人都有自己的弱點。）

3. **"baby"（嬰兒）和 "child"（小孩）的性別不明時，則用中性代名詞 "it" 表示之：**

The child seems to have lost its way.（這孩子似乎迷了路。）

The baby was playing with its toys.（那嬰兒正在玩他的玩具。）

4. 動物除按著性別，分別用 **he**, **she** 等外，亦可視爲中性，概以 **it**, **its** 表示之：

A fox caught a hen and killed her (*or* it). （一隻狐狸捉到一隻母雞，並將牠咬死。）

【註】cat 常被認爲是陰性名詞。

5. 名詞「擬人化」的性別：

(1) 在文學上或口語裡將無生命的東西，或抽象的觀念予以人格化的時候，大多把一些強有力的、偉大的，或恐怖的事物視爲陽性：

The **Sun** drove away the clouds with **his** powerful rays.

（太陽用他的強光驅走了烏雲。）

I fear not **Death**. Let **him** come! （我不怕死。讓他來吧！）

其他例子：

Summer（夏天）	Mountain（高山）	Sleep（睡眠）	Murder（謀殺）
Winter（冬天）	Storm（暴風雨）	Fear（恐懼）	War（戰爭）
Autumn（秋天）	the Ocean（海洋）	Anger（憤怒）	Thunder（雷）
Wind（風）	Time（時光）	Despair（絕望）	

(2) 優美柔和的事物則視爲陰性：

The **Moon** shed **her** mild light upon the scene. （月亮以她的柔和光輝照在該地。）

Let **Peace** forever hold **her** sway over the earth. （讓和平永遠控制這個世界。）

其他例子：

Spring（春天）	Truth（眞理）	Country（國家）	Humility（謙卑）
the Earth（地球）	Justice（正義）	Night（夜晚）	Fame（名聲）
Liberty（自由）	Pride（自尊）	Victory（勝利）	
Ship（船）	Faith（信仰）	Hope（希望）	
Mercy（慈悲）	Nature（大自然）	Virtue（美德）	

(3) 交通工具在口語中常被視爲陰性：

The **ship** sank with **her** crew on board. （船和船上的水手一起沉入海底。）

The **steamer** was on **her** maiden voyage. （那艘輪船正在進行她的處女航。）

(4) 國名被視爲陰性，但在地理上則爲中性：

China is proud of **her** long history.

（中國以她悠久的歷史爲榮。）

China is a large country. **It** has high mountains and long rivers.

（中國是個大國。它有高山和大河。）

第四章　名詞的格

I. 定義： 名詞在一句中所佔之地位以及與其他詞類之關係而分屬於三種格。(名詞在主格與受格的形式上沒有變化，如 Paul 的主格與受格都是 Paul。)

II. 種類：

1. 主格 (Nominative Case)：
   John studied diligently. (約翰用功讀書。)

2. 受格 (Objective Case)：
   The teacher praised **John**. (老師稱讚約翰。)
   The teacher gave **John** this book. (老師給約翰這本書。)
   The teacher gave this book to **John**. (老師把這本書給約翰。)

3. 所有格 (Possessive Case)：
   This is **John's** book. (這是約翰的書。)

III. 用法：

1. **主格的用法：**

   ⑴ **做主詞：**
   The early **bird** gets the worm. (早起的鳥兒有蟲吃；捷足先登。)

   ⑵ **做主詞補語：**
   He is my English **teacher**. (他是我的英文老師。)

   ⑶ **做主詞的同位語：**
   My cousin **Tom** came to see me yesterday. (我表弟湯姆昨天來看我。)

   ⑷ **稱呼用：**
   Let the dog out, **Tom**. (湯姆，把狗放出去。)

   ⑸ **感嘆用：**
   Nonsense! I don't believe a word of it. (胡說！我一點也不相信。)

   ⑹ **做形容詞用：**
   Tom has many **girl** friends. (湯姆有很多女朋友。)

   ⑺ **做分詞意義上的主詞：**
   ① The **sun** having set, they went home. (太陽已經下山，所以他們就回家了。)
   ② **John** being absent, there was no one who could solve the problem.
   (因為約翰不在，所以沒有人能解決這個問題。)

2. **受格的用法：**

   ⑴ **做動詞的受詞（ 有直接和間接受詞)**
   To obey the **laws** is everybody's duty.【不定詞的受詞】(遵守法律是每個人的義務。)
   Whenever I saw him, I found him reading some **book** or another.【分詞的受詞】
   (我每次看到他，總是發現他在看書。)
   My brother is fond of collecting **stamps**.【動名詞的受詞】(我弟弟喜歡集郵。)
   We gave the old **beggar** **fifty dollars**.【動詞的受詞】(我們給這老乞丐 50 元。)
   　　　　　　　　(間接受詞) (直接受詞)

⑵ **做介詞的受詞**

I like to play with **Tom**. (我喜歡和湯姆玩。)

⑶ **做受詞補語**

They will think me a **fool**. (他們會以為我是個傻瓜。)

⑷ **做受詞的同位語**

He has lost his only son, a brave **soldier**. (他失去了唯一的兒子，一位勇敢的士兵。)

⑸ **做同系受詞（ 或同源受詞)**

She laughed a hearty **laugh**. (她笑得很開心。)

I dreamt a bad **dream** yesterday. (我昨晚做了個惡夢。)

They have already danced two **dances**. (他們已跳了兩支舞。)

He died an unhappy **death**. (他很不愉快地去世。)

I slept my first peaceful **sleep** in three weeks. (三週以來我頭一次睡了一個寧靜的覺。)

The old king breathed his last **breath**. (老國王嚥下了他最後一口氣。)

They sighed a deep **sigh**. (他們深深地嘆了口氣。)

The girl smiled a sweet **smile**. (這女孩甜蜜地微笑。)

⑹ **做保留受詞（ Retained Object ）:** 授與動詞有兩個受詞，改為被動語態後，所剩下的受詞叫「保留受詞」。

【主動】 I gave <u>him</u> a <u>book</u>.
  間受　　直受

【被動】 He was given <u>a book</u> *by me*.
  保留受詞

【被動】 A book was given <u>him</u> *by me*. (詳見 p.379)
  保留受詞

⑺ **做副詞性受詞：** 就是具有副詞性質的名詞 (詳見 p.100)

I waited (*for*) three **hours**. (我等了三個小時。)

3. 所有格名詞的形成和用法：

⑴ 「人」或「動物」名詞在字尾加（ 's ）或（ ' ）：

① **單數名詞＋（ 's ）**

my brother's bicycle (我弟弟的單車)，the dog's legs (狗的腿)

② **複數名詞的所有格有兩種情形**

　　a. 字尾有 s 的複數名詞＋（ ' ）

　　　birds' nests (鳥巢)，a girls' middle school (女子中學)

　　b. 字尾無 s 的複數名詞＋（ 's ）

　　　women's hospital (婦女醫院)，children's shoes (童鞋)

③ 如把字尾為 s 的單數專有名詞變為所有格，則依發音而定。二音節或二音節以上且字尾為 s 者通常只加（ ' ），單音節字則大部分加（ 's ）(發音為 /-ɪz/)

　　a. 如多加一音節而讀音仍自然，通常加（ 's ）

　　　Mr. Jones's〔ˋdʒonzɪz〕mistake (瓊斯先生的錯誤)

　　b. 如多加一音節會使所有格名詞讀音困難或難聽，通常只加（ ' ）

　　　Mr. Adams' friends (亞當斯先生的朋友)

(2) 無生命（包括植物）名詞的所有格不可在其字尾加（'s）或（'），必須用 **of** 表示
　　（稱爲 **of** 所有格）。

　　【公式】　**the** + 所有物 + **of** + **that** (*or* **this, that, my**…) + 所有者
　　　　　　　the roof of the cottage（這農舍的屋頂）　　the legs of the table（桌子的腳）

　　【註 1】　人與動物名詞的所有格也可和無生物名詞的所有格一樣用 **of** 表示。
　　　　　　　the parents of the child = the child's parents（小孩的雙親）
　　　　　　　the ears of the rabbit = the rabbit's ears（兔子的耳朵）

　　　　　　　【比較】　狗（生物）的腿　　　　　　　桌（非生物）的腿
　　　　　　　　　　　　the dog's legs【正】　　　　　*the desk's legs*【誤】
　　　　　　　　　　　　the legs of the dog【正】　　　the legs of the desk【正】

　　【註 2】　非生物名詞常用（'s）或（'）來表示所有格，用以：

　　① 表「時間」、「距離」、「長度」、「重量」、「價格」的名詞：
　　　時間：a week's journey（一週的旅行）
　　　　　　an hour's walk（一小時的散步）　　today's paper（今天的報紙）
　　　　　　twenty minutes' recess（二十分鐘的休息）
　　　　　　a day or two's delay（一兩天的耽擱）
　　　　　　a nine days' wonder（轟動一時的事件）
　　　　　　five years' absence（五年的離開）
　　　　　　The time was April's end.（時間是四月底。）
　　　距離：a stone's throw（一投石之遙）　　a boat's length（一船身之長）
　　　　　　fifty miles' journey（五十哩的旅程）
　　　　　　a hair's breadth（千鈞一髮）
　　　長度：a boat's length（一艘船的長度）
　　　重量：twenty pounds' weight（二十磅重）
　　　　　　a ship of 500 tons' burden（載重 500 噸的船）
　　　價格：a shilling's worth of sugar（值一先令的糖）
　　　　　　a dollar's worth（一塊錢的價值）

　　② 做人格化的名詞：
　　　Nature's works（大自然的鬼斧神工）　　the moon's shadow（月影）
　　　Heaven's will（天意）　　　　　　　　the world's history（世界史）
　　　Fortune's favourite（幸運的寵兒）　　the ocean's roar（海洋的怒號）
　　　the sun's rays（太陽光線）　　　　　　at death's door（瀕臨死亡）

　　③ 做 **sake**（緣故）之前的名詞：
　　　for God's (Heaven's, goodness', mercy's) sake
　　　（看在老天的份上；千萬；務必）
　　　for old sake's sake（看在老交情的份上）
　　　for examination's sake = for the sake of examination（爲了考試的緣故）
　　　for convenience' sake = for the sake of convenience（爲了方便起見）
　　　　【注意】**sake** 之前的名詞字尾發音是 /s/ 時，常省掉其所有格的 **s**。
　　　　　　　　for conscience' sake（爲了良心的緣故）
　　　　　　　　for goodness' sake = for the sake of goodness（看在老天的份上）

④ 成語：

She is **at her wits'** (*or* **wit's**) **end**. (她無計可施。)

He has it **at his fingers'** (*or* **finger's**) **ends**. (他對這件事瞭如指掌。)

He did it **to his heart's content**. (他痛痛快快地做了這件事。)

At last he came **to his journey's end**. (他終於到了目的地。)

He escaped **by a hair's breadth**. = He had **a hair's-breadth escape**.

= He had **a hair-breadth escape**. = He had **a very narrow escape**. (他倖免於難。)

(3) **複合名詞或名詞片語的所有格是在最後一個字的字尾加 ('s)。**

my brother-in-law's hat 〔我姐夫 (妹婿) 的帽子〕, somebody else's umbrella (別人的傘)

the President of America's car (美國總統的座車)

a month or two's absence (一兩個月的離開)

(4) **名詞之後有同位語時，把 ('s) 加在同位語的字尾而形成所有格：**

Have you seen my brother, **John's**, bicycle? (你有沒有看到我弟弟約翰的單車？)

I bought this book at Smith, the **bookseller's**. (我在史密斯的書店買了這本書。)

(5) **表各別所有，把 ('s) 加在各個名詞上：**

Jim's and Dick's books = Jim's books and Dick's (books)

表共同所有，把 ('s) 加在最後的名詞上：

Jim and Dick's books = books belonging to both Jim and Dick

再看下面另一個例子：

Paul and Mary's school (保羅和瑪麗的學校 —— 二人同在一所學校)

Paul's and Mary's schools (保羅的學校和瑪麗的學校 —— 二人在不同的學校)

(6) **略語，單數加 ('s)，複數加 (')**

the YMCA's activities (基督教青年會的活動), the YMCAs' (基督教青年會的)

4. **獨立所有格 (Absolute Possessive)：**

通常在所有格之後都接有名詞，(如 Mary's doll, my brother's bicycle…) 該所有格是做形容詞，用來修飾後面的名詞。

但在下述兩種情形，**所有格是單獨存在的，沒有名詞尾隨其後，這就叫作獨立所有格。**

(1) **所有格後面的名詞因重複而被省略：**

This doll is my **daughter's** (doll). 〔這個洋娃娃是我女兒的 (洋娃娃)。〕

Paul's (family) is a large family. 〔保羅的 (家庭) 是個大家庭。〕

(2) **被所有格修飾的名詞為 house, shop, church, store, palace, home, hospital, college, theater, cathedral, hotel, restaurant, office 等建築物時，這個名詞可省略：**

I bought this book at the **bookseller's** (store) on the corner.

(我在轉角的那家書店買了這本書。)

I saw him at my **uncle's** (house). (我在我叔叔家見到了他。)

I have a toothache, and have to go to the **dentist's** (office) every other day.

(我牙痛，必須每隔一天到牙醫那裡去。)

I met an old friend at the **barber's** (shop) this morning.

(今天早上我在理髮店遇到了一位老朋友。)

St. **Paul's** (Cathedral)（聖保羅大教堂），St. **John's** (College)（聖約翰大學）
St. **James's** (Theater)（聖詹姆士劇院），St. **Peter's** (Church)（聖彼得教堂）

【註1】　下句中的 **house** 就不能省掉：（因省略會引起誤解）
　　　　　My **uncle's house** stands on a hill.（我叔叔家是在山丘上。）

【註2】　因 /sts/ 發音困難，口語有時用 **go to the dentist** 代替 **go to the dentist's**。
　　　　　美語有時也省去（**'s**）：
　　　　　I am going to the dentist('s) tomorrow.（我明天會去看牙醫。）

5. **雙重所有格**（**Double Possessive**）：

當 a(n), this, these, that, those, another, some, every, several, such, any, no, which,
what 與所有格名詞修飾同一個名詞時，兩者不能同時放在該名詞的前面，一定要
用雙重所有格的形式，即：

　　a (**this**, **that**,…) + 名詞 + **of** + 所有格名詞

{
I met *my brother's a friend.*【誤】
I met *a my brother's friend.*【誤】
I met **a** friend **of my brother's**.【正】（我遇見了我弟弟的一個朋友。）
}

Any friend **of my son's** is welcome.（我兒子的任何朋友都受歡迎。）
I like **this** watch **of my father's**.（我喜歡我父親的這只手錶。）
I like **these** watches **of my father's**.（我喜歡我父親的這些手錶。）
That is **no fault of John's**.（那不是約翰的錯。）
That car **of my uncle's** is of American make.（我叔叔的那部車是美國製的。）
Which house **of your neighbor's** was burned down?（你鄰居的哪一棟房子燒掉了？）

以上的結構，因 **of** 是表所有，再加上所有格所有，就成了雙重所有。

【注意】　下面二例意義不同：
　　　　　a beautiful picture of hers（一張她所收藏的美麗的畫）【of 表部份關係】
　　　　　a beautiful picture of her（一張她的美麗畫像）【of 表同格關係】
　　　　　因 **of** 可表同格關係（同位語），如：the City of Rome（the City = Rome），
　　　　　an angel of a woman。也可表部份關係，如：a cup of tea。

6. **所有格的作用：**

⑴ **表所有（者）**
　　Paul's house（保羅的家）
　　my father's glasses（我父親的眼鏡）
　　Tom's knife（湯姆的刀子）

⑵ **表起源（作者或發明者）**
　　Edison's electric light〔愛迪生（發明）的電燈〕
　　Newton's law〔牛頓（發現）的定律〕
　　Shakespeare's plays〔莎士比亞（編著）的戲劇〕

(3) **表目的、用途**

a girls' school (= a school for girls) (女子學校)

a children's hospital (= a hospital for children) (兒童醫院)

(4) **表同位語**

the city of Taipei = Taipei City (the city = Taipei) (台北市)

(5) **所有格 + 名詞 = 主詞 + 動詞之關係**

He is sure of <u>his son's</u> <u>success</u>. = He is sure that <u>his son</u> <u>will succeed</u>.
　　　　　　　所有格　　名詞　　　　　　　　　　　主詞　　　動詞

She died before <u>the doctor's</u> <u>arrival</u>.
　　　　　　　　所有格　　　名詞

= She died before <u>the doctor</u> <u>arrived</u>. (她在醫生到達之前就死了。)
　　　　　　　　主詞　　　動詞

(6) **所有格 + 名詞 = 動詞 + 受詞之關係**

They hurried to <u>their father's</u> <u>rescue</u>.
　　　　　　　　所有格　　　受詞

= They hurried to <u>rescue</u> <u>their father</u>. (他們趕來援救他們的父親。)
　　　　　　　　動詞　　　受詞

(7) **所有格 + 動名詞 = 主詞 + 動詞之關係**

I am glad of <u>my son's</u> <u>passing</u> the entrance examination.
　　　　　　　所有格　　動名詞

= I am glad that <u>my son</u> <u>(has) passed</u> the entrance examination.
　　　　　　　　主詞　　　動詞

(我很高興我的兒子通過了入學考試。)

7. **所有格（'s）的讀音：**(通常和複數名詞字尾 (s) 讀音相同)

(1) **～無聲子音（f, p, k, t）+ s → /s/**

my wife's 〔waɪfs〕 mother (我太太的母親)

a cat's 〔kæts〕 ears (貓的耳朵)

a week's 〔wiks〕 journey (一週的旅行)

(2) **～有聲子音（b, d, g, l, m, n, ŋ, v）及母音 + s → /z/**

a bird's 〔bɝdz〕 nest (一個鳥巢)

my son's 〔sʌnz〕 school (我兒子的學校)

her uncle's 〔'ʌŋklz〕 birthday (她叔叔的生日)

(3) **子音（s, z, ʃ, tʃ, ʒ, dʒ）+ s → /ɪz/**

a fox's 〔'fɑksɪz〕 tail (狐狸的尾巴)

little prince's 〔'prɪnsɪz〕 room (小王子的房間)

a judge's 〔'dʒʌdʒɪz〕 garden (法官的花園)

第五章　名詞的用法

名詞的用法可分成下列七種：

I. 做主詞：

Hunger is the best sauce.（飢不擇食。）

Who is that **lady** over there?（那邊的那位女士是誰？）

II. 做受詞：

The teacher praised his **students**.【動詞的受詞】（那位老師稱讚他的學生。）

To plan a **composition** in advance is a good idea.【不定詞的受詞】

（事先計劃一篇作文是個好主意。）

His hobby was collecting **coins**.【動名詞的受詞】（他的嗜好是收集硬幣。）

The boy studying his **lesson** is the teacher's pet.【分詞的受詞】

（正在讀書的那個學生是老師的心肝寶貝。）

He sings for **enjoyment**.【介詞的受詞】（他因為喜歡唱歌而唱歌。）

III. 做補語：

1. 做主詞補語：

His father is a **lawyer**.（他的父親是位律師。）

He was elected **President**.（他被選為總統。）

2. 做受詞補語：

The teacher called my brother a **genius**.（老師稱我弟弟為天才。）

The class elected Jim its **president**.（全班選吉姆為班長。）

IV. 稱呼用：

John, there is a letter for you on the table.（約翰，桌上有一封你的信。）

Boys, don't make so much noise!（孩子們，不要這麼吵！）

Frailty, thy name is woman.（弱者，你的名字是女人。）【thy = your】

V. 做同位語：

The birthday gift, **a wool shirt**, was on my bed.（生日禮物，一件羊毛襯衫，放在我的床上。）

They introduced us to the young woman, **a famous ballet star**.

（他們將我們介紹給那位年輕的小姐，一位有名的芭蕾舞星。）

【註1】　名詞做同位語時，它和前面的名詞是指同一人或事物。例如下面的例句：

Paul Jones, **the distinguished art critic**, died in his sleep last night.

（保羅瓊斯，一位傑出的藝術評論家，昨晚在睡眠中去世。）

可以改成下面兩句，並不失其原義：

Paul Jones died in his sleep last night.

The distinguished art critic died in his sleep last night.

【註2】　為了加強語氣，同位語的位置也可變動，見下面兩個例句：

An unusual present, **a book on ethics**, was given to him for his birthday.

（一件不尋常的禮物，一本倫理學的書，被送給他作為生日禮物。）

= An unusual present was given to him for his birthday, **a book on ethics**.

> The college president, **a frequent visitor to classrooms**, was known to most of the students. (那位大學校長，一位常來教室的訪客，大多數的學生都認識他。)
> = **A frequent visitor to classrooms**, the college president was known to most of the students.

VI. 做形容詞：

1. 有些名詞沒有相同意義的形容詞形式，因此必須直接以名詞當形容詞，用來修飾另一名詞，即形成**名詞＋名詞**。

air mail（航空郵件）	head master（校長）(= *headmaster*)
flower garden（花園）	language teacher（語言教師）
evening paper（晚報）	murder weapon（兇器）
family tree（家譜）	post office（郵局）
girl friend（女性朋友）	room temperature（室溫）

2. 有些名詞雖然有形容詞形式，但是爲了意義上的需要，仍然以該名詞做形容詞，通常用以表示**功用**或**成分**。

beauty shop（美容院 —— 表功用）【beautiful shop　美麗的商店】
pleasure trip（遊覽；漫遊 —— 表功用）【pleasant trip　愉快的旅行】
silk stockings（絲襪 —— 表成分）【silky hair　如絲般的頭髮】
gold watch（金錶 —— 表成分）【golden hair　金色的頭髮】

> 【註1】 名詞修飾名詞該用單數形。
> That pretty girl has many **boy** friends. (那位漂亮女孩有很多男性朋友。)
> I need some **ten-dollar** stamps. (我需要一些十元的郵票。)
> This is a **four-story** apartment. (這是一棟四層樓的公寓。)
>
> > 【例外】 **clothes** closet（衣櫥）　　　　**sales** tax（貨物稅）
> > **weapons** system〔武器系統（發射彈頭或投擲炸彈所使用的，如火箭、轟炸機等）〕
> > **employees** cafeteria（員工自助餐廳）【其他須用複數形的名詞參照 p.87】
> > ※ sports clothes（運動服）中的 sports 爲形容詞。

> 【註2】 由名詞和形容詞所構成的名詞修飾語中的名詞，也不可用複數形。
> a **three-year-old** boy（一個三歲的男孩）
> a **200-foot-high** hill（一座二百呎高的山）【不可用 feet】
> a **two-mile** race（兩哩的賽跑）
> = a two miles' race【表「距離」可用所有格形式】
> ※ She is long-legged, five-feet-three-inches tall. (她腿很長，身高有五呎三吋。)
> 　此複合名詞是當副詞用，故用複數形。

VII. 做副詞性的受詞：就是具有副詞性質的名詞（也就是用名詞做副詞）。(參照 p.546, 631)

「介系詞＋名詞」雖可作爲副詞片語，但是習慣上都省略介系詞，只剩下名詞。這名詞就稱爲**副詞性的受詞**，如下面幾種用法中的名詞即是：

1. **表示時間的名詞前面有** one, some, this, that, the, last, next, every, all **等字修飾時，是副詞性的受詞，前面不可再加介系詞。**

One day I happened to see him. (有一天我碰巧見到了他。)

The light goes out for five seconds *every two minutes*. （那個燈每二分鐘熄滅五秒鐘。）

I kept sitting *all night*. （我整晚都坐著。）

Will he come again *the day after tomorrow*? （他後天會再來嗎？）

2. 同樣是表示**時間的名詞**，修飾其後面的 ago, since, before, after, hence, thence, week, month 等字時，也是副詞性的受詞。

I saw him *two weeks ago*. （我在二週前看見他。）

The examination will be over *this day next week*. （考試將於下星期的今天結束。）

Many years after he was still a small merchant. （許多年過去了，他卻仍然是個小商人。）

All was gone *a year thence*. （從那時起的一年後，一切都沒了。）

3. 有時候附於表示「**期間**」的名詞的介系詞 for, during 等可以省略。剩下的名詞就形成副詞性的受詞。

We waited there (*for*) *two hours*. （我們在那裡等了兩小時。）

Nothing happened (*during*) *the whole vacation*. （在整個假期中，什麼事也沒有發生。）

4. **表示數量的名詞**，置於 long, broad, high, deep, thick, old, strong, distant, worth 等形容詞之前，形成副詞性的受詞。

He is *ten years* old, and already *five feet* tall. （他十歲，已經有五呎高了。）

Our army was *two thousand* strong. （我軍有二千兵力。）

5. **表示次數、距離、方向、程度、價值、狀態的名詞**，是副詞性的受詞。

I told you *many times*. （我告訴你好幾次了。）【次數】

I will not move *an inch*. （我一點也不會移動。）【距離】

Come *this way*, please. （請走這邊。）【方向】

I don't care *a bit*. （我一點也不在乎。）【程度】

This vase costs *ten dollars*. （這花瓶值十元。）【價值】

【因本句不能改爲被動，可知 cost 在此是不及物動詞，故 **ten dollars** 是副詞性的受詞】

It's raining *cats and dogs*. （雨正傾盆而下。）【狀態】

He stood in front of me *cap in hand*. 〔他手持帽子（恭敬有禮地）站在我前面。〕【狀態】

6. **在比較級的形容詞或副詞，及 too～之前的名詞**，是副詞性的受詞。

I got up *an hour* too early this morning. （我今天早上早了一小時起床。）

I got up *an hour* earlier than usual. （我比平常早起了一小時。）

7. **「a（＝ per）＋名詞」之前有表示數量的字詞時**，a 之後的名詞，也是副詞性的受詞。

I go to school only twice *a week*. （我一星期只去學校二次。）【a week 前省略了 in】

He can walk fifty miles *a day*. （他一天能走五十哩。）

【註】 **副詞性的受詞與受詞的區別：**

副詞性的受詞易與及物動詞的受詞混淆，不過，若將句子改爲被動語態來看的話，則其間的區別就很清楚。及物動詞的受詞可以做被動語態句子的主詞，但副詞性的受詞就不可以。

We stayed there *all the morning*.【all the morning 是副詞性的受詞】
（我們整個上午都在那裡。）
All the morning was stayed there by us.【誤】

We spent *all the morning* there.【all the morning 是 spent 的受詞】
All the morning was spent there.【正】
（我們在那裡度過了整個上午。）

VIII. 容易錯用的名詞

1. accident 意外
   incident 事件

2. appliance 用具
   application 申請

3. assignment 作業【可數】
   homework 功課【不可數】

4. battle 戰役【一次的戰爭】
   war 戰爭【長時間，大戰爭】

5. blond 金髮碧眼的男人
   blonde 金髮碧眼的女人

6. blossom （結果實的）花
   bloom （不結果實的）花

7. custom 風俗
   habit 習慣

8. clothes 衣服【任何衣服，無單數形】
   dress 衣服【指女人的衣服，可數】

9. cost 成本
   price 售價

10. capital 資本；首都
    capitol 國會大廈

11. council 會議
    consul 領事
    counsel 忠告

12. comparison 比較【相似處】
    contrast 對比；比較【相異處】

13. crime 罪【法律上】
    sin 罪【宗教上】
    evil 罪【倫理上】

14. customer 顧客
    client 訴訟委託人

15. dessert 甜點
    desert 沙漠

16. door 門
    gate 大門

17. employee 員工
    employer 雇主

18. express 快信；快車
    expression 表達；表情

19. exhibit 展示品
    show 小型展覽會
    exhibition 展覽會

20. fare 車資
    fee 費用

21. fate 命運
    fortune 運氣

22. { flat 分層樓房 / apartment 公寓 / dormitory 宿舍

23. { floor 室內之地 / ground 室外之地

24. { hour 小時 / o'clock …點鐘

25. { hospital 醫院 / clinic 診所

26. { knowledge 知識 / intelligence 智力 / wisdom 智慧

27. { language 語言 / dialect 方言

28. { machine 機器【指一件一件機器，可數】 / machinery 機器【總稱，不可數】

29. { mission 任務 / errand 差事

30. { means 方法 / meaning 意義

31. { message 訊息【可數】 / information 消息【不可數】

32. { observance 遵守 / observation 觀察 / observatory 天文台

33. { poem 詩【可數，一首一首的詩】 / poetry 詩【總稱，不可數】

34. { pork 豬肉 / pig 豬

35. { product 產品【可數】 / produce 農產品【不可數】 / production 生產；製造

36. { profession 職業【專門性】 / occupation 職業【一般性】

37. { principle 原則 / principal 校長；本金

38. { punctuation 標點符號 / punctuality 守時

39. { stairs （室內）樓梯 / steps （室外）樓梯

40. { surroundings 環境【外在的】 / circumstances 形勢；環境【內在的】

41. { scene 一幕；出事地點；景色【指部份景色，可數】 / scenery 風景【指全部景色，不可數】

42. { success 成功 / succession 繼承

43. { sock 短襪 / stocking 長襪

44. { translation 翻譯 / interpretation 口譯

45. { task 工作【可數】 / work 工作【不可數】 / toil 苦工

46. { tax 稅 / taxation 課稅 / duties 稅【輸入、輸出之稅】

47. { tour 旅行 / expedition 遠征；探險 / excursion 遠足 / voyage 航行

48. { weather 天氣 / climate 氣候

49. { street 街 / avenue 大道 / road 道路 / route 路線 / path 小路 / boulevard 林蔭大道

50. { wages 工資 / salary 薪水

第六章　名詞的代用語

I. 代名詞：

I need a watch, but have no money to buy **one** (= a watch) with.
〔我需要一只錶，但沒錢買一只（錶）。〕

I have found my book, but not **yours** (= your book).
〔我已找到了我的書，但沒找到你的（書）。〕

There are four rooms upstairs — one large **one** (= room) and three small **ones** (= rooms).
〔樓上有四個房間 —— 一個大的（房間），三個小的（房間）。〕

II. 形容詞：形容詞前面 + the 可當名詞用。

The rich should help **the poor**.（富人應該幫助窮人。）
= Rich people should help poor people.

The old deserve to be treated with respect.（年長者應該得到尊重。）

The beautiful is higher than **the true**.（美優於眞。）
= Beauty is higher than truth.

She got here in **the middle** of the night.（她半夜到達此地。）
　　　　　the middle = the middle part　一半（中間部份）

【註】　兩字成對並用時，須把 the 省去：
　　　Rich and **poor**, **high** and **low**, all felt that they had lost a friend.
　　　（不論貧富貴賤，全都覺得失去了一位朋友。）

III. 不定詞：

To understand English is not difficult.【做主詞】
（了解英文並不困難。）

His hobby was **to collect** autographs.【做主詞補語】
（他的嗜好是收集簽名。）

He likes **to play** the piano.【做受詞】
（他喜歡彈鋼琴。）

When a bird is about **to die**, its notes are mournful.【做介詞之受詞】
（鳥之將死，其鳴也哀。）

China expects every man **to follow** his vocation.【做受詞補語】
（中國希望每個人都守他的崗位。）

It is glorious **to die** for one's country.【做眞主詞】
（爲國家犧牲生命是光榮的。）

I make it a rule **to take** a walk after dinner every day.【做眞受詞】
（我每天晚餐後都會習慣去散個步。）

IV. 動名詞及其片語：

Eating a variety of foods is essential for one's health.【做主詞】
（吃各種不同的食物對個人的健康很重要。）

He enjoys **camping** in the mountains.【做受詞】（他喜歡在山上露營。）

His favorite sport is **swimming**.【做主詞補語】（他最喜愛的運動是游泳。）

I am tired of **arguing** with you all the time.【做介詞的受詞】
（我厭倦老是和你爭論。）

His hobby, **making model airplanes**, is not expensive.【做同位語】
（他的嗜好 —— 做模型飛機，所費不多。）

V. 片語（有些片語可當名詞用）：

Nobody knew **how to help him**.【做受詞】
（沒有人知道要如何幫助他。）

Taking a walk after dinner is good for your health.【做主詞】
（吃完晚餐後散個步，對你的健康有益。）

A cockroach rushed out from **under the bed**.【做介詞的受詞】
（一隻蟑螂從床底下跑出來。）

From eight to eleven is my busiest time.【做主詞】
（從八點到十一點是我最忙的時候。）

VI. 子句（名詞子句）：

When the meeting will be held has not been announced.【做主詞】
（該會議什麼時候會召開尚未宣佈。）

The important thing is **what a man does**, **not what he says**.【做主詞補語】
（重要的是一個人所做的，而不是他所說的。）

I believe **what he said**.【做受詞】（我相信他所說的。）

He was worried about **whether he passed the French examination**.【做介詞的受詞】
（他擔心他是否能通過法文的考試。）

One fact, **that he is incompetent**, cannot be disputed.【做同位語】
（他無能的這個事實，是不容爭論的。）

Give **whoever finishes last** a consolation prize.【做間接受詞】
（給最後做完的一個安慰獎。）

I named my son **what my father named me**.【做受詞補語】
（我給我兒子取個我父親給我取的名字。）

請立刻做　練習八～十七

練 習 一 【第一篇第一章句子 p.1～19】

1. 不完全及物動詞後面接受詞後,還需接什麼?

2. 核心主詞與完全主詞有何不同?請以下面的句子爲例,標示出其核心主詞與完全主詞。

   All my family like to watch baseball on TV.

3. 將 It was a fine day yesterday. 改爲:

   (1) 疑問句:

   (2) 感嘆句:

4. 在下面句子中的眞正受詞下面劃線:

   I think it impossible to finish this work in a day.

5. Don't be late for school, ((A) won't you (B) will you (C) do you (D) can you)?

6. Let us go fishing with you, ((A) don't you (B) will you (C) shall we (D) do you)?

7. You had your car washed in Joe's Garage, ((A) hadn't (B) didn't (C) wouldn't (D) weren't) you?

8. I don't think he is correct, ((A) is he (B) isn't he (C) do I (D) don't I)?

9. 指出下列句子中做補語的字詞,並說明其爲主詞補語或受詞補語。

   (1) Did you have your shoes mended?

   (2) The passengers looked tired and hungry.

10. 標示出下列句子中的主要成分。

    All the students laughed when they heard the story.

11. 標示出上題例句中的附屬成分,並說明其用法。

【解答】

1. 接受詞補語。　　2. 不包括任何修飾語的主詞,稱爲核心主詞,如例句中的 family 是核心主詞;核心主詞加上所有的主詞修飾語,即是完全主詞,如例句中的 All my family。　　3. (1) 疑問句:Was it a fine day yesterday? (2) 感嘆句:What a fine day it was yesterday!　　4. to finish this work in a day　　5. (B)　　6. (B)　　7. (B)　　8. (A)　　9. (1) mended→受詞補語。 (2) tired and hungry→主詞補語。　　10. students→主詞,laughed→動詞。　　11. All→主詞修飾語(形容詞修飾主詞 students),the→主詞修飾語(形容詞修飾主詞 students);when they heard the story→動詞修飾語(連接詞 when 引導副詞子句修飾動詞 laughed)。

練 習 二 【句子 p.1～19】

將下列劃線部分以附加問句表示。

1. He'll attend the meeting this evening, _____ _____ ?

2. He has got well, _____ _____ ?

3. He won't try it, _____ _____ ?

4. We saw no one we knew, _____ _____ ?

5. A small scratch like that is nothing, _____ _____ ?

6. We seldom see them nowadays, _____ _____ ?

7. Few people knew the answer, _____ _____ ?

8. Let's have a swim in the river, _____ _____ ?

9. I'm older than you, _____ _____ ?

10. None of the workmen arrived late, _____ _____ ?

11. Let's go and see their new house, _____ _____ ?

12. Nobody phoned while I was out, _____ _____ ?

13. You don't know of any flats for rent, _____ _____ ?

將下列各題括號內的字詞重組，使句子完整。

14. He gave me (money , had , he , little , what).

15. It does (a , of , great , one , deal) good to walk about a mile every day.

16. The policeman asked (which station , to get to , wanted , I , me).

17. I considered (escaped , myself , fortunate , barely , on , having) the fire.

18. Never before (found , so , I , had , unmanageable , myself).

【解答】

1. won't he，敘述句若為肯定，附加問句則使用否定形式。　2. hasn't he。　3. will he，敘述句若為否定，附加問句則使用肯定形式。　4. did we，no 是否定字。　5. is it。

6. do we，seldom 也是否定字。(詳見 p.7)　7. did they，few 也是否定字。(詳見 p.7)

8. shall we，以 Let's 為首的肯定句，其附加問句用 shall we。　9. aren't I，am not 的縮寫為 aren't，而不是 amn't；另外，口語中說為 ain't。　10. did they。敘述句中有否定字 none 或 nobody，則附加問句為肯定型，且代名詞用 they。(見 p.7)　11. shall we。　12. did they。

13. do you。　14. He gave me **what little money he had**.「他將手頭上所僅有少許的錢全給了我。」what 在此是關係形容詞，引導名詞子句。　15. It does **one a great deal of** good to walk about a mile every day.「每天步行約一哩路，對身體很有益處。」　16. The policeman asked **me which station I wanted to get to**.「警察問我要去哪一個車站。」　17. I considered **myself fortunate on having barely escaped** the fire.「我認為我很幸運，能在火災之中倖免於難。」

18. Never before **had I found myself so unmanageable**.「我以前從未發現自己是如此不可理喻。」否定字放在句首，主詞和助動詞要倒裝。

練 習 三 【第五章大寫及第六章標點 p.34~47】

請改正下列各題句子中大小寫及標點符號的錯誤。

1. "Is this your house?" he asked?

2. Do you think we have paid too much? too little?

3. There were three ms in the word.

4. It was someone's else coat.

5. The captain ordered, "Batten down the hatches, and keep a sharp lookout!"
〔He didn't know the storm was over.〕

6. He was studying spanish and french.

7. God in his infinite wisdom will make his decision.

8. Mr. Jenks said, "I honestly believe "the money changers have fled the temple" today."

9. We had fifty four boxes in the attic.

10. We had his father's-in-law car.

11. He is as tall as, if not taller, than the teacher.

12. This book is their's.

13. He was reading "the mayor of casterbridge".

14. Our day's work done we settled down for a rest.

15. He chose Boston, Massachusetts for his opening address on Wednesday, March 8, 1961 in order to reach a wide audience.

16. The song was entitled "Coming through the Rye".

17. As Jesus entered the city, he saw a beggar standing in the temple.

18. The sun shining brightly it was a perfect day for sailing.

【解答】───────────────────────────────────

1. he asked? → *he asked*.   2. too little? → *Too little?*   3. ms → *m's*（參照 p.46）   4. someone's else → *someone else's*（參照 p.46）   5.〔He didn't…over.〕→（*He didn't…over*.）（詳見 p.47）
6. spanish and french → *Spanish and French*（詳見 p.36）   7. his infinite…his decision → *His infinite…His decision*（參照 p.34）   8. "the…temple" → '*the…temple*'（詳見 p.43）   9. fifty four → *fifty-four*（詳見 p.44）   10. father's-in-law → *father-in-law's*（參照 p.46）   11. …taller, than the… → …*taller than, the*…（參照 p.40）   12. their's → *theirs*   13. "the mayor of casterbridge" → "*The Mayor of Casterbridge*"（詳見 p.35）   14. …work done we… → …*work done, we*…（詳見 p.40）   15. March 8, 1961 in… → *March* 8, 1961, *in*…（詳見 p.39）
16. "Coming through the Rye" → "*Coming Through the Rye*"，在標題中的介系詞，除了句首與句尾外，都須小寫，但若是五個或五個以上字母組成的，則要大寫。   17. he → *He*（參照 p.34）
18. …brightly it… → …*brightly, it*…（參照 p.40）

練 習 四 【片語、子句、大寫、標點 p.20～47】

1. 下列兩句中劃線的部份是什麼片語？

A friend <u>in need</u> is a friend indeed.

He is <u>in need of</u> money.

2. 下列句子應屬於五種基本句型中的哪一種？

⑴ The boy found a pretty bird in the nest.

⑵ Her little joke made him excited.

⑶ It is quite common to see women making up in public.

3. 引導名詞子句的連接詞有：that, ＿＿＿＿, ＿＿＿＿, lest, ＿＿＿＿，疑問代名詞，
＿＿＿＿，複合關係代名詞。

4. 準關係代名詞有：＿＿＿＿, ＿＿＿＿, ＿＿＿＿。

5. 引導表肯定目的副詞子句的連接詞有：that, ＿＿＿＿ ＿＿＿＿, ＿＿＿＿ ＿＿＿＿
＿＿＿＿；表否定目的有：for fear (that), ＿＿＿＿, ＿＿＿＿＿＿。

6. 引導表結果副詞子句的連接詞有：so…that, ＿＿＿＿ ＿＿＿＿, ＿＿＿＿ ＿＿＿＿,
but, ＿＿＿＿ ＿＿＿＿, ＿＿＿＿ ＿＿＿＿。

7. 改正下列英文句子的錯誤：

⑴ China must develop her northwest. （中國須向西北發展。）

⑵ He is tall dark and handsome.

8. 將下列句子譯成中文，並說明不定詞片語 to eat 在句中的作用有何不同。

⑴ I don't like *to eat* fish raw.　　　⑵ Give me something *to eat*.

⑶ Do you live *to eat* or eat to live?

9. 將下列句子譯成中文，並說明 when 所引導的子句作用有何不同。

⑴ Tell me *when she will come.*　　　⑵ Tell me the time *when she will come.*

⑶ Tell me *when she comes.*

【解答】

1. in need 是介詞片語當形容詞片語用；in need of 是介詞的片語或稱片語介詞（詳見 p.21）。

2. ⑴ S＋V＋O（參照 p.31）。　⑵ S＋V＋O＋OC（參照 p.32）。　⑶ S＋V＋SC（參照 p.30）

3. <u>whether</u>, <u>if</u>, <u>but</u>, 疑問副詞。　　4. <u>as</u>, <u>but</u>, <u>than</u>。　　5. <u>so</u> <u>that</u>, <u>in</u> <u>order</u> <u>that</u>, <u>lest</u>, <u>in</u> <u>case</u> <u>(that)</u>

6. <u>such…</u> <u>that</u>, <u>so</u> <u>(that)</u>, <u>but</u> <u>that</u>, <u>but</u> <u>what</u>。　　　7. ⑴ *northwest* → Northwest　⑵ → He is tall,
dark, and handsome.　　8. ⑴ 我不喜歡吃生魚。（to eat 當名詞用）　⑵ 給我一些吃的東西。（to eat
當形容詞用）　⑶ 你爲了吃而活還是爲了活而吃？（to eat 當副詞用）　　9. ⑴ 告訴我她什麼時候會
來。（when she will come 爲名詞子句，做 tell 的直接受詞）　⑵ 告訴我她將會來的時間。（when she will
come 爲形容詞子句，修飾 time）　⑶ 當她來的時候，告訴我。（when she comes 爲副詞子句，修飾 tell）

練 習 五 【第一章名詞的種類 p.48～59】

1. 名詞可分爲五種，其中可數的是哪兩種？不可數的是哪三種？

2. 用普通名詞如 horse 指同類的全體時，有哪三種方法？

3. 爲什麼 I had my *hair* cut yesterday. 裡的 hair 不用複數？

4. Ships carry （(A) passenger and merchandise　(B) passengers and merchandise　(C) passengers and merchandises　(D) passenger and merchandises ）.

5. There are a （(A) herd　(B) flock　(C) swarm　(D) school ）of dolphins.

6. Most houses are made of wood. 裡有哪些字是名詞？分別是屬於哪一類的名詞？

7. 下列句子中劃線的名詞意義有何不同？
   This bridge is made of <u>stone</u>.
   He threw a <u>stone</u> at the dog.

8. 改正 A wine is made from grape. 的錯誤。

9. 聽衆大部分是外國人。
   The audience ＿＿＿＿ mostly ＿＿＿＿.

10. 筆誅勝於劍伐。
    ＿＿＿＿ ＿＿＿＿ is mightier than ＿＿＿＿ ＿＿＿＿.

11. 物以類聚。
    ＿＿＿＿ of ＿＿＿＿ ＿＿＿＿ flock together.

12. 他買了幾件傢俱。
    He bought several p＿＿＿＿ ＿＿＿＿ furniture.

13. They sell cloths, such as cotton cloth, silk cloth, and woolen cloth.
    他們賣 ＿＿＿＿＿＿＿＿＿＿＿＿＿＿＿＿＿＿ 。

14. The whole school is going on a picnic next Sunday.
    ＿＿＿＿＿＿＿＿＿＿＿＿＿＿ 將在下週日去野餐。

【解答】

1. 可數：普通名詞、集合名詞；不可數：物質名詞、專有名詞、抽象名詞。　2. a horse, the horse, horses　3. hair 指全部頭髮時，是單數的集合名詞，前面不加 a，也沒有複數。(參照 p.53 ②)
4. (B)　5. (D)　6. houses → 普通名詞，wood → 物質名詞。　7. made of stone 的 stone 是物質名詞，爲「石材」的意思；threw a stone 的 stone 是普通名詞，爲「石頭」的意思。　8. A wine → Wine，*grape* → grapes　9. <u>are, foreigners</u>　10. <u>The pen, the sword</u>　11. <u>Birds, a feather</u>
12. <u>pieces, of</u>　13. 他們賣<u>很多種布，像棉布，絲，和毛料</u>。　14. <u>全校學生</u>將在下週日去野餐。

練 習 六 【第一章名詞的種類 p.60～74】

1. 表全體國民的專有名詞是否要加 the？如 Chinese, American 如何表示全體國民？

2. 抽象名詞與物質名詞在冠詞的用法上有何共同點？

3. He is an Edison. 是不是譯成「他是愛迪生。」？

4. 請指出下面句子中名詞的種類：
   Health is better than *wealth*.

5. 下列句子中斜黑字的名詞意義為何？
   Necessity is the mother of invention.
   Food and water are *necessities* to human beings.

6. 改正下列句子的錯誤：
   ⑴ My father gave me a good advice when I was confronted with a difficulty.
   ⑵ There was fire in my neighborhood.

7. 用「of＋抽象名詞」的形式改寫下列句子中劃線的部份：
   ⑴ A courageous man will not tell a lie.
   ⑵ These problems are very important to the future of the countries in Europe.

8. You must handle it with much care. = You must handle it _____ _____.

9. He had the （(A) kind　(B) kindness　(C) kindly）to show me the way.

10. I am reading （(A) a Shakespeare　(B) the Shakespeare　(C) Shakespeare）.

11. 年輕人應當尊敬老年人。
    _____ should look up to _____.

12. 他的話真實性很少。
    There is _____ truth in his speech.

【解答】

1. 需要，the Chinese, the Americans　　2. 兩者在特定用法時（即其後有修飾語時）必須加 the，在其他用法時都不加冠詞。（參照 p.68）　　3. 應該譯成「他是一個像愛迪生那樣偉大的發明家。」此處 an Edison = a great inventor like Edison　　4. Health（抽象名詞），wealth（抽象名詞）。
5. Necessity 需要（抽象名詞），necessities 必需品（普通名詞）。　　6. ⑴ *a good advice* → good advice　⑵ *fire* → a fire　　7. ⑴ A man of courage　⑵ of great importance　　8. <u>very</u> <u>carefully</u>
9. (B)　　10. (C) 以作者的名字表示作品時不加 the。（參照 p.64）　　11. <u>Youth</u>, <u>age</u>　　12. <u>little</u>

練 習 七 【第二章名詞的數 p.75～88】

1. 專有名詞、物質名詞、抽象名詞原來都沒有複數形，但是在什麼情形下可以有複數？

2. 為什麼單數形的群衆名詞要當作複數來看？

3. 名詞當形容詞表示單位時，該用單數或複數？例如用 yard 表示「二百碼的」應如何表示？

4. 請寫出下列名詞的複數形：

   ⑴ egg　　⑵ life　　⑶ man　　⑷ bench　　⑸ baby　　⑹ class　　⑺ ox　　⑻ country
   ⑼ chimney　　⑽ potato　　⑾ roof　　⑿ tooth

5. 請寫出下列名詞的單數形：

   ⑴ societies　　⑵ exercises　　⑶ shoes　　⑷ means　　⑸ news　　⑹ canoes
   ⑺ shelves　　⑻ crises　　⑼ geese　　⑽ branches

6. 改正下列句子的錯誤：

   ⑴ I have a ten-dollars note.　　⑵ Goats and sheeps eat grapes.
   ⑶ He is very near-sighted and wears a spectacle.

7. The rainbow is one of the most beautiful _____ in nature.
   (A) phenomenon　　(B) phenomenas　　(C) phenomena　　(D) phenomenones

8. As a soldier, he has to salute the ((A) color　(B) colors　(C) color's　(D) colors') .

9. 用餐時發出聲音是不禮貌的。
   It is bad _____ to make _____ at table.

10. 這副眼鏡值多少錢？
    How much does this _____ _____ spectacles cost?

11. I cannot put up with his important airs.
    我無法 _____。

12. The farmers took up arms against their cruel ruler.
    農夫們 _____ 。

【解答】

1. 做普通名詞時可以有複數（參照 p.75, 要點 2）。　　2. 因為群衆名詞表示集合體的組成份子，意義上是複數，故作複數論。（參照 p.75, 要點 3, p.83 (I)）　　3. 單數（詳見 p.87），two-hundred-yard
4. ⑴ eggs ⑵ lives ⑶ men ⑷ benches ⑸ babies ⑹ classes ⑺ oxen ⑻ countries ⑼ chimneys ⑽ potatoes ⑾ roofs ⑿ teeth　　5. ⑴ society ⑵ exercise ⑶ shoe ⑷ means ⑸ news ⑹ canoe ⑺ shelf ⑻ crisis ⑼ goose ⑽ branch　　6. ⑴ *ten-dollars* → ten-dollar ⑵ *sheeps* → sheep ⑶ *a spectacle* → spectacles　　7. (C)　　8. (B)　　9. manners, noise(s)　　10. pair, of
11. 我無法忍受他自大的態度。　　12. 農夫們拿起武器對抗他們殘暴的統治者。

練 習 八 【第三、四、五、六章名詞的性、格、用法等 p.89～105】

1. 為什麼 This your novel is very interesting. 不正確？應該怎麼改？

2. 中性的動物或 baby, child 的性別不明時，其代名詞應該用什麼？

3. I walked ten miles. 中的 ten miles 在句中是做名詞用還是副詞用？

4. ((A) Mens'   (B) Men's   (C) Mans') shoes are now on sale.

5. Give me ((A) a dollar worth   (B) a dollars worth   (C) a dollar's worth) of this sugar.

6. 改正下列句子的錯誤：
   (1) The room's door was opened by a girl.
   (2) He will be arriving in an hour time.
   (3) The English is a practical people.

7. 下列兩句的意義有何不同？
   (1) This is a portrait of the queen.   (2) This is a portrait of the queen's.

8. 寫出下列名詞的陰性形：
   (1) hero   (2) waiter   (3) emperor   (4) master   (5) prince   (6) man-servant

9. I had my hair cut at the _____ the day before yesterday.
   (A) barbers'   (B) barber's   (C) barbers shop   (D) barbers's shop

10. He escaped being hurt ((A) by a narrow's margin   (B) by a hair breadth
    (C) by a hair's breadth   (D) by hair's breadth) .

11. 老國王嚥下了他最後一口氣。
    The old king _____ his last _____.

12. 謀事在人，成事在天。
    Man does what _____ can; God what _____ wills.

【解答】 ────────────────────────────────────

1. this, that, some, no, which,… 等與所有格修飾同一個名詞時，要用「雙重所有格」的形式，即改成 This novel of yours is very interesting. (參照 p.97)   2. 都用 it；但 cat 常被認為是陰性名詞，故代名詞用 she。   3. 名詞片語當副詞用，因為 ten miles 前面省略了 for 之故 (參照 p.101, 546)。
4. (B)   5. (C)   6. (1) *The room's door* → The door of the room (2) *hour* → hour's (3) *is* → are
7. (1) 這是一幅皇后的肖像。→ 肖像上畫的是皇后本人。 (2) 這是一幅皇后所有的肖像。→ 是皇后所收藏的，上面畫的不一定就是皇后本人。(詳見 p.97)   8. (1) heroine (2) waitress (3) empress
(4) mistress (5) princess (6) maid-servant (*or* woman-servant)   9. (B)   10. (C)
11. breathed, breath   12. he, He (參照 p.34)

練 習 九 【名詞篇綜合 p.48～105】

請改正下列各題句子中的錯誤。（用最少的字數）

1. He is on good term with me.

2. He is a generous fellow, and will soon make friend with you again.

3. His opinion is considered to be great value.

4. He sent his daughter to a girl's high school.

5. Give me three spoonful of sugar.

6. His eyes are as blue as a Scandinavian.

7. A few peoples live to be a hundred years old.

8. Aunt Mary returned home after ten year's absence.

9. He is a friend of my brother.

10. The observation of the law is the first duty of every citizen.

11. His punctuation is excellent — he is never late for his appointments.

12. It's a bad manner to interrupt someone.

13. She is taller than any other girls in our class.

14. There is a fireplace at either ends of the hall.

15. He is the greatest man of letter that England has ever produced.

16. Eat more fruits.

17. The audience was divided in their opinions of the show.

18. This is curious species of rose.

【解答】

1. term → **terms**，複數形表示「條件；關係；期間」；*on good terms with*～「與…關係良好；與…要好」。
2. friend → **friends**，*make friends with*～「和…交朋友」。　3. be great value → **be of great value**，*of great value* = *very valuable* 做 *to be* 的補語。　4. girl's → **girls'**，*a girl's* 是「一個女孩的」的意思；「女子高中」是 *a girls' high school*。　5. spoonful → **spoonfuls**，*a spoonful of*「一匙之量的」，*two spoonfuls of*「兩匙之量的」。　6. Scandinavian → **Scandinavian's** (eyes)　7. peoples → **people**，在此作「人；人民」解，本身即是複數形，不須加 *s*。　8. year's → **years'**　9. brother → **brother's**，後面省略了 *friends*。　10. observation → **observance**「遵守」，*observation*「觀察」。
11. punctuation → **punctuality**「守時」，*punctuation*「標點符號」。　12. a…manner → **manners**「禮貌」，*manner*「方法；態度」。　13. girls → **girl**，比較級 + *than any other* + 單數名詞。
14. ends → **end**，*either* + 單數名詞。　15. letter → **letters**，*letter* 的複數形才有「文學」的意思。
16. fruits → **fruit**，當物質名詞時，指各種水果的總稱，不可用複數。　17. was → **were**，*audience* 指「觀眾；聽眾」的組成份子時，本身即為複數形。　18. curious species → **a curious species**，*species* 單複數同形，依句意為單數，故須加 *a*。

練 習 十 【名詞篇綜合 p.48～105】

請改正下列各題句子中的錯誤。（用最少的字數）

1. I met a friend of yours at the dentist.

2. We are now learning the history of Europe in the 17th and 18th century.

3. There is a number of people suffering from headaches.

4. His uncle has no understanding or interest in baseball.

5. Please give me a few papers; I am going to write a composition.

6. She takes great pain in her children's education.

7. There are eight hundreds pupils in our school.

8. A three-days jazz festival will be featured at the theater.

9. His salary is lower than his wife.

10. The number of the weeklies have increased remarkably in recent years.

11. On top of the mountain stands various monuments to peace.

12. Reading newspaper is good for your study of current English.

13. I met my friend at the barber.

14. He killed many deers in the woods.

15. This knife's handle is no good.

16. He is a Mr. Smith's old friend.

17. This overcoat of my father is already worn out.

【解答】───────────────────────────

1. dentist → *dentist's*，後面省略了 *office*。(詳見 p.96)　　2. century → *centuries*　　3. is → *are*，
a number of = several　　4. understanding → *understanding of*，*have no understanding of*「對…
不了解」。　　5. a few papers → *a few sheets of paper*，在此 *paper* 是物質名詞，須以單位名詞來
表示數量。　　6. pain → *pains*，當「辛苦；苦心」解時是複數形名詞，可表單數或複數。(詳見 p.84)
7. hundreds → *hundred* (詳見 p.87)　　8. three-days → *three-day*，名詞當形容詞用，須用單數
形。(詳見 p.87)　　9. his wife → *his wife's*　　10. have → *has*，主詞是 *number*，故須用 *has*。
11. stands → *stand*，主詞是 *various monuments*，故動詞須用複數形。　　12. newspaper →
newspapers (or *the newspaper* or *a newspaper*)，因為 newspaper 是可數名詞，做動名詞 *Reading*
的受詞。　　13. barber → *barber's* 後面省略了 *shop*。(詳見 p.96)　　14. deers → *deer*
15. This knife's handle → *The handle of this knife*，*knife* 是無生物，須用 *of* 表示所有格。
16. a Mr. Smith's old friend → *an old friend of Mr. Smith's* (詳見 p.97)　　17. father → *father's*。

練 習 十一 【名詞篇綜合 p.48～105】

請改正下列各題句子中的錯誤。（用最少的字數）

1. You will see many deers, sheeps and goats in Richmond Park.

2. They cut the potatos with their knifes.

3. He bought many furnitures for his new house.

4. Shakespeare wrote a number of poetry.

5. My family is all very well.

6. The English are brave and wise peoples.

7. He wears glass.

8. She is still in her teen.

9. The gentleman has two son-in-laws.

10. He will win a two-hundred-yards race.

11. There are seven hundreds fourty eight students in our school.

12. That book's price is very high.

13. I live at a mile distant from the town.

14. I will do it for the country sake.

15. My house is within a few minute's walk of the station.

16. He showed me a handful of sands.

17. His face is just like his father.

18. Please show me Henry's that new hat.

【解答】

1. deers → **deer**，sheeps → **sheep**，deer 和 sheep 的單複數同形。　　2. potatos → **potatoes**，knifes → **knives**　　3. many furnitures → **much furniture**（詳見 p.59）　　4. poetry → **poems**，poetry 是不可數名詞，指「詩的總稱」，a number of = several 後面該用可數的 poems。　　5. is → **are**，family 在此指組成份子，作「家人」解。　　6. brave and wise peoples → **a brave and wise people**，people 作「民族」解時是表集合體，有單複數形，The English 指全體英國人，或 brave and wise peoples → **brave and wise people**「勇敢又聰明的人」。　　7. glass → **glasses**「眼鏡」，是普通名詞，glass「玻璃」是物質名詞。

8. teen → **teens**（詳見 p.87）　　9. son-in-laws → **sons-in-law**（參照 p.79）　　10. two-hundred-yards → **two-hundred-yard**（詳見 p.87）　　11. seven hundreds fourty eight → **seven hundred and forty-eight**（詳見 p.174）　　12. That book's price → **The price of that book**，無生命名詞的所有格要用 of 表示。　　13. a mile distant → **a mile's distance**（詳見 p.95）　　14. country → **country's**，for the country's sake「為了國家的利益」。　　15. minute's → **minutes'**，minutes 的所有格形式為 minutes'。

16. sands → **sand**「沙」，sands「沙地；沙灘」。　　17. father → **father's**，後面省略了 face。

18. Henry's that new hat → **that new hat of Henry's**（詳見 p.97）。

練 習 十二 【名詞篇綜合 p.48～105】

請改正下列各題句子中的錯誤。（用最少的字數）

1. He had a small beef in his mouth. He had small fish, too.

2. You should take great pain to achieve your goal.

3. The gold and the silver are precious metals.

4. I am fonder of the coffee than teas.

5. His families were all glad to hear from him.

6. We have many rooms, but few furnitures in our house.

7. Who is the people coming over here?

8. The committee are made up of nine persons.

9. We saw a herd of cattles in the meadow.

10. A police was looking for the man.

11. It was found that he was cruel itself to his servants.

12. We still have a small hope for the recovery of his health.

13. I'll give you an advice on how to drive a new car. First drive with the caution.

14. Is this the food for those foxes'?

15. Are you really fifty years' old?

16. He loves money for moneys' sake.

17. After one hours' work, I was quite tired.

18. Will you please give me two dozens pencils?

【解答】

1. a small beef → *a small piece of beef*；small fish → *a small fish*，此處 *beef* 是物質名詞，要用單位名詞表數的觀念；*fish* 在此是普通名詞，要加冠詞或數詞。　2. pain → *pains*，*pain* 是「疼痛」，*pains* 才是指「費心；辛苦」。　3. The gold and the silver → *Gold and silver* 物質名詞不加冠詞。（詳見 p.55）
4. the coffee than teas → *coffee than (of) tea*（詳見 p.55）　5. His families → *His family*　6. few furnitures → *little furniture*（詳見 p.59）　7. is → *are*（詳見 p.51）　8. are → *is*（詳見 p.51）　9. cattles → *cattle* 單複數同形。　10. A police was → *The police were* (or *A policeman was*)（詳見 p.53）
11. cruel → *cruelty*，*cruelty itself = very cruel*（詳見 p.70）　12. small → *little*，*hope* 是抽象名詞，只可用表程度的 *some, any, much, little, a little* 等修飾。　13. an advice → *a piece* (or *bit*) *of advice*；the caution → *caution*，*advice* 是抽象名詞，該用單位名詞表數的觀念，*with caution = cautiously*。（詳見 p.69）　14. those foxes' → *those foxes*　15. years' old → *years old*，數詞＋名詞＋*old, long*…。（詳見 p.101, 188）　16. moneys' sake → *money's sake*，*money* 是不可數名詞。　17. hours' work → *hour's work*　18. two dozens → *two dozen*（詳見 p.87）。

練 習 十三 【名詞篇綜合 p.48～105】

請改正下列各題句子中的錯誤。（用最少的字數）

1. In order to attract and keep their customers, supermarkets have tried to make shoppings as pleasant as possible.

2. In California last summer they organized fields trips, including special excursions for children.

3. As a businessman, he has come into contact with men of all walk of life.

4. He keeps all his saving at a bank.

5. They have certainly taken great pain to trim all the trees on the campus.

6. The astronomy is the study of the sun, the stars, and other planets.

7. Bob is doing better in his chemical course.

8. His life was saved by a successful operator in a hospital.

9. A war memento was established in memory of the victims of war.

10. How high is his intelligent quotient (I.Q.)?

11. They gave vivid describing of the frontier life in the U.S.

12. Familiarities breed contempt.

13. The insurant company paid me $3,000 for the damage done to my car.

14. The counter is three feet in wide.

15. The good news roused great exciting among the girls.

16. This is just one of his great discovery.

【解答】

1. shoppings → ***shopping***，是抽象名詞，不可數。　2. fields trips → ***field trips***「（學生的）實地考察旅行」，*field* 名詞當形容詞，用單數形。(詳見 p.100)　3. walk → ***walks*** 作「行業」解時，是普通名詞，可有單複數；*men of all walks of life*「各行各業的人」。　4. saving → ***savings***「儲金」，*saving*「節約；拯救」。(詳見 p.86)　5. pain → ***pains***「辛苦；心力」，*take pains to* + 原形「費力去做～」，*pain*「痛苦」。　6. The astronomy → ***Astronomy***「天文學」，學科名是抽象名詞，不加冠詞，也沒有複數形。(詳見 p.65)　7. chemical → ***chemistry***「化學」，名詞當形容詞用。(詳見 p.100)

8. operator → ***operation***「手術」，*operator*「施行手術者；接線生」。　9. memento → ***memorial***「紀念碑」，*memento*「紀念品；遺物」。　10. intelligent → ***intelligence***，*intelligence quotient*「智商」。

11. describing → ***descriptions***「描述」，動詞本身已有純粹的名詞形時，不可用動名詞代替。(詳見 p.431)

12. Familiarities breed → ***Familiarity breeds***，抽象名詞用單數，本句譯作「熟悉易生輕侮」。

13. insurant → ***insurance***「保險」，*insurance company*「保險公司」(名詞修飾名詞，見 p.100)，*insurant*「被保險者」。　14. wide → ***width***，或 in wide → ***wide*** (詳見 p.188)　15. exciting → ***excitement***「興奮」。(理由同第 11. 題)　16. discovery → ***discoveries***，*one of* + 複數名詞。(詳見 p.142)

練 習 十四 【名詞篇綜合 p.48～105】

請改正下列各題句子中的錯誤。（用最少的字數）

1. He will come to the party without failure.

2. He was a failurer as an actor.

3. Plastic has a wide variety of use.

4. Our class has a perfect attention today; none are absent.

5. You have some ideas of him, but you don't know very much about his character.

6. Television, for instance, is a kind of mass communicative.

7. The Germen are a diligent people.

8. My uncle is a musical teacher, who teaches violin.

9. We went to the store to buy steam iron.

10. They were preparing rooms for the receipt of guests.

11. Please throw away these empty container and bottles.

12. The phonograph is one of the numerous inventories of Thomas Edison.

13. My bad cold brought me much uncomfort.

14. If there's any disunderstanding between you two, clear it up as soon as possible.

15. If you take the job under compelling, you won't do it well.

16. Air is a mixer.

17. The color white is a symbol of pure.

【解答】

1. failure → *fail*，只在 *without fail*「必定」中為名詞。　　2. failurer → *failure*「失敗；失敗者」。

3. use → *uses*「用途；使用的方法」，在此當普通名詞，*a variety of uses*「各種用途」。　　4. attention → *attendance*「出席人數」，帶有形容詞時為可數名詞；*attention*「注意（力）」，是不可數名詞。

5. ideas → *idea*，*have some idea of～*「對～有一點概念」。　　6. communicative → *communication*「通訊；傳播」；*communicative*「愛說話的；通訊的」。　　7. Germen → *Germans*，是 *German* 的複數。(詳見 p.79)　　8. musical → *music*，名詞修飾名詞。　　9. steam iron → *a steam iron*，iron 作「熨斗」解時，是可數名詞。　　10. receipt → *reception*，或 the receipt of → *receiving*，*reception n.*「接待；收容」；*receipt n.*「領受；收據」；*receive vt.*「接待；容納」。　　11. container → *containers*「容器」，是可數名詞。　　12. inventories → *inventions*「發明；發明物」，*inventory*「物品清單；商品目錄」。　　13. uncomfort → *discomfort n.*「不安；不適」；*uncomfortable adj.*「不舒服的；不安的」。

14. disunderstanding → *misunderstanding*「誤會；誤解」。　　15. compelling → *compulsion*「強迫；強制」；*under (or upon) compulsion*「被迫；不得已」；*compelling adj.*「強迫性的」。

16. mixer → *mixture*「混合物」；*mixer*「混合者；攪拌機」。　　17. pure → *purity n.*「純潔」。

練 習 十五 【名詞篇綜合 p.48～105】

請改正下列各題句子中的錯誤。（用最少的字數）

1. We saw many monkies and deers in the valley.

2. I want three trousers for my children.

3. It is only three quarter of an inch wide.

4. He did everything for the goods of the peoples of his country.

5. All my savings were put into the business.

6. These three-feet rules are not long enough.

7. Mr. Chou worked as a Central News correspondence in Japan during the war.

8. Come to this way, please, boys and girls.

9. Winston Churchill was a prominent orater.

10. Some birds won't sing in capture.

11. Soap operas are of no interesting to me.

12. The famous actress acquired great popular.

13. It would be a pleasant to see you again.

14. Your composition won't bear compare with mine.

15. Reading novels is one of her favorite amusement.

16. What is done is done, and regretting is of no use.

【解答】

1. monkies → **monkeys**；deers → **deer** 2. three trousers → **three pair(s) of trousers**，*trousers* 要用 *a pair of, two pair(s) of* 表示數的觀念。 3. three quarter → **three quarters**（詳見 p.179）

4. goods → **good**；peoples → **people**，*good*「益處」，*goods*「商品」；*people* 作「國民」解時，是集合名詞，本身即複數形。 5. were → **was**，*savings*「存款；儲金」，做主詞時，動詞要用單數。（參照 p.86）

6. three-feet → **three-foot**，名詞修飾名詞，用單數形。（詳見 p.87, 100） 7. correspondence →

correspondent「通訊記者」；*correspondence*「通信」。 8. Come to this way → **Come this way**

（詳見 p.101） 9. orater → **orator**「演說者；雄辯家」。 10. capture → **captivity**「被拘留的狀態；囚禁」；*capture*「捕捉」。 11. interesting → **interest**，*of no interest* = *uninteresting*（詳見 p.69）

12. popular → **popularity** *n.*「聲望；受歡迎」做 *acquired* 的受詞；*popular adj.*「受歡迎的；流行的」。

13. pleasant → **pleasure** *n.*「愉快」；*pleasant adj.*「愉快的」。 14. compare → **comparison**，*bear* (or *stand*) *comparison with*「不亞於；比得上」。 15. amusement → **amusements**，*one of* ＋ 複數名詞。（詳見 p.142） 16. regretting → **regret** *n.*「後悔」，或 regretting → **regretting it**。

練 習 十六 【名詞篇綜合 p.48～105】

1. 寫出下列單字的名詞形。（勿以 -ness, -ing 的形式表示）
   (1) splendid   (2) severe   (3) vain   (4) Dutch   (5) brave
   (6) approve   (7) define   (8) describe   (9) prefer   (10) defend

2. 請將下列各字的字尾改變，使之成為表示「動作者」的名詞。
   (1) mathematics   (2) tour   (3) law   (4) golf   (5) violin
   (6) begging   (7) comedy   (8) service   (9) history   (10) architecture
   (11) buy   (12) collect   (13) conquer   (14) create   (15) dictate
   (16) edit   (17) inspect   (18) labor   (19) sail   (20) write

3. 請於下列句中的空格填入定冠詞，不需要時，打「×」。
   (1) _____ New York is the largest city in _____ United States of America.
   (2) _____ Himalayas are the highest mountain range in _____ India.
   (3) Have you ever read _____ Hamlet, _____ Teacher?
   (4) He is a professor in _____ Taiwan University, and is called _____ Einstein of _____ China of today.

4. 湯姆匆匆忙忙去上學。
   Tom went to school _____ h _____.

5. 科學進步的結果，發明了原子武器。
   _____ _____ were invented as a result of the progress of science.

6. He gave up the pen for the stage.
   他放棄 _____。

7. There is something of the woman in his character.
   他的性格 _____。

【解答】

1. (1) splendo(u)r 輝煌 (2) severity 嚴格 (3) vanity 虛榮心；虛幻 (4) Dutchman 荷蘭人；Dutch 荷蘭語 (5) bravery 勇敢 (6) approval 同意 (7) definition 定義 (8) description 描述 (9) preference 比較喜歡；偏愛。preferment〔prɪˈfɝmənt〕晉級 (10) defense 防禦。 2. (1) mathematician 數學家 (2) tourist 觀光客 (3) lawyer 律師 (4) golfer 打高爾夫球者 (5) violinist 小提琴家 (6) beggar 乞丐 (7) comedian 喜劇演員 (8) servant 佣人 (9) historian 歷史學家 (10) architect 建築師 (11) buyer 買主 (12) collector 收集者；收款員 (13) conqueror 征服者 (14) creator 創造者 (15) dictator 獨裁者；口授者 (16) editor 編輯 (17) inspector 調查者；檢查員 (18) laborer 勞工 (19) sailor 水手 (20) writer 作家。 3. (1) × New York；the United States of America。 (2) The Himalayas「喜馬拉雅山脈」；× India。 (3) × Hamlet「哈姆雷特」；× Teacher。 (4) × Taiwan University；the Einstein；× China。 4. in haste（= hastily）「匆匆忙忙地」。 5. Atomic weapons 6. 他放棄寫作而投身演藝界。the pen「寫作；文筆」，the stage「演藝界；戲劇界」。兩者都是「the＋普通名詞」所形成的抽象名詞。 7. 他的性格有點女人味。be something of「有點…的風格（才能等）」，the woman「女人的氣質（性格）」，也是「the＋普通名詞」所形成的抽象名詞。

練 習 十七 【名詞篇綜合 p.48~105】

請將適當的字填入空格中，每一組只能用一個相同的字。

1.
{
The _____ of the clock show the time.
The house has changed _____.
Uncle has hired some new _____ on the farm.
}

2.
{
Wood pulp is the raw _____ from which paper is made.
Japanese are now called "economic animals" because they have been putting too much emphasis on _____ comforts.
}

3.
{
The two things differ in some _____s.
I have no _____ for cowards.
}

4.
{
The _____s of the box were clothes and books.
The book is well written in a concise style but lacks _____.
}

5.
{
I don't _____ for wealth and fame.
They placed the old man under his grandson's _____.
}

請於下列各組空格部分填入適當的字，使上、下兩句意思相同。

6.
{
She plays the violin well.
She is a _____ _____.
}

7.
{
She made a polite answer.
She answered _____.
}

8.
{
Do you know the date and place of her birth?
Do you know _____ _____ she _____ _____?
}

9.
{
He speaks English well.
He is _____ _____ _____ of English.
}

10.
{
He gave me a shy nod.
He _____ _____ to me.
}

【解答】

1. <u>hands</u>，第一句指「時鐘的兩針（時針和分針）」；*change hands*「換主人；易手」；第三句 *hire some new hands*「僱幾個新手」。　　2. <u>material</u>，第一句是指「紙的原料」；第二句 *material comforts*「物質上的享受」。　　3. <u>respects</u>，第一句 *in some respects*「在某些方面」；第二句的單數 *respect* 意指「尊敬」。　　4. <u>contents</u>，第一句指「箱子內的東西」；第二句中，單數 *content* 是對 *style*「文體」而言，表示「內容」。　　5. <u>care</u>，第一句 *care for*「想要」；第二句的 *care* 為名詞，意指「照顧」。　　6. <u>good</u>, <u>violinist</u>。　　7. <u>politely</u>，將 *make an answer* 以一個動詞 *answer* 表示，另外，形容詞 *polite* 改為副詞 *politely*，修飾動詞 *answer*。　　8. when and where, was born，將 *the date and place of her birth* 改為子句，*date* 以疑問副詞 *when* 表示，*place* 以疑問副詞 *where* 表示。　　9. a good speaker。　　10. nodded shyly。

【附錄 —— 英語發音寶典】

1. KK 音標發音秘訣

　　傳統方法學音標，學得模模糊糊，研究嘴型研究半天，害死人，長音短音一組一組地學，永遠學不會，因為永遠不知道自己發音正確或不正確。劉毅英文經過三十多年的研究，現在發明了一個簡易的方法，只要 30 分鐘，人人都可以學會 KK 音標。

I. 用已會的單字學音標

如果你會說 "I love you." 你就自然會〔aɪ〕〔lʌv〕〔ju〕這幾個音標了。

II. 要會區別容易混淆的母音

①

/ɝ/	/ɚ/	/ə/
舌頭大捲	舌頭小捲	不捲舌
bird	letter	about
〔bɝd〕	〔'lɛtɚ〕	〔ə'baʊt〕

　　如果你會唸 bird，你就知道 /ɝ/ 音舌頭要儘量向後捲。/ɚ/ 是輕音，但有捲舌，當你唸 letter 這個字的時候，字尾的 ter 是不是有捲舌的音呢？而 /ə/ 有點像青蛙叫，你唸唸看 /ə-ə-ə/，你唸 about 時，自然知道 /ə/ 不捲舌。

②

/ə/	/ʌ/	/ɑ/
不捲舌、輕音	不捲舌、重音	嘴巴張最大
above	up	hot
〔ə'bʌv〕	〔ʌp〕	〔hɑt〕

　　/ə/ 和 /ʌ/ 的區別很容易，/ə/ 是輕音，/ʌ/ 是重音，/ɑ/ 是所有音標中，嘴巴張最大的音，你知道這個區別之後，就不會把 up〔ʌp〕唸成〔ɑp〕了。

③

/æ/	/ɛ/
嘴巴用力裂開	輕鬆唸出
bad	bed
〔bæd〕	〔bɛd〕

中國人不太會唸 /æ/ 的音，所以常把 apple〔'æpḷ〕唸成〔'ɛpḷ〕，以後凡是碰到 /æ/，只要把嘴巴用力裂開即可。如果你唸 "That's a bad bed." 這句話給外國人聽，他聽得懂，就正確了。

III. 要會區別容易混淆的子音

① /l/，/r/，/m/，/n/ 字首字尾發音不同

l 在字首唸成ㄌ，在字尾唸成ㄛ，m 在字首唸成ㄇ，**m** 在字尾，嘴巴一定要閉上，這是中國人常犯的錯誤，中國人碰到 m 在字尾時，常忘記把嘴巴閉起來。n 在字首唸成ㄋ，字尾唸成ㄣ；r 在字首唸ㄖ，在字尾唸ㄦ。

② /s/ 和 /θ/，/z/ 和 /ð/ 的區別

由於中文沒有 /θ/ 和 /ð/ 的音，所以中國人說 "Thank you." 的時候，美國人聽起來像 "Sank you."（沈你。）中國人說 something，美國人聽起來像 some sing（某些人唱歌），中國人說 "Open your mouth."（張開你的嘴巴。）美國人聽起來像 "Open your mouse."（打開你的老鼠。）在英文中，<u>th 不是讀 /θ/，就是讀 /ð/，秘訣是將舌頭伸出</u>。其他的 /s/ 和 /z/，中國人都不會唸錯。

> **【注意】** 唸 /θ/ 和 /ð/ 時，將舌頭伸出即可。以後即使碰到 the〔ðə〕，舌頭都必須伸出一點。

③ /n/ 和 /ŋ/ 的區別

這兩個子音的發音，我們不容易聽出區別：

/n/　　　　　　　/ŋ/

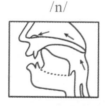 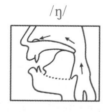

t	d	n
k	g	ŋ
		m

> 你只要會唸 /t-d-n/ 和 /k-g-ŋ/，你就自然會區別 /n/ 和 /ŋ/ 的音。發 /n/ 音，舌尖抵在上齒後；/ŋ/ 我們稱作長 /n/，唸時舌頭往後縮。音標中只有 /n/，/ŋ/，/m/ 三個是鼻音，你唸唸看，而唸 /m/ 音時，嘴巴是必須閉起來的。當你唸 /t-d-n/ 時，舌尖會抵到上齒齦三次；當你唸 /k-g-ŋ/ 時，舌頭會往後縮三次，如此你就可以區別 /n/ 和 /ŋ/ 了。

IV. /r/，/w/，/j/ 是半母音

> /r/ = /ɚ/　　　/w/ = /ʊ/　　　/j/ = /ɪ/

同音字，flower〔'flauɚ〕 n. 花 和 flour〔flaur〕 n. 麵粉，發音相同，但為什麼音標不同呢？為了使人看字讀音方便，像 er 的輕音讀 /ɚ/ 音，而 our 則讀成 /aur/。這兩個字在 The American Heritage Dictionary 中，音標相同，就可證明這一點。

所謂「半母音」，就是可當子音，也可當母音，如 wow〔wau〕，w 在字首唸 /w/，是子音型式，發音和母音的 /ʊ/ 相同。

幾乎所有人都不會發 /j/ 的音，事實上，大部份的 /j/ 只要唸成 /ɪ/ 即可。如：yummy〔'jʌmɪ〕 adj. 好吃的，其中的 /j/ 就唸成 /ɪ/，為了配合「子音＋母音」，總不能寫成〔'ɪʌmɪ〕吧！

注意例外：/j/ 後加 /ɪ/ 或 /i/ 時，/j/ 唸成ㄝ，像 year〔jɪr〕 n. 年 或 yeast〔jist〕 n. 酵母。

V. 母音位置圖

下面是十四個母音的位置圖，你從 1 唸到 14 看看，如果能夠區別出來，就學會全部母音了。從 1 開始，嘴巴由最小變到最大的 /ɑ/，再變到嘴巴最小的 /u/。

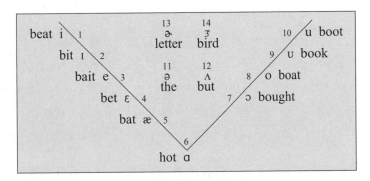

除了十四個母音以外，還有三個雙母音，即 /aɪ/，/aʊ/，和 /ɔɪ/，大家都不會唸錯。但是要記住，發雙母音時，兩個音之間不可間斷，要連在一起發音。

VI. 子音歸納表

子音共二十四個，如果你都會唸，就等於學完了子音。

	無　聲	有　聲
爆　破　音	/p/ /t/ /k/	/b/ /d/ /g/
摩　擦　音	/f/ /s/ /θ/ /ʃ/	/v/ /z/ /ð/ /ʒ/
破　擦　音	/tʃ/	/dʒ/

鼻　音：/m/　/n/　/ŋ/

半母音：/w/　/j/　/r/

側　音：/l/

氣　音：/h/

VII. 單字間的連音及省音

① 在自然的講話速度下，英文中的單字並不是逐一發音，而是常常將前後兩個字連在一起唸，這樣就形成連音。

give up〔gɪˋʌp〕　　　take out〔teˋkaʊt〕　　　come on〔kʌˋmɑn〕

② 前字尾與相鄰的字首均為爆破音時，前字尾的音可省略。

si(t) down〔sɪˋdaʊn〕　　ho(t) dog〔ˋhɑdɔg〕　　than(k) God〔ˋθæŋgɑd〕

※（ ）中的音表可省略。

2. 母音字母的讀音

I. 一般規則

1.
子音＋a＋子音 ……………/æ/	cat〔kæt〕	fat〔fæt〕	man〔mæn〕
子音＋e＋子音 ……………/ɛ/	get〔gɛt〕	bed〔bɛd〕	red〔rɛd〕
子音＋i＋子音 ……………/ɪ/	ship〔ʃɪp〕	pin〔pɪn〕 大頭針	sick〔sɪk〕
子音＋o＋子音 ……………/ɑ/	hot〔hɑt〕	rock〔rɑk〕	stop〔stɑp〕
子音＋u＋子音 ……/ʊ/ or /ʌ/	put〔pʊt〕 放	bush〔bʊʃ〕	run〔rʌn〕

【說明】 1. 若一個單字是由子音＋母音＋子音（r除外），則母音讀短音。

2. 子音＋母音讀長音　be〔bi〕　go〔go〕　so〔so〕　he〔hi〕 _____
但 do〔du〕　to〔tu , tʊ , tə〕中之 o 不讀 /o/

3. 母音＋子音讀短音　if〔ɪf〕　us〔ʌs〕　ox〔ɑks〕公牛 _____
【例外】ah〔ɑ〕呀　oh〔o〕啊　or〔ɔr , ɚ〕或者

4. 子音＋o＋n 讀 /ʌ/，如：son〔sʌn〕　ton〔tʌn〕　won〔wʌn〕

2.
a＋子音＋相同子音 ……………/æ/	apple〔ˈæpl〕	batter〔ˈbætɚ〕擊球者
e＋子音＋相同子音 ……………/ɛ/	better〔ˈbɛtɚ〕	penny〔ˈpɛnɪ〕
i＋子音＋相同子音 ……………/ɪ/	fill〔fɪl〕	little〔ˈlɪtl̩〕
o＋子音＋相同子音 ……………/ɑ/	bottle〔ˈbɑtl̩〕	follow〔ˈfɑlo〕
u＋子音＋相同子音 ……/ʊ/ or /ʌ/	full〔fʊl〕	dull〔dʌl〕

【說明】 1. 重複子音或相同兩子音前之母音，在單音節或重音節讀短音，但（all〔ɔl〕）
除外。如：back〔bæk〕

2. 字母 a 後接 ss、st、sk，英音讀 /ɑ/，但美音仍讀 /æ/，有時也讀 /ɑ/，
如：class〔klæs , klɑs〕

3. 重複子音前 a 若在輕音節，則讀 /ə/，如：allow〔əˈlaʊ〕　attend〔əˈtɛnd〕

3.
a＋子音＋e ………/e/	came〔kem〕	make〔mek〕
e＋子音＋e ………/i/	scene〔sin〕	theme〔θim〕主題
i＋子音＋e ………/aɪ/	pine〔paɪn〕	nice〔naɪs〕
o＋子音＋e ………/o/	home〔hom〕	stone〔ston〕
u＋子音＋e ………/ju/	huge〔hjudʒ〕	cute〔kjut〕

【說明】如果一個單字的結尾是母音＋子音＋e，則母音讀長音，尤其在單音節字或重音節時，但有例外如下：

1. a……e 之例外：axe〔æks〕斧　have〔hæv〕　bade〔bæd〕pt. of bid
   vase〔vɑs，ves，vez〕花瓶　awe〔ɔ〕敬畏
   morale〔moˊræl，moˊrɑl〕士氣　【比較】moral〔ˊmɔrəl〕道德的

2. e……e 之例外：college〔ˊkɑlɪdʒ〕學院

3. i……e 之例外：forgive〔fəˊgɪv〕寬恕
   live〔v. lɪv，adj. laɪv〕v. 住　adj. 有生命的
   give〔gɪv〕　olive〔ˊɑlɪv〕橄欖　Chile〔ˊtʃɪlɪ〕智利

4. o……e 之例外：above〔əˊbʌv〕　love〔lʌv〕　come〔kʌm〕　done〔dʌn〕
   none〔nʌn〕　dove〔dʌv〕鴿子　one〔wʌn〕　glove〔glʌv〕　lose〔luz〕
   improve〔ɪmˊpruv〕　whose〔huz〕　prove〔pruv〕　move〔muv〕
   approve〔əˊpruv〕贊成　gone〔gɔn〕

5. u……e 之例外：
   / u /　June〔dʒun〕六月　salute〔səˊlut〕敬禮　rule〔rul〕
   　　　include〔ɪnˊklud〕　crude〔krud〕粗的　flute〔flut〕笛
   　　　jute〔dʒut〕　在 dʒ、l、r 音後之 u 讀 /u/
   / jə /　volume〔ˊvɑljəm〕冊

4. | a + r……/ɑr/ | car〔kɑr〕　far〔fɑr〕　mark〔mɑrk〕　star〔stɑr〕 |
e + r	nerve〔nɝv〕　serve〔sɝv〕　term〔tɝm〕
i + r ……/ɝ/	bird〔bɝd〕　first〔fɝst〕　girl〔gɝl〕
o + r	word〔wɝd〕　worm〔wɝm〕　worth〔wɝθ〕
u + r	*（or 在 w 後讀 /ɝ/）
	burn〔bɝn〕　church〔tʃɝtʃ〕　nurse〔nɝs〕

【說明】1. ar 通常讀 /ɑr/ 音，但在字首是 qu 或 w，若其後不接母音字母，且在單音節或重音節時，ar 讀 /ɔr/。
   如：war〔wɔr〕　quarter〔ˊkwɔrtə〕　warder〔ˊwɔrdə〕衛兵
   　　ward〔wɔrd〕

2. er 在單音節或重音節，且後面不接母音字母時，讀 /ɝ/，但有例外：
   sergeant〔ˊsɑrdʒənt〕士官

3. ir、ur 在單音節或重音節，且後面不連接母音字母時，讀 /ɝ/，但有例外：
   miracle〔ˊmɪrəkl̩〕奇蹟　spirit〔ˊspɪrɪt〕　mirror〔ˊmɪrə〕鏡子

4. or 在單音節或重音節時，若其後不接母音字母，通常讀 /ɔr/：born〔bɔrn〕
   fork〔fɔrk〕。但 attorney〔əˊtɝnɪ〕律師，例外。

Ⅱ. 字母與音標　整理要例

1. 有關 "a" 及其組合之讀音

(1) a

/ e /　**make**〔mek〕　**baby**〔'bebɪ〕　**angel**〔'endʒəl〕

　　　educate〔'ɛdʒə,ket , -dʒʊ-〕　**education**〔,ɛdʒə'keʃən , -dʒʊ-〕

　　　gave〔gev〕　crazy〔'krezɪ〕　danger〔'dendʒɚ〕　lady〔'ledɪ〕

　　　graduate〔'grædʒʊ,et〕　cape〔kep〕披肩　navy〔'nevɪ〕海軍

　　　range〔rendʒ〕範圍　operate〔'ɑpə,ret〕　lane〔len〕小巷

　　　change〔tʃendʒ〕　separate〔v. 'sɛpə,ret , -pret , adj. n. 'sɛpərɪt , -prɪt〕

【註】上面五個黑體字代表五個規則：

　　① make 代表 a＋子音＋e 讀 /e/。

　　② baby 代表 a＋子音＋y 讀 /e/。

　　③ angel 代表 ang 的 a 讀 /e/。

　　④ educate 代表字尾是 ate 的動詞讀 /e/。

　　⑤ education 代表字尾是 ation 的 a 讀 /e/。

> 【例外】　orange〔'ɔrɪndʒ〕　national〔'næʃənḷ〕國家的　any〔'ɛnɪ〕
> 　　　　　*anger〔'æŋgɚ〕因為此時 nge /ndʒ/ 讀 /ŋg/

　　　agent〔'edʒənt〕代理人　fatal〔'fetḷ〕致命的　azalea〔ə'zeljə〕杜鵑花

　　　ancient〔'enʃənt〕古代的　favorite〔'fevərɪt〕最喜愛的

　　　contagion〔kən'tedʒən〕傳染　April〔'eprəl〕四月

　　　favour〔'fevɚ〕恩惠　patron〔'petrən〕主顧

　　　bacon〔'bekən〕醃豬肉　patient〔'peʃənt〕有耐心的

　　　vagrant〔'vegrənt〕流浪漢　Asia〔'eʃə , 'eʒə〕亞洲　haste〔hest〕匆忙

　　　flavour〔'flevɚ〕香味　sacred〔'sekrɪd〕神聖的　paste〔pest〕漿糊

　　　capable〔'kepəbḷ〕有能力的　patriot〔'petrɪət〕愛國者

　　　chamber〔'tʃembɚ〕臥房　status〔'stetəs〕地位　waste〔west〕浪費

　　　courageous〔kə'redʒəs〕勇敢的　vacant〔'vekənt〕空的

　　　pastry〔'pestrɪ〕點心　famous〔'feməs〕著名的

　　　*tomato〔tə'meto , tə'mɑto〕蕃茄

　　　volcano〔vɑl'keno〕火山

/ æ /　apple〔'æpḷ〕　bag〔bæg〕　match〔mætʃ〕火柴　ask〔æsk〕

　　　last〔læst , lɑst〕　grass〔græs〕　banana〔bə'nænə〕

　　　plant〔plænt〕植物

/ ɑ / father〔ˈfɑðɚ〕　drama〔ˈdrɑmə, ˈdræmə〕戲劇　was〔wɑz, wəz〕
swallow〔ˈswɑlo〕燕子　swan〔swɑn〕天鵝
waddle〔ˈwɑdl̩〕蹣跚而行　（a 在 w 或 qu 後讀 /ɑ/）
【例外】water〔ˈwɔtɚ, ˈwɑtɚ〕水　want〔wɔnt, wɑnt〕

/ ə / admit〔ədˈmɪt〕承認　central〔ˈsɛntrəl〕中央的　about〔əˈbaʊt〕
a 在輕音節讀 /ə/，但在非重音的 age 中讀 /ɪ/，如：image〔ˈɪmɪdʒ〕

(2) ai, ay

/ e / chain〔tʃen〕鍊子　praise〔prez〕讚美　ray〔re〕光線

/ aɪ / aisle〔aɪl〕走道　ay(e)〔aɪ〕是（= yes）　Taipei〔ˈtaɪˈpe〕
Taiwan〔ˈtaɪˈwɑn〕

/ ɛ / says〔sɛz〕　said〔sɛd〕

/ æ / plaid〔plæd〕花格子（衣）

/ eɚ, ɛr / mayor〔ˈmeɚ, mɛr〕市長

/ i / quay〔ki〕碼頭

【註】1. 原則上 ai、ay 讀 /e/，其他為例外。

2. ai 讀輕音為 /ɪ/ 或 /ə/，如：bargain〔ˈbɑrgɪn〕交易
villain〔ˈvɪlən〕惡棍　curtain〔ˈkɜtn̩, ˈkɜtɪn〕窗簾
Sunday〔ˈsʌndɪ〕　captain〔ˈkæptɪn〕船長

3. **papaya** 讀二種讀音〔pəˈpɑjə, pəˈpaɪə〕

(3) air

/ ɛr / affair〔əˈfɛr〕事件　fairy〔ˈfɛrɪ〕小仙女　stair〔stɛr〕樓梯

(4) al

/ ɔ / all〔ɔl〕　hall〔hɔl〕廳堂
（字尾 all 中 al 讀 /ɔ/，但 shall〔ʃæl, ʃəl〕例外）

/ æ, ɑ / half〔hæf, hɑf〕　calf〔kæf, kɑf〕小腿　（alf 中 al 讀 /æ/ 或 /ɑ/）

/ ɑ / balm〔bɑm〕香油　calm〔kɑm〕冷靜的　palm〔pɑm〕手掌
（alm 中 al 讀 /ɑ/，但有例外：salmon〔ˈsæmən〕鮭魚
almighty〔ɔlˈmaɪtɪ〕全能的
almanac〔ˈɔlməˌnæk, ˈɔlmənɪk〕曆書；年鑑）

【註】1. al＋子音（f、m 除外）a 常讀 /ɔ/，

如：always〔ˈɔlwez , ˈɔlwɪz〕　also〔ˈɔlso〕

alk 中 l 不發音，如：chalk〔tʃɔk〕粉筆　talk〔tɔk〕

【例外】algebra〔ˈældʒəbrə〕代數　album〔ˈælbəm〕相簿

2. all＋母音時，則 a 讀 /æ/，如：gallon〔ˈgælən〕加侖

valley〔ˈvælɪ〕山谷　shallow〔ˈʃælo〕淺的

【例外】balloon〔bəˈlun〕氣球　wallet〔ˈwɑlɪt〕皮夾

swallow〔ˈswɑlo〕燕子

(5) **any 中的 a**

/ ɛ /　any〔ˈɛnɪ〕　many〔ˈmɛnɪ〕

【註】有 any 之複合字都讀 /ˈɛnɪ/，如：anybody、anyone、anything

(6) **ao**

/ e /　gaol〔dʒel〕＝jail 監獄　gaoler〔ˈdʒelə〕獄卒

(7) **ar**

/ ɑr /　carpet〔ˈkɑrpɪt〕地毯　harmony〔ˈhɑrmənɪ〕和諧

target〔ˈtɑrgɪt〕靶

/ ɔr /　war〔wɔr〕　warder〔ˈwɔrdə〕衛兵　quarter〔ˈkwɔrtə〕

/ ɚ /　beggar〔ˈbɛgɚ〕乞丐　leopard〔ˈlɛpɚd〕豹

orchard〔ˈɔrtʃɚd〕果園

【註】1. ar 一律讀 /ɑr/，但在 w、qu 後讀 /ɔr/。

2. ar 在輕音節時，後面不接母音時，通常讀 /ɚ/。

(8) **are**

/ ɛr /　bare〔bɛr〕赤裸的　hare〔hɛr〕野兔　compare〔kəmˈpɛr〕比較

fare〔fɛr〕車費 ＿＿＿＿＿＿＿　＿＿＿＿＿＿＿　＿＿＿＿＿＿＿

/ ær , ɛr /　apparent〔əˈpærənt , əˈpɛrənt〕明顯的

parent〔ˈpærənt , ˈpɛrənt , ˈperənt〕

/ ɑr /　are〔ɑr〕

【註】原則上 are 讀 /ɛr/，其他為例外。

(9) **arr**

/ ær / carry〔ˈkærɪ〕　　marry〔ˈmærɪ〕結婚　　arrogant〔ˈærəgənt〕傲慢的

parrot〔ˈpærət〕鸚鵡　　sparrow〔ˈspæro〕麻雀

garret〔ˈgærɪt〕閣樓

/ ɔr , ɑr / quarrel〔ˈkwɔrəl, ˈkwɑr-〕爭吵　　warrior〔ˈwɔrɪɚ, ˈwɑrɪɚ〕戰士

/ əˈr / arrange〔əˈrendʒ〕安排　　arrest〔əˈrɛst〕逮捕

array〔əˈre〕部署；排列

【註】1. arr 在重音節時，讀 /ær/。

2. qu、w 後讀 /ɔr/ 或 /ɔr/。

3. arr 在輕音節時，讀 /əˈr/。

(10) **au**

/ ɔ / audience〔ˈɔdɪəns〕觀衆　　auditor〔ˈɔdɪtɚ〕旁聽者

auxiliary〔ɔgˈzɪljərɪ〕助動詞　　faucet〔ˈfɔsɪt〕水龍頭

*laundry〔ˈlɔndrɪ, ˈlɑn-〕洗衣店 ＿＿＿＿＿＿　＿＿＿＿＿＿

/ æ / draught〔dræft〕草稿

/ o / chauffeur〔ˈʃofɚ, ʃoˈfɝ〕司機　　mauve〔mov〕淡紫色

/ æ , ɑ / aunt〔ænt, ɑnt〕姑媽　　laugh〔læf, lɑf〕

/ e / gauge〔gedʒ〕規格　　（輕音）restaurant〔ˈrɛstərənt, -ˌrɑnt〕

【註】原則上 au 一律讀 /ɔ/，其他看成例外。

(11) **aw**

/ ɔ / law〔lɔ〕　　saw〔sɔ〕　　lawyer〔ˈlɔjɚ〕律師　　lawn〔lɔn〕 ＿＿＿＿＿＿＿

【註】aw 一律讀 /ɔ/，但當 aw 後接母音，用 w 做子音，則 aw 分開發音爲 /əˈw/，

如：await〔əˈwet〕　　aware〔əˈwɛr〕知道

2. 有關母音字母 "e" 及其組合之讀音

(1) **e**

/ ɛ / send〔sɛnd〕　　west〔wɛst〕　　letter〔ˈlɛtɚ〕　　spend〔spɛnd〕

bed〔bɛd〕　　terrible〔ˈtɛrəbl̩〕可怕的　　tendency〔ˈtɛndənsɪ〕傾向

pen〔pɛn〕　　yellow〔ˈjɛlo〕　　affect〔əˈfɛkt〕影響

clever〔ˈklɛvɚ〕聰明的　　empire〔ˈɛmpaɪr〕帝國 ＿＿＿＿＿＿＿

/ i /　be〔bi〕　abbreviate〔ə'briviˌet〕縮寫　appreciate〔ə'priʃiˌet〕欣賞
genius〔'dʒinjəs〕天才　we〔wi，wɪ〕　Egypt〔'idʒəpt，'idʒɪpt〕埃及
fever〔'fivɚ〕＿＿＿＿＿＿＿　＿＿＿＿＿＿＿　＿＿＿＿＿＿＿

/ ɪ /　pretty〔'prɪtɪ〕　English〔'ɪŋglɪʃ〕　England〔'ɪŋglənd〕英格蘭（英國）

【註】1. 在重音節時，不是讀 /ɛ/ 就是讀 /i/，讀 /ɪ/ 為例外。
2. e 在輕音節常讀 /ɪ/ 或 /ə/，
如：become〔bɪ'kʌm〕變成　actress〔'æktrɪs〕女演員

(2) ea

/ i /　defeat〔dɪ'fit〕打敗　feast〔fist〕盛宴　freak〔frik〕怪物
plead〔plid〕辯護　wreath〔riθ〕花圈　lead〔lid〕v. 引導
*breathe〔brið〕v. 呼吸　＿＿＿＿＿＿＿　＿＿＿＿＿＿＿　＿＿＿＿＿＿＿

/ ɛ /　leather〔'lɛðɚ〕皮革　meadow〔'mɛdo〕草地　pleasure〔'plɛʒɚ〕快樂
jealous〔'dʒɛləs〕嫉妒的　zealous〔'zɛləs〕熱心的
peasant〔'pɛznt〕農夫　breast〔brɛst〕胸　breakfast〔'brɛkfəst〕
endeavor〔ɪn'dɛvɚ〕努力　cleanse〔klɛnz〕vt. 使清潔　＿＿＿＿＿＿＿

/ e /　break〔brek〕　steak〔stek〕　great〔gret〕

/ iə，ɪə /　idea〔aɪ'diə，-'dɪə〕觀念　real〔'riəl，ril，'rɪəl〕真實的
ideal〔aɪ'diəl，aɪ'dil，aɪ'dɪəl〕理想　theater〔'θiətɚ，'θɪə-〕戲院

/ ɪ'e /　create〔krɪ'et〕

/ ɪ'æ /　reality〔rɪ'ælətɪ〕真實

【註】原則上 ea 不是讀 /i/ 就是讀 /ɛ/，其他為例外。

(3) eau

/ o /　beau〔bo〕情郎　portmanteau〔pɔrt'mænto，pɔrt-〕旅行箱
bureau〔'bjuro〕局　＿＿＿＿＿＿＿　＿＿＿＿＿＿＿　＿＿＿＿＿＿＿

/ ju /　beauty〔'bjutɪ〕美人；美貌

(4) ear

/ ɪr /　appear〔ə'pɪr〕　near〔nɪr〕　fear〔fɪr〕　tear〔tɪr〕n. 眼淚
rear〔rɪr〕後部　spear〔spɪr〕矛　＿＿＿＿＿＿＿　＿＿＿＿＿＿＿

/ ɝ /　earl〔ɝl〕伯爵　pearl〔pɝl〕珍珠　yearn〔jɝn〕渴望

/ ɛr / 　bear〔bɛr〕熊；忍受　　swear〔swɛr〕發誓　　tear〔tɛr〕v. 撕

pear〔pɛr〕梨　　wear〔wɛr〕

/ ɛr , ær / 　bearer〔ˈbɛrɚ , ˈbær-〕腳伕

/ ɑr / 　heart〔hɑrt〕　　hearty〔ˈhɑrtɪ〕誠懇的　　hearth〔hɑrθ〕爐床

hearken〔ˈhɑrkən〕= harken　傾聽

【註】ear 一律讀 /ɪr/，其他當成例外。

(5) ee

/ i / 　agree〔əˈgri〕　　bee〔bi〕　　employee〔ɪmˈplɔɪ‧i , ˌɛmplɔɪˈi〕員工

queen〔kwin〕皇后 ＿＿＿＿＿＿　＿＿＿＿＿＿　＿＿＿＿＿＿

/ e / 　Beethoven〔ˈbetovən〕貝多芬

/ ɪ / 　coffee〔ˈkɔfɪ〕咖啡（輕音）

【註】ee 在重音節時一律讀 /i/，Beethoven 為例外。

(6) eer

/ ɪr / 　beer〔bɪr〕啤酒　　deer〔dɪr〕鹿　　volunteer〔ˌvɑlənˈtɪr〕志願者

queer〔kwɪr〕奇怪的（= strange）　　cheer〔tʃɪr〕歡呼

peer〔pɪr〕同儕 ˊˊ

(7) ei

/ i / 　ceiling〔ˈsilɪŋ〕天花板　　deceive〔dɪˈsiv〕欺騙

receipt〔rɪˈsit〕收據

*either〔ˈiðɚ〕　　*neither〔ˈniðɚ〕

/ e / 　eight〔et〕八　　sleigh〔sle〕雪橇　　freight〔fret〕貨物

reign〔ren〕統治　　*veil〔vel〕面紗　　rein〔ren〕韁繩

*vein〔ven〕靜脈　　*lei〔le , ˈleɪ〕花圈

neigh〔ne〕vi.（馬）嘶　n. 馬嘶

/ aɪ / 　height〔haɪt〕高度　　sleight〔slaɪt〕巧妙　　*either〔ˈaɪðɚ〕

*neither〔ˈnaɪðɚ〕

/ ɛ / or / i / 　leisure〔ˈlɛʒɚ , ˈliʒɚ〕閒暇

【註】1. ei 在 c 和 s 後讀 /i/，但 either、neither 也讀成 /i/。

2. ei 在 gh 前，讀 /e/，但有例外：height、sleight

3. ei 在輕音節讀 /ɪ/，如：foreign〔ˈfɔrɪn , ˈfɑrɪn〕外國的

(8) **eir**

/ ɪr /　w<u>eir</u>〔wɪr〕小壩；堰　　w<u>eir</u>d〔wɪrd〕怪異的　_____　_____

/ ɛr /　h<u>eir</u>〔ɛr〕繼承人

(9) **eo**

/ i /　p<u>eo</u>ple〔'pipl̩〕

/ ɛ /　l<u>eo</u>pard〔'lɛpəd〕豹

(10) **er**

/ ɜ /　n<u>er</u>ve〔nɜv〕n. 神經　　st<u>er</u>n〔stɜn〕嚴厲的　　m<u>er</u>chant〔'mɜtʃənt〕商人

　　　cl<u>er</u>k〔klɜk〕

/ ɑr /　s<u>er</u>geant〔'sɑrdʒənt〕士官

【註】er 一律讀 /ɜ/，但 sergeant 例外。

(11) **ere**

/ ɪr /　h<u>ere</u>〔hɪr〕　　m<u>ere</u>〔mɪr〕　　sev<u>ere</u>〔sə'vɪr〕嚴厲的

/ ɛr /　th<u>ere</u>〔ðɛr〕　　wh<u>ere</u>〔hwɛr〕

/ ɜ /　w<u>ere</u>〔wɜ〕

(12) **eu**

/ iə / or / ɪə /　mus<u>eu</u>m〔mju'ziəm , -'zɪəm〕

/ ju /　n<u>eu</u>tral〔'njutrəl〕中立的

(13) **ew**

/ ju /　d<u>ew</u>〔dju〕露水　　n<u>ew</u>〔nju , nu〕　　f<u>ew</u>〔fju〕　　kn<u>ew</u>〔nju , nu〕

　　　nephew〔'nɛfju , 'nɛvju〕姪兒　　st<u>ew</u>〔stju〕燉　　vi<u>ew</u>〔vju〕_____

/ u /　cr<u>ew</u>〔kru〕全體船員　　J<u>ew</u>〔dʒu , dʒɪu〕猶太人

　　　j<u>ew</u>el〔'dʒuəl , 'dʒɪu-〕珠寶　　ch<u>ew</u>〔tʃu〕咀嚼　　bl<u>ew</u>〔blu〕（pt.）

　　　fl<u>ew</u>〔flu〕（在 l、dʒ、r、tʃ 後讀 /u/）

/ o /　s<u>ew</u>〔so〕縫紉　　s<u>ew</u>ing〔'soɪŋ〕縫紉　　s<u>ew</u>er〔'soə〕縫紉師

【註】原則上 ew 讀 /ju/，其他看成例外。

(14) **ey**

/ e /　gr<u>ey</u>〔gre〕　　pr<u>ey</u>〔pre〕捕食

　　　surv<u>ey</u>〔v. sə've , n. 'sɜve , sə've〕測量；調查

/ aɪ /　<u>ey</u>e〔aɪ〕

/ i /　k<u>ey</u>〔ki〕

【註】1. 原則上 ey 讀 /e/。　2. ey 在輕音節時讀 /ɪ/，如：hon<u>ey</u>〔'hʌnɪ〕

3. 有關 "i" 及其組合的讀音

(1) **i**

/ ɪ / bill〔 bɪl 〕　big〔 bɪg 〕　pink〔 pɪŋk 〕粉紅色　give〔 gɪv 〕
live〔 lɪv 〕v.　children〔 ˈtʃɪldrən 〕　gild〔 gɪld 〕鍍金
forgive〔 fəˈgɪv 〕原諒 ＿＿＿＿＿＿ ＿＿＿＿＿＿ ＿＿＿＿＿＿

/ aɪ / **bite**〔 baɪt 〕　**high**〔 haɪ 〕　**child**〔 tʃaɪld 〕　**find**〔 faɪnd 〕
mile〔 maɪl 〕　sigh〔 saɪ 〕　mild〔 maɪld 〕溫和的　kind〔 kaɪnd 〕
kite〔 kaɪt 〕風箏　blind〔 blaɪnd 〕　light〔 laɪt 〕　mind〔 maɪnd 〕
apologize〔 əˈpɑləˌdʒaɪz 〕道歉　specialize〔 ˈspɛʃəlˌaɪz 〕專攻
fertilize〔 ˈfɜtlˌaɪz 〕使肥沃 ＿＿＿＿＿＿ ＿＿＿＿＿＿ ＿＿＿＿＿＿
*arrival〔 əˈraɪvl 〕　crisis〔 ˈkraɪsɪs 〕危機　miser〔 ˈmaɪzɚ 〕守財奴
ivory〔 ˈaɪvərɪ 〕象牙　pint〔 paɪnt 〕品脫

/ i / antique〔 ænˈtik 〕古董　police〔 pəˈlis 〕　unique〔 juˈnik 〕獨特的
fatigue〔 fəˈtig 〕疲勞　prestige〔 prɛsˈtiʒ , ˈprɛstɪdʒ 〕威望
regime〔 rɪˈʒim 〕政權　gasoline〔 ˈgæslˌin , ˌgæslˈin 〕汽油
routine〔 ruˈtin 〕例行公事　intrigue〔 n. ɪnˈtrig , ˈɪntrig , v. ɪnˈtrig 〕陰謀
litre〔 ˈlitɚ 〕公升　sardine〔 sɑrˈdin 〕沙丁魚　machine〔 məˈʃin 〕機器
motif〔 moˈtif 〕主題；主旨　magazine〔 ˌmægəˈzin , ˈmægəˌzin 〕
ski〔 ski 〕　marine〔 məˈrin 〕海洋的
submarine〔 n. v. ˈsʌbməˌrin , adj. ˌsʌbməˈrin 〕潛水艇
suite〔 swit 〕套房　mosquito〔 məˈskito 〕蚊子
technique〔 tɛkˈnik 〕技術

【註】1. 原則上 i 不是讀 /ɪ/ 就是讀 /aɪ/，i 讀 /i/ 為例外。
2. bite、high、child、find 代表四個規則：
　①i＋子音＋e 讀 /aɪ/。　②igh 的 i 讀 /aɪ/。
　③ild 的 i 讀 /aɪ/。　④ind 的 i 讀 /aɪ/。

(2) **ia**

/ aɪə / diary〔 ˈdaɪərɪ 〕日記　dialect〔 ˈdaɪəlɛkt 〕方言
diagram〔 ˈdaɪəˌgræm 〕圖表　giant〔 ˈdʒaɪənt 〕巨人
dialogue〔 ˈdaɪəˌlɔg 〕對話　diamond〔 ˈdaɪəmənd 〕鑽石 ＿＿＿＿＿＿

/ ɪˈæ / piano〔 pɪˈæno 〕

/ ˈaɪˌæ / triangle〔 ˈtraɪˌæŋgl 〕三角形

【註】ia 讀 /aɪə/，piano、triangle 為兩個例外。

(3) **ie**

/ i /　achieve〔ə'tʃiv〕達到　　priest〔prist〕牧師　　brief〔brif〕簡短的
　　　chief〔tʃif〕主要的　　field〔fild〕　　grief〔grif〕悲傷
　　　niece〔nis〕姪女　　thief〔θif〕小偷　　shriek〔ʃrik〕尖叫
　　　shield〔ʃild〕盾　　yield〔jild〕生產 ＿＿＿＿＿＿＿　＿＿＿＿＿＿＿

/ aɪ /　die〔daɪ〕　pie〔paɪ〕　lie〔laɪ〕　tie〔taɪ〕
　　　necktie〔'nɛkˌtaɪ〕領帶　（ie 在字尾讀 /aɪ/）

/ ɛ /　friend〔frɛnd〕

/ aɪə /　science〔'saɪəns〕科學　　anxiety〔æŋ'zaɪətɪ〕焦慮
　　　diet〔'daɪət〕飲食　　society〔sə'saɪətɪ〕社會
　　　variety〔və'raɪətɪ〕變化　　quiet〔'kwaɪət〕安靜的
　　　（ie 之後接 t 時，讀 /aɪə/，但 Soviet 例外）

/ ɪ /　*sieve〔sɪv〕漏杓　　*lieutenant〔lu'tɛnənt, lɪu-, lɛf-〕中尉

/ ɪ'ɛ /　Soviet〔'sovɪɪt, ˌsovɪ'ɛt〕蘇維埃

【註】原則上 ie 讀 /i/，其他為例外。

(4) **ier**

/ ɪr /　fierce〔fɪrs〕兇猛的　　pierce〔pɪrs〕刺穿 ＿＿＿＿＿＿＿　＿＿＿＿＿＿＿

(5) **igh**

/ aɪ /　high〔haɪ〕　　night〔naɪt〕　　bright〔braɪt〕　　light〔laɪt〕
　　　tight〔taɪt〕緊的　　slight〔slaɪt〕輕微的 ＿＿＿＿＿＿＿　＿＿＿＿＿＿＿

(6) **ir**

/ ɜ /　bird〔bɜd〕　　birthday〔'bɜθˌde〕　　first〔fɜst〕　　mirth〔mɜθ〕歡樂

/ ɪr /　miracle〔'mɪrəkl〕奇蹟　　spirit〔'spɪrɪt〕精神　　mirror〔'mɪrɚ〕鏡子

【註】原則上 ir 讀 /ɜ/，其他為例外。

(7) **ire**

/ aɪr /　fire〔faɪr〕　　tire〔taɪr〕使疲倦　　wire〔waɪr〕電線
　　　hire〔haɪr〕僱用　　admire〔əd'maɪr〕欽佩
　　　desire〔dɪ'zaɪr〕渴望　　sire〔saɪr〕閣下

4. 有關 "o" 及其組合的讀音

(1) **o**

/ o / hole〔hol〕 *pose〔poz〕姿勢 （o＋子音＋e） most〔most〕
host〔host〕 （～ost 的 o 讀 /o/ ） Apollo〔ə'palo〕 potato〔pə'teto〕
buffalo〔'bʌflͺo〕水牛 radio〔'redͺio〕 solo〔'solo〕獨唱
echo〔'ɛko〕回聲 studio〔'stjudͺio〕照相館 hello〔hə'lo〕
volcano〔val'keno〕火山 zero〔'ziro〕零 tobacco〔tə'bæko〕煙草
（字尾 o 常讀 /o/，但有例外）
bold〔bold〕大膽的 old〔old〕 cold〔kold〕 fold〔fold〕折疊
gold〔gold〕 hold〔hold〕 sold〔sold〕 scold〔skold〕責罵
（字尾 old 中之 o 讀 /o/ ）
comb〔kom〕梳子 odor〔'odɚ〕氣味 control〔kən'trol〕 only〔'onlɪ〕
open〔'opən , 'opm〕 program〔'progræm〕
diplomacy〔dɪ'ploməsɪ〕外交 local〔'lokḷ〕當地的
opponent〔ə'ponənt〕對手 sofa〔'sofə〕沙發
nobody〔'noͺbadɪ , 'nobʌdɪ , -bədɪ〕 process〔'prosɛs〕過程
both〔boθ〕 notice〔'notɪs〕注意 October〔ak'tobɚ〕十月
patrol〔pə'trol〕巡邏 protest〔'protɛst〕n. 抗議

/ ɑ / bottle〔'batḷ〕 follow〔'falo〕 dollar〔'dalɚ〕 college〔'kalɪdʒ〕
poppy〔'papɪ〕罌粟 （o＋子音＋重複子音） body〔'badɪ〕
modern〔'madɚn〕 closet〔'klazɪt〕衣櫃 monster〔'manstɚ〕怪物
colony〔'kalənɪ〕殖民地 *golf〔galf , gɔlf〕 bomb〔bam〕炸彈
hospital〔'haspɪtḷ〕 confident〔'kanfədənt〕有自信的

/ ʌ / ①-oth-，-ov- 中的 o 讀 /ʌ/ 的字
brother〔'brʌðɚ〕 cover〔'kʌvɚ〕覆蓋 recover〔rɪ'kʌvɚ〕恢復
mother〔'mʌðɚ〕 discover〔dɪ'skʌvɚ〕 another〔ə'nʌðɚ〕
nothing〔'nʌθɪŋ〕 oven〔'ʌvən〕烤箱 glove〔glʌv〕 above〔ə'bʌv〕
dove〔dʌv〕鴿子 love〔lʌv〕 other〔'ʌðɚ〕
beloved〔bɪ'lʌvɪd , bɪ'lʌvd〕鍾愛的 govern〔'gʌvɚn〕統治
otherwise〔'ʌðɚͺwaɪz〕否則 shovel〔'ʃʌvḷ〕鏟子

【例外】over〔'ovɚ〕 clover〔'klovɚ〕苜蓿
clothe〔kloð〕穿（衣服）
bother〔'baðɚ〕打擾 novel〔'navḷ〕小說

② -om- ，-on- 中的 o 讀 /ʌ/ 的字

accompany〔ə'kʌmpənɪ〕陪伴　come〔kʌm〕　comfort〔'kʌmfət〕舒適

company〔'kʌmpənɪ〕　compass〔'kʌmpəs〕羅盤　stomach〔'stʌmək〕胃

done〔dʌn〕　honey〔'hʌnɪ〕　*one〔wʌn〕　Monday〔'mʌndɪ〕

among〔ə'mʌŋ〕　money〔'mʌnɪ〕　monkey〔'mʌŋkɪ〕猴子

month〔mʌnθ〕　son〔sʌn〕　ton〔tʌn〕噸　won〔wʌn〕

*once〔wʌns〕　comfortable〔'kʌmfətəbḷ〕舒適的　front〔frʌnt〕正面

frontier〔frʌn'tɪr , frən- , 'frʌntɪr , 'frən-〕邊界　London〔'lʌndən〕倫敦

monk〔mʌŋk〕僧侶　onion〔'ʌnjən〕洋蔥　sponge〔spʌndʒ〕海綿

tongue〔tʌŋ〕舌頭　wonder〔'wʌndɚ〕驚奇

wonderful〔'wʌndɚfəl〕很棒的　some〔sʌm , səm , sm̩〕

③ 其他 o 讀 /ʌ/ 的字

color〔'kʌlɚ〕顏色　dozen〔'dʌzn̩〕一打

/ u /　canoe〔kə'nu〕獨木舟　shoe〔ʃu〕　movie〔'muvɪ〕　*two〔tu〕

tomb〔tum〕墳墓　move〔muv〕　improve〔ɪm'pruv〕改善

prove〔pruv〕證明　lose〔luz〕　whose〔huz〕

*who〔hu〕　*do〔du〕

/ ʊ /　wolf〔wʊlf〕狼

/ ʊ , u /　whom〔hum , hʊm〕　*to〔tu , tʊ , tə〕　bosom〔'bʊzəm , 'buzəm〕胸懷

into〔'ɪntu , 'ɪntʊ〕　*onto〔'antu , -tə , -tʊ〕到…上面

woman〔'wʊmən , 'wu-〕

/ ɪ /　women〔'wɪmɪn , -ən〕

/ ɝ /　colonel〔'kɝnḷ〕上校

/ ɔ /　soft〔sɔft〕　cost〔kɔst〕　loss〔lɔs〕　off〔ɔf , af〕　gone〔gɔn〕

lost〔lɔst〕　golf〔gɔlf , galf〕　coffee〔'kɔfɪ〕　dog〔dɔg〕

/ ə /　consider〔kən'sɪdɚ〕　connect〔kə'nɛkt〕連接　（o 在輕音節讀 /ə/）

(2) **oa**

/ o /　approach〔ə'protʃ〕接近　boat〔bot〕船　coast〔kost〕海岸

float〔flot〕漂浮　foam〔fom〕泡沫　oak〔ok〕橡樹

reproach〔rɪ'protʃ〕譴責　road〔rod〕道路　roast〔rost〕烤

soap〔sop〕肥皂　throat〔θrot〕喉嚨　toast〔tost〕吐司 _____

/ ɔ /　abroad〔ə'brɔd〕在國外　broad〔brɔd〕廣闊的

broadcast〔'brɔd,kæst〕廣播

/ o'e / or / oə /　oasis〔o'esɪs , 'oəsɪs〕綠洲　oases〔o'esiz , 'oəsiz〕（pl.）

【註】oa 一律讀 /o/，其他為例外。

(3) oar

/ or / *or* / ɔr / board〔bord , bɔrd〕木板　　boar〔bor , bɔr〕野豬

roar〔ror , rɔr〕吼叫 ＿＿＿＿＿＿＿ ＿＿＿＿＿＿＿

(4) oe

/ u / shoe〔ʃu〕鞋子　　canoe〔kəˊnu〕獨木舟

/ o‧ɪ / poet〔ˊpo‧ɪt , -ət〕詩人

(5) oi, oy

/ ɔɪ / boil〔bɔɪl〕沸騰　　choice〔tʃɔɪs〕選擇　　coin〔kɔɪn〕硬幣

join〔dʒɔɪn〕　　noise〔nɔɪz〕　　point〔pɔɪnt〕　　soil〔sɔɪl〕土壤

voice〔vɔɪs〕聲音　　toilet〔ˊtɔɪlɪt〕廁所

annoy〔əˊnɔɪ〕使惱怒　　boy〔bɔɪ〕　　coy〔kɔɪ〕羞羞答答的

employ〔ɪmˊplɔɪ〕僱用　　enjoy〔ɪnˊdʒɔɪ〕

joy〔dʒɔɪ〕愉快　　oyster〔ˊɔɪstɚ〕蠔；牡蠣　　soy〔sɔɪ〕大豆；醬油

toy〔tɔɪ〕玩具　　typhoid〔ˊtaɪfɔɪd〕傷寒症

doyen〔ˊdɔɪɛn〕首席

/ ə / tortoise〔ˊtɔrtəs , -tɪs〕龜

connoisseur〔ˌkɑnəˊsɝ , -ˊsjur〕（藝術品之）鑑定家

【註】 oi、oy 一律讀 /ɔɪ/。

(6) oir

/ aɪr / choir〔kwaɪr〕唱詩班（= quire）

(7) oo

/ u / bamboo〔bæmˊbu〕竹子　　bloom〔blum〕（花）盛開

boot〔but〕靴子　　cool〔kul〕　　food〔fud〕

fool〔ful〕傻瓜　　mood〔mud〕心情

moon〔mun〕　　noon〔nun〕正午　　roof〔ruf〕屋頂　　zoo〔zu〕

room〔rum〕　　shoot〔ʃut〕射擊　　spoon〔spun〕湯匙

woof〔wuf〕織品　　tooth〔tuθ〕　　voodoo〔ˊvudu , vuˊdu〕巫毒教

woo〔wu〕求婚　　（oo 一律讀 /u/）

/ ʊ / book〔bʊk〕　　look〔lʊk〕　　brook〔brʊk〕溪流　　hook〔hʊk〕鉤子

mistook〔mɪsˊtʊk〕弄錯（*pt.*）　　cook〔kʊk〕　　took〔tʊk〕（*pt.*）

shook〔ʃʊk〕搖動（*pt.*）　　（在 k 前的 oo 一律讀 /ʊ/）

/ ʊ /　　good〔gud〕　　stood〔stud〕（pt.）　　wood〔wud〕木材
　　　　wool〔wul〕　　woolen〔'wulɪn , -ən〕毛織的
　　　　soot〔sut , sut〕油煙　　hood〔hud〕兜帽　　foot〔fut〕
　　　　childhood〔'tʃaɪld,hud〕童年時期　（名詞尾 hood 中 oo 讀 /ʊ/）

/ ʌ /　　blood〔blʌd〕血　　flood〔flʌd〕水災

/ o / or / u /　　brooch〔brotʃ , brutʃ〕胸針

/ o'ɑ /　　cooperate〔ko'ɑpə,ret〕合作

(8) oor

/ or / or / ɔr /　　door〔dor , dɔr〕　　floor〔flor , flɔr〕＿＿＿＿＿＿＿

/ ʊr /　　poor〔pur〕

(9) or

/ ɔr /　　port〔pɔrt , port〕港口　sword〔sord , sɔrd〕劍　afford〔ə'fɔrd , ə'ford〕
　　　　divorce〔də'vors , də'vɔrs〕離婚　born〔bɔrn〕　fork〔fɔrk〕叉子
　　　　formal〔'fɔrml̩〕正式的　　horse〔hɔrs〕　　inform〔ɪn'fɔrm〕通知
　　　　morning〔'mɔrnɪŋ〕n. 早晨　　order〔'ɔrdə〕命令
　　　　storm〔stɔrm〕暴風雨　　ornament〔'ɔrnəmənt〕裝飾品＿＿＿＿＿＿＿
　　　　or 在單音節或重音節時，且後不接母音字母，讀 /ɔr/，有時還可讀 /or/。
　　　　但有例外 /ɜ/：attorney〔ə'tɜnɪ〕律師

/ or /　　orient〔'orɪ,ɛnt , 'ɔr- , -ənt〕n. 東方　　oral〔'orəl , 'ɔrəl〕口頭的
　　　　porous〔'porəs , 'pɔr-〕多孔的　　storage〔'storɪdʒ〕倉庫
　　　　story〔'storɪ〕　（or + 母音讀 /or/，有時還可讀 /ɔr/）

/ ɔr , ɑr /　　foreigner〔'fɔrɪnə , 'fɑrɪnə〕外國人　　forest〔'fɔrɪst , 'fɑr-〕森林
　　　　orator〔'ɔrətə , 'ɑrətə〕演說家　（or + 母音）

/ ɜ /　　word〔wɜd〕　　worm〔wɜm〕　　wordy〔'wɜdɪ〕嘮叨　　worse〔wɜs〕
　　　　worry〔'wɜɪ〕　　worship〔'wɜʃəp〕崇拜
　　　　or 在 w 後讀 /ɜ/，但有例外：wore〔wor〕　　worn〔worn , wɔrn〕
　　　　worsted〔'wustɪd〕毛絨線製的【worsted socks 毛襪】

/ ə /　　actor〔'æktə〕　　ancestor〔'ænsɛstə〕祖先
　　　　（or 在輕音節，且不接母音字母時讀 /ə/）

/ ər /　　horizon〔hə'raɪzn̩〕地平線　　memory〔'mɛmərɪ〕記憶力
　　　　（or 在輕音節，且接母音字母時讀 /ər/）

(10) **ore**（在字尾）

　　/ or /　more〔mor〕　store〔stor, stɔr〕　wore〔wor〕（*pt.*）

　　　　　（ore 在字尾讀 /or/，有時還可讀 /ɔr/）

(11) **orr**

　　/ ɑr /　borrow〔'bɑro〕借入　horror〔'hɑrɚ〕恐怖

　　　　　torrent〔'tɑrənt, 'tɔrənt〕急流　corridor〔'kɑrədɚ, 'kɔr-, -dɔr〕走廊

　　　　　（o＋子音＋相同子音 → /ɑr/，有時也可讀 /ɔr/）

(12) **ou**

　　/ aʊ /　abound〔ə'baʊnd〕充滿　account〔ə'kaʊnt〕帳戶

　　　　　bound〔baʊnd〕限制　boundary〔'baʊndərɪ, 'baʊndrɪ〕分界

　　　　　count〔kaʊnt〕計算　counter〔'kaʊntɚ〕櫃台

　　　　　discount〔*v.* dɪs'kaʊnt, 'dɪskaʊnt, *n.* 'dɪskaʊnt〕折扣

　　　　　found〔faʊnd〕發現（*pt.*）　ground〔graʊnd〕地面

　　　　　pound〔paʊnd〕磅　round〔raʊnd〕　sound〔saʊnd〕

　　　　　aloud〔ə'laʊd〕出聲地　ounce〔aʊns〕盎斯

　　　　　blouse〔blaʊz, blaʊs〕女用上衣　plough〔plaʊ〕犁

　　　　　bough〔baʊ〕樹枝　cloud〔klaʊd〕　doubt〔daʊt〕懷疑

　　　　　loud〔laʊd〕　mouse〔maʊs〕*n.* 老鼠　mouth〔maʊθ〕*n.*

　　　　　pronoun〔'pronaʊn〕代名詞　proud〔praʊd〕

　　　　　pronounce〔prə'naʊns〕發音　shout〔ʃaʊt〕喊叫

　　　　　south〔saʊθ〕南方　couch〔kaʊtʃ〕長沙發　thousand〔'θaʊznd〕千

　　　　　trousers〔'traʊzɚz〕褲子 ＿＿＿＿＿＿＿　＿＿＿＿＿＿＿　＿＿＿＿＿＿＿

　　/ ʌ /　country〔'kʌntrɪ〕　couple〔'kʌpl̩〕一對

　　　　　cousin〔'kʌzn̩〕表（堂）兄弟姊妹　double〔'dʌbl̩〕兩倍的

　　　　　enough〔ə'nʌf, ɪ'nʌf〕足夠的　rough〔rʌf〕粗的

　　　　　southern〔'sʌðən〕南方的　touch〔tʌtʃ〕接觸　tough〔tʌf〕困難的

　　　　　trouble〔'trʌbl̩〕　young〔jʌŋ〕

　　/ ɔ /　bought〔bɔt〕（*pt.*）　ought〔ɔt〕　brought〔brɔt〕（*pt.*）

　　　　　nought〔nɔt〕零　sought〔sɔt〕尋找（*pt.*）　fought〔fɔt〕戰鬥（*pt.*）

　　　　　thought〔θɔt〕思想　wrought〔rɔt〕精製的　cough〔kɔf〕咳嗽

　　　　　trough〔trɔf〕水槽

　　　　　ought 中的 ou 讀 /ɔ/，但有例外：drought〔draʊt〕旱災　lough〔lɑk〕湖

/ u /　route〔rut , raʊt〕路線　　rouge〔ruʒ〕胭脂
routine〔ruˋtin〕例行公事　　group〔grup〕　　soup〔sup〕湯
souvenir〔ˋsuvəˏnɪr , ˏsuvəˋnɪr〕紀念品　　you〔ju〕
youth〔juθ〕　　boulevard〔ˋbuləˏvard , ˋbʊl-〕林蔭大道
through〔θru〕　　throughout〔θruˋaʊt〕遍及

/ o /　poultry〔ˋpoltrɪ〕家禽　　shoulder〔ˋʃoldə〕肩膀
boulder〔ˋboldə〕大圓石　　mould〔mold〕模子
doughnut〔ˋdonət , -ˏnʌt〕甜甜圈　　soul〔sol〕靈魂
although〔ɔlˋðo〕雖然　　though〔ðo〕

/ ʊ /　should〔ʃʊd , ʃəd , ʃd , ʃt〕　　would〔wʊd〕　　could〔kʊd〕

/ ə /　famous〔ˋfeməs〕　　zealous〔ˋzɛləs〕熱心的
prosperous〔ˋprɑspərəs〕繁榮的

【註】原則上 ou 一律讀 /aʊ/，把讀 /o/ 看成例外。
poultry，shoulder，boulder，mould
doughnut，soul，although，though
將這八個字依此次序背下來，你就會區別了。

(13) **our**

/ ɔr , or /　course〔kɔrs , kors〕課程　　pour〔pɔr , por〕傾倒
four〔fɔr , for〕　　court〔kɔrt , kort〕n. 法院　v. 向…求愛
source〔sɔrs , sors〕來源
mourn〔mɔrn , morn〕哀悼

/ aʊr /　flour〔flaʊr〕麵粉　　sour〔saʊr〕酸的　　hour〔aʊr〕　　our〔aʊr〕

/ ɝ /　courteous〔ˋkɝtɪəs〕有禮貌的　　journal〔ˋdʒɝnḷ〕期刊
journey〔ˋdʒɝnɪ〕旅行　　courtesy〔ˋkɝtəsɪ〕禮貌
courage〔ˋkɝɪdʒ〕勇氣　　flourish〔ˋflɝɪʃ〕興盛　　nourish〔ˋnɝɪʃ〕滋養
discourage〔dɪsˋkɝɪdʒ〕使氣餒　（our 在重音節，通常讀 /ɝ/）
【例外】courtier〔ˋkortɪə , ˋkor- , -tjə〕奉承者

/ ə /　colour〔ˋkʌlə〕顏色　　labour〔ˋlebə〕勞力　　favour〔ˋfevə〕恩惠
odour〔ˋodə〕氣味　（our 在輕音節讀 /ə/）　　*-our = -or（USA）

/ əˋr /　courageous〔kəˋredʒəs〕勇敢的　（our + 母音在輕音節時讀 /əˋr/）

(14) **ow**

/ o / bel<u>ow</u>〔bə'l<u>o</u>〕 bl<u>ow</u>〔bl<u>o</u>〕 foll<u>ow</u>〔'fɑl<u>o</u>〕 kn<u>ow</u>〔n<u>o</u>〕
l<u>ow</u>〔l<u>o</u>〕 cr<u>ow</u>〔kr<u>o</u>〕烏鴉 best<u>ow</u>〔bɪ'st<u>o</u>〕賦予
fell<u>ow</u>〔'fɛl<u>o</u>〕傢伙 narr<u>ow</u>〔'nær<u>o</u>〕
shad<u>ow</u>〔'ʃæd<u>o</u>〕陰影 sh<u>ow</u>〔ʃ<u>o</u>〕 sl<u>ow</u>〔sl<u>o</u>〕
sparr<u>ow</u>〔'spær<u>o</u>〕麻雀 swall<u>ow</u>〔'swɑl<u>o</u>〕燕子 thr<u>ow</u>〔θr<u>o</u>〕投擲
tomorr<u>ow</u>〔tə'mɔr<u>o</u>〕 wid<u>ow</u>〔'wɪd<u>o</u>〕寡婦 wind<u>ow</u>〔'wɪnd<u>o</u>〕
will<u>ow</u>〔'wɪl<u>o</u>, 'wɪl<u>e</u>〕柳樹 yell<u>ow</u>〔'jɛl<u>o</u>〕 mell<u>ow</u>〔'mɛl<u>o</u>〕成熟的
（<u>ow</u> 在字尾讀 /o/，但以下例外，讀 /au/ 的音）

all<u>ow</u>〔ə'l<u>au</u>〕 br<u>ow</u>〔br<u>au</u>〕眉毛 c<u>ow</u>〔k<u>au</u>〕母牛 h<u>ow</u>〔h<u>au</u>〕
end<u>ow</u>〔ɪn'd<u>au</u>〕捐助 pl<u>ow</u>〔pl<u>au</u>〕犁 n<u>ow</u>〔n<u>au</u>〕
v<u>ow</u>〔v<u>au</u>〕誓約 av<u>ow</u>〔ə'v<u>au</u>〕公開承認

/ au / cr<u>ow</u>d〔kr<u>au</u>d〕 cr<u>ow</u>n〔kr<u>au</u>n〕王冠 d<u>ow</u>n〔d<u>au</u>n〕
dr<u>ow</u>n〔dr<u>au</u>n〕淹死 fl<u>ow</u>er〔'fl<u>au</u>ɚ〕 t<u>ow</u>el〔t<u>au</u>l, 't<u>au</u>əl〕毛巾
f<u>ow</u>l〔f<u>au</u>l〕家禽 <u>ow</u>l〔<u>au</u>l〕貓頭鷹 p<u>ow</u>der〔'p<u>au</u>dɚ〕粉末
p<u>ow</u>er〔'p<u>au</u>ɚ〕力量 t<u>ow</u>er〔't<u>au</u>ɚ〕塔 t<u>ow</u>n〔t<u>au</u>n〕
v<u>ow</u>el〔'v<u>au</u>əl〕母音（<u>ow</u> 在字中讀 /au/，但 b<u>ow</u>l〔b<u>o</u>l〕碗
<u>ow</u>e〔<u>o</u>〕欠 <u>ow</u>n〔<u>o</u>n〕例外）

/ ɑ / kn<u>ow</u>ledge〔'n<u>ɑ</u>lɪdʒ〕知識 ackn<u>ow</u>ledge〔ək'n<u>ɑ</u>lɪdʒ〕承認

/ or / t<u>ow</u>ard(s)〔t<u>or</u>d(z), tɔrd(z), tə'wɔrd〕向；對

下列各字讀音不同意義不同：
{ b<u>ow</u>〔b<u>o</u>〕弓 　 { r<u>ow</u>〔r<u>o</u>〕划（船） 　 { s<u>ow</u>〔s<u>o</u>〕播種
{ b<u>ow</u>〔b<u>au</u>〕鞠躬 { r<u>ow</u>〔r<u>au</u>〕爭吵 { s<u>ow</u>〔s<u>au</u>〕母豬

5. 有關母音 "**u**" 及其組合之讀音

(1) **u**

/ ju / m<u>u</u>sic〔'mj<u>u</u>zɪk〕 comp<u>u</u>ter〔kəm'pj<u>u</u>tɚ〕電腦 d<u>u</u>ty〔'dj<u>u</u>tɪ〕責任
Conf<u>u</u>cius〔kən'fj<u>u</u>ʃəs〕孔子 t<u>u</u>tor〔't<u>u</u>tɚ, 'tj<u>u</u>tɚ〕家庭教師
f<u>u</u>neral〔'fj<u>u</u>nərəl〕葬禮 f<u>u</u>ture〔'fj<u>u</u>tʃɚ〕未來 p<u>u</u>pil〔'pj<u>u</u>pl̩〕學生
n<u>u</u>merous〔'nj<u>u</u>mərəs〕極多的 <u>u</u>niform〔'j<u>u</u>nə,fɔrm〕制服
<u>u</u>nit〔'j<u>u</u>nɪt〕單位 min<u>u</u>te〔mə'nj<u>u</u>t, maɪ-〕微小的（*adj.*）
（原則上 u + 子音 + 母音讀 /ju/）

【例外】b<u>u</u>gle〔'bj<u>u</u>gl̩〕（軍隊的）號角

/ u /　brute〔brut〕獸　　junior〔'dʒunjə〕年幼的　　frugal〔'frugl〕節儉的
　　　　rule〔rul〕規則　　crude〔krud〕粗糙的　　lunar〔'lunə〕月亮的
　　　　rude〔rud〕粗魯的　　salute〔sə'lut〕敬禮　　July〔dʒu'laɪ〕七月
　　　　June〔dʒun〕六月　(/dʒ/、/l/、/r/＋u＋子音＋母音，讀 /u/)

/ ʌ /　butter〔'bʌtə〕　　mutton〔'mʌtn̩〕羊肉　　dummy〔'dʌmɪ〕啞子
　　　　funny〔'fʌnɪ〕　　supper〔'sʌpə〕晚餐　　hung〔hʌŋ〕懸掛(pt.)
　　　　lung〔lʌŋ〕肺　　sung〔sʌŋ〕唱歌(pt.)　　custom〔'kʌstəm〕
　　　　hunt〔hʌnt〕　　lucky〔'lʌkɪ〕　　lunch〔lʌntʃ〕
　　　　result〔rɪ'zʌlt〕　　such〔sʌtʃ, sətʃ〕　　trust〔trʌst〕
　　　　ugly〔'ʌglɪ〕醜的　　umbrella〔ʌm'brɛlə〕雨傘　　dull〔dʌl〕遲鈍的
　　　　dullard〔'dʌləd〕笨蛋　　gull〔gʌl〕(海)鷗
　　　　lullaby〔'lʌlə,baɪ〕催眠曲　　skull〔skʌl〕頭蓋骨
　　　　(u＋兩個子音字母通常讀 /ʌ/)

/ ʊ /　bull〔bul〕公牛　　full〔ful〕　　bullet〔'bulɪt〕子彈
　　　　pull〔pul〕拉　　bush〔buʃ〕灌木
　　　　pulpit〔'pulpɪt〕講壇　　cushion〔'kuʃən, 'kuʃɪn〕墊子
　　　　push〔puʃ〕推　　bulletin〔'bulətɪn〕佈告

/ ɛ /　burial〔'bɛrɪəl〕葬禮　　bury〔'bɛrɪ〕埋葬

/ ɪ /　business〔'bɪznɪs〕　　busy〔'bɪzɪ〕　　lettuce〔'lɛtɪs, 'lɛtəs〕萵苣
　　　　minute〔'mɪnɪt〕n. 分鐘

/ w /　distinguish〔dɪ'stɪŋgwɪʃ〕區別　　language〔'læŋgwɪdʒ〕
　　　　quick〔kwɪk〕　　linguist〔'lɪŋgwɪst〕語言學家　　quiz〔kwɪz〕小考

/ /　guard〔gɑrd〕警衛　　guess〔gɛs〕　　guest〔gɛst〕
　　　　quay〔ki〕碼頭　　guilt〔gɪlt〕犯罪
　　　　gu、qu 之後接母音字母，則讀 /w/ 或不發音

/ jʊ /　unite〔ju'naɪt〕聯合

/ ju /　attitude〔'ætə,tjud〕態度
　　　　u 在輕音節時，有些讀 /jʊ/，也有些讀 /ju/

(2) ue

/ ju /　cue〔kju〕暗示　　due〔dju〕到期的　　Tuesday〔'tjuzdɪ〕
　　　　queue〔kju〕行列　(ue 在單音節或重音節讀 /ju/)

/ jʊ /　continue〔kənˈtɪnjʊ〕　rescue〔ˈrɛskjʊ〕拯救　value〔ˈvæljʊ〕
　　（ue 在輕音節讀 /jʊ/）

/ u /　blue〔blu〕　true〔tru〕

/ ɛ /　guess〔gɛs〕　guest〔gɛst〕

/ /　catalogue〔ˈkætḷˌɔg〕目錄　dialogue〔ˈdaɪəˌlɔg〕對話
　　tongue〔tʌŋ〕舌頭　plague〔pleg〕瘟疫
　　antique〔ænˈtik〕古董　vague〔veg〕模糊的
　　字尾 que、gue 中之 ue 不發音，但有例外：
　　ague〔ˈegju〕瘧疾（= malaria）　argue〔ˈɑrgju〕爭論

(3) ui

/ u /　bruise〔bruz〕瘀傷

/ ɪ /　build〔bɪld〕　guilty〔ˈgɪltɪ〕　guitar〔gɪˈtɑr〕吉他

/ aɪ /　disguise〔dɪsˈgaɪz〕偽裝　guidance〔ˈgaɪdṇs〕引導
　　guide〔gaɪd〕引導

/ juˈɪ /　tuition〔tjuˈɪʃən〕學費

(4) ur

/ ɝ /　church〔tʃɝtʃ〕　purchase〔ˈpɝtʃəs , -ɪs〕購買　curse〔kɝs〕詛咒
　　furniture〔ˈfɝnɪtʃɚ〕傢俱　hurt〔hɝt〕　murder〔ˈmɝdɚ〕謀殺
　　nursery〔ˈnɝsərɪ〕托兒所　purpose〔ˈpɝpəs〕目的
　　surname〔ˈsɝˌnem〕姓　turkey〔ˈtɝkɪ〕火雞
　　urban〔ˈɝbən〕都市的　urgent〔ˈɝdʒənt〕緊急的
　　（在單音節或重音節時，且後面不接母音字母，讀 /ɝ/）

/ jʊr /　bureau〔ˈbjuro〕局　curio〔ˈkjʊrɪˌo〕古董　spurious〔ˈspjʊrɪəs〕偽造的
　　curious〔ˈkjʊrɪəs , ˈkɪʊrɪ-〕好奇的　purify〔ˈpjʊrəˌfaɪ〕淨化
　　fury〔ˈfjʊrɪ〕憤怒　security〔sɪˈkjʊrətɪ〕安全　（ur＋母音字母，讀 /jʊr/）
【例外】1. 在/dʒ/、/r/ 後讀 /ʊr/：jury〔ˈdʒʊrɪ〕陪審團　rural〔ˈrʊrəl〕鄉村的
　　2. /ɛr/：burial〔ˈbɛrɪəl〕埋葬　bury〔ˈbɛrɪ〕埋葬

/ ɚ /　Saturday〔ˈsætɚdɪ〕　figure〔ˈfɪgjɚ , ˈfɪgɚ〕數字　injure〔ˈɪndʒɚ〕傷害
　　gesture〔ˈdʒɛstʃɚ〕手勢　lecture〔ˈlɛktʃɚ〕演講
　　mixture〔ˈmɪkstʃɚ〕混合物　（ur 或 ure 在輕音節時，讀 /ɚ/）

(5) ure

/ jʊr /　cure〔kjʊr〕治療　　endure〔ɪn'djʊr〕忍耐

　　　　mature〔mə'tjʊr , -'tʃʊr〕成熟的　　pure〔pjʊr〕純粹的

　　　　secure〔sɪ'kjʊr〕安全的　（在單音節或重音節字尾讀 /jʊr/）

/ ʊr /　assure〔ə'ʃʊr〕向…保證　　sure〔ʃʊr〕　　lure〔lʊr〕引誘

(6) urr

/ ɝ /　current〔'kɝənt〕目前的　　hurricane〔'hɝɪ,ken〕颶風　　hurry〔'hɝɪ〕

　　　　currier〔'kɝɪə〕製革者；鞣皮匠　　furry〔'fɝɪ〕毛皮製的 _____

/ ə'r /　curriculum〔kə'rɪkjələm〕課程　　surround〔sə'raʊnd〕包圍

　　　　surrender〔sə'rɛndə〕投降　　surroundings〔sə'raʊndɪŋz〕環境

　　　　（在輕音節讀 /ə'r/）

　　　　【例外】hurrah〔hə'rɔ , hə'rɑ , hʊ-〕萬歲 ＝ hurray〔hə're , hʊ-〕

6. 有關 "y" 的讀音

y

/ aɪ /　①by〔baɪ〕　　fry〔fraɪ〕油炸　　deny〔dɪ'naɪ〕否認

　　　　July〔dʒu'laɪ〕七月　（y 在字尾，重音節讀 /aɪ/）

　　　　②beautify〔'bjutə,faɪ〕美化　　personify〔pə'sɑnə,faɪ〕使擬人化

　　　　satisfy〔'sætɪs,faɪ〕使滿足　　modify〔'mɑdə,faɪ〕修飾

　　　　simplify〔'sɪmplə,faɪ〕簡化　　dignify〔'dɪgnə,faɪ〕使高貴

　　　　（在輕音節字尾 fy 中，y 讀 /aɪ/）

　　　　③type〔taɪp〕類型　　style〔staɪl〕風格　　rhyme〔raɪm〕押韻

　　　　rye〔raɪ〕黑麥；裸麥

　　　　（以 e 結尾的單音節字中 y 讀 /aɪ/）

/ ɪ /　①army〔'ɑrmɪ〕陸軍　　foggy〔'fɔgɪ , 'fɑgɪ〕有濃霧的　　pony〔'ponɪ〕小馬

　　　　（y 在輕音節讀 /ɪ/，但字尾是 fy 時，及 occupy〔'akjə,paɪ〕佔據，例外）

　　　　②symbol〔'sɪmbḷ〕象徵　　sympathy〔'sɪmpəθɪ〕同情

　　　　mystery〔'mɪstrɪ , 'mɪstərɪ〕神秘　y ＋ 兩個子音時讀 /ɪ/，但有例外：

　　　　cycle〔'saɪkḷ〕週期　　hydrogen〔'haɪdrədʒən , -dʒɪn〕氫

　　　　【註】y 作子音用時，只讀 /j/，如：yes〔jɛs〕

3. 重要子音字母的讀音

1. ci, ce

/ ʃ /　magician〔mə'dʒɪʃən〕魔術師　politician〔ˌpɑlə'tɪʃən〕政治家
　　　　ocean〔'oʃən〕海洋　musician〔mju'zɪʃən〕音樂家
　　　　social〔'soʃəl〕社會的　delicious〔dɪ'lɪʃəs〕美味的 _____

2. ch

/ tʃ /　challenge〔'tʃælɪndʒ〕挑戰　champion〔'tʃæmpɪən〕冠軍
　　　　chess〔tʃɛs〕西洋棋　sandwich〔'sændwɪtʃ〕三明治 _____
　　　　（ch 原則上讀 /tʃ/，其他為例外）

/ ʃ /　attache〔ə'tæʃe, ætə'ʃe〕隨員　chaise〔ʃez〕二輪輕便馬車
　　　　champagne〔ʃæm'pen〕香檳酒　Chicago〔ʃə'kago, ʃə'kɔgo, ʃɪ-〕芝加哥
　　　　machine〔mə'ʃin〕機器　mustache〔'mʌstæʃ, mə'stæʃ〕鬍子
　　　　parachute〔'pærəˌʃut〕降落傘　chute〔ʃut〕降落傘；滑槽
　　　　chef〔ʃɛf〕主廚　chauffeur〔ʃo'fɝ, 'ʃofɚ〕司機

/ k /　anarchy〔'ænəkɪ〕無政府狀態　ache〔ek〕疼痛
　　　　epoch〔'ɛpək〕紀元　architect〔'arkəˌtɛkt, -ək-〕建築師
　　　　mechanic〔mə'kænɪk〕機械工人　character〔'kærɪktɚ〕性格
　　　　melancholy〔'mɛlənˌkalɪ〕憂鬱的　chemical〔'kɛmɪkl〕化學的
　　　　monarch〔'manɚk〕帝王　chaos〔'keas〕混亂
　　　　orchestra〔'ɔrkɪstrə〕管弦樂團　chorus〔'korəs〕合唱團
　　　　psychology〔saɪ'kalədʒɪ〕心理學　Christian〔'krɪstʃən〕基督教徒
　　　　scheme〔skim〕計畫　Christ〔kraɪst〕基督　scholar〔'skalɚ〕學者
　　　　stomach〔'stʌmək〕胃　technical〔'tɛknɪkl〕技術的
　　　　echo〔'ɛko〕回聲　technique〔tɛk'nik〕技術

/ dʒ /　Greenwich〔'grɪnɪdʒ〕格林威治
　　　　spinach〔'spɪnɪdʒ〕菠菜

/ /　yacht〔jɑt〕遊艇

3. dg

/ dʒ /　bri**dge**〔brɪdʒ〕橋　　ju**dge**〔dʒʌdʒ〕法官　　do**dge**〔dɑdʒ〕躲避

　　　　ju**dg**(e)ment〔ˈdʒʌdʒmənt〕n. 判斷　　he**dge**〔hɛdʒ〕樹籬

4. ed

/ d /　nam**ed**〔nemd〕　　liv**ed**〔lɪvd〕　　call**ed**〔kɔld〕

　　　　（在母音或有聲子音之後讀 /d/）

/ t /　ask**ed**〔æskt〕　　help**ed**〔hɛlpt〕　　fix**ed**〔fɪkst〕　　wash**ed**〔wɔʃt, wɑʃt〕

　　　　reach**ed**〔ritʃt〕（在無聲子音 f、k、p、s、ʃ、tʃ、θ 後讀 /t/）

/ ɪd /　① add**ed**〔ˈædɪd〕　　hat**ed**〔ˈhetɪd〕（在 d、t 後讀 /ɪd/）

　　　　② ag**ed**〔ˈedʒɪd〕年老的　　ragg**ed**〔ˈrægɪd〕破爛的　　learn**ed**〔ˈlɜnɪd〕有學問的

　　　　wick**ed**〔ˈwɪkɪd〕邪惡的　　nak**ed**〔ˈnekɪd〕裸體的

　　　　wretch**ed**〔ˈrɛtʃɪd〕不幸的（動詞＋ed 當形容詞用時，讀 /ɪd/）

5. ex

/ ɛks /　**ex**cellent〔ˈɛkslənt〕優美的　　**ex**ercise〔ˈɛksəˌsaɪz〕練習

　　　　extra〔ˈɛkstrə〕額外的（ex 在字首重音節時一律讀 /ɛks/）

/ ɪks /　**ex**cept〔ɪkˈsɛpt〕　　**ex**change〔ɪksˈtʃendʒ〕交換

　　　　extreme〔ɪkˈstrim〕極端　　**ex**plain〔ɪkˈsplen〕解釋

　　　　（ex 在字首讀輕音節，後接子音字母時讀 /ɪks/）

/ ɪgz /　**ex**act〔ɪgˈzækt〕正確　　**ex**amine〔ɪgˈzæmɪn〕檢查　　**ex**ist〔ɪgˈzɪst〕存在

　　　　example〔ɪgˈzæmpl̩〕（ex 在字首輕音節，後接母音字母時讀 /ɪgz/）

　　　　【例外】**ex**hibition〔ˌɛksəˈbɪʃən〕展覽會

6. g

/ g /　ba**gg**age〔ˈbægɪdʒ〕行李　　be**g**〔bɛg〕乞求　　be**gg**ar〔ˈbɛgə〕乞丐

　　　　do**g**〔dɔg〕　　be**g**in〔bɪˈgɪn〕　　**g**ame〔gem〕　　**g**ift〔gɪft〕禮物

　　　　God〔gɑd〕上帝　　**g**uide〔gaɪd〕引導　　**g**un〔gʌn〕槍

　　　　si**g**nature〔ˈsɪgnətʃə〕簽名 ＿＿＿＿＿＿　＿＿＿＿＿＿　＿＿＿＿＿＿

/ dʒ /　exa**gg**erate〔ɪgˈzædʒəˌret〕誇大　　**g**em〔dʒɛm〕寶石　　**g**erm〔dʒɜm〕細菌

　　　　general〔ˈdʒɛnərəl〕普遍的　　**G**erman〔ˈdʒɜmən〕德國人　　ra**g**e〔redʒ〕憤怒

　　　　ginger〔ˈdʒɪndʒə〕薑　　**g**ymnasium〔dʒɪmˈnezɪəm〕體育館

　　　　gymnastics〔dʒɪmˈnæstɪks〕體育（g＋e、i、y 時，g 通常讀 /dʒ/）

/ ʒ /　camouflage〔'kæmə,flɑʒ〕掩飾　rouge〔ruʒ〕胭脂

/ dʒ / or / ʒ /　garage〔gə'rɑʒ, gə'rɑdʒ, 'gærɑdʒ〕車庫；修車廠

/ /　foreign〔'fɔrɪn, 'fɑrɪn〕外國的　resign〔rɪ'zaɪn〕辭職
reign〔ren〕統治期間　sigh〔saɪ〕嘆氣　sign〔saɪn〕標示
（g 在 n 前不發音）

7. gh

/ /　bright〔braɪt〕明亮的　weight〔wet〕重量　（igh 的 gh 不發音）

/ g /　ghost〔gost〕　ghastly〔'gɑstlɪ, 'gæstlɪ〕可怕的　（gh 在字首常讀 /g/）

/ /　bough〔baʊ〕大樹枝　plough〔plaʊ〕犁　daughter〔'dɔtɚ〕女兒
though〔ðo〕　naughty〔'nɔtɪ〕頑皮的
au or ou 後的 gh 不發音，但有例外：
hiccough〔'hɪkʌp, 'hɪkəp〕打嗝（= hiccup）

/ f /　laughter〔'læftɚ, 'lɑftɚ〕笑　draught〔dræft〕通風處
cough〔kɔf〕咳嗽　rough〔rʌf〕粗糙的　tough〔tʌf〕強韌的
enough〔ɪ'nʌf, ə'nʌf〕　trough〔trɔf〕（兩浪之間的）凹處

8. gu

/ g /　guard〔gɑrd〕保衛　guess〔gɛs〕猜測　guest〔gɛst〕客人
guide〔gaɪd〕引導　guilt〔gɪlt〕罪　（gu＋母音通常讀 /g/，u 不發音）

/ gw /　anguish〔'æŋgwɪʃ〕極度的痛苦　language〔'læŋgwɪdʒ〕
（gu＋母音在字中讀 /gw/）

9. n

/ n /　been〔bɪn〕pp. of be　fine〔faɪn〕好的　sin〔sɪn〕罪惡
north〔nɔrθ〕北方　nose〔noz〕鼻子 ＿＿＿＿＿＿　＿＿＿＿＿＿

/ ŋ /　ink〔ɪŋk〕墨水　pink〔pɪŋk〕粉紅色　sink〔sɪŋk〕下沉
think〔θɪŋk〕　（k 前的 n 讀 /ŋ/）

/ /　autumn〔'ɔtəm〕秋天　column〔'kɑləm〕圓柱
hymn〔hɪm〕讚美詩　condemn〔kən'dɛm〕譴責
solemn〔'sɑləm〕嚴肅的　（mn 的 n 不發音）

10. ng

/ ŋ /　bring〔brɪŋ〕　　hang〔hæŋ〕懸掛　　king〔kɪŋ〕
long〔lɔŋ , laŋ〕　　running〔ˈrʌnɪŋ〕跑　　singer〔ˈsɪŋɚ〕歌手
sing〔sɪŋ〕　　singing〔ˈsɪŋɪŋ〕唱歌　　song〔sɔŋ , saŋ〕歌
　（動詞加 ing、er 時，ng 讀 /ŋ/）

/ ŋg /　anger〔ˈæŋgɚ〕憤怒　　angle〔ˈæŋgl〕角度　　finger〔ˈfɪŋgɚ〕手指
linger〔ˈlɪŋgɚ〕徘徊　　longer〔ˈlɔŋgɚ , ˈlaŋgɚ〕　　younger〔ˈjʌŋgɚ〕
longest〔ˈlɔŋgɪst , ˈlaŋgɪst〕　　stronger〔ˈstrɔŋgɚ〕
　（形容詞或副詞加上 er、est 時，ng 讀 /ŋg/）

/ ndʒ /　danger〔ˈdendʒɚ〕危險

11. ph

/ f /　phenomenon〔fəˈnamə,nan〕現象　　Philip〔ˈfɪləp〕菲立浦
photo〔ˈfoto〕相片　　orphan〔ˈɔrfən〕孤兒　　dolphin〔ˈdalfɪn〕海豚
philosophy〔fəˈlasəfɪ〕哲學　　triumph〔ˈtraɪəmf〕勝利
phrase〔frez〕片語　　hyphen〔ˈhaɪfən〕連字號
physics〔ˈfɪzɪks〕物理學　　physician〔fəˈzɪʃən〕內科醫生
phonograph〔ˈfonə,græf , ˈfonə,graf〕留聲機 ＿＿＿＿＿＿ ＿＿＿＿＿

/ v / or / f /　nephew〔ˈnɛvju , ˈnɛfju〕姪子

/ v /　Stephen〔ˈstivən〕

/ p /　shepherd〔ˈʃɛpɚd〕牧羊人

12. qu

/ kw /　conquest〔ˈkaŋkwɛst〕征服　　equal〔ˈikwəl〕相等的
queen〔kwin〕女王　　liquid〔ˈlɪkwɪd〕液體
quality〔ˈkwalətɪ〕品質　　quick〔kwɪk〕快速的
quite〔kwaɪt〕相當地　（qu 讀 /kw/ 時，大部分在字首，少數在字中）

/ k /　antique〔ænˈtik〕古董　　conquer〔ˈkɔŋkɚ〕征服　　liquor〔ˈlɪkɚ〕酒
mosquito〔məˈskito〕蚊子　　unique〔juˈnik〕獨特的
　（qu 在字中通常讀 /k/，但 quay〔ki〕碼頭，例外）

13. **gue**

/ g / 　dialogue〔'daɪə,lɔg〕對話　fatigue〔fə'tig〕疲勞　plague〔pleg〕瘟疫
　　　vague〔veg〕模糊的 ＿＿＿＿＿＿ ＿＿＿＿＿＿ ＿＿＿＿＿＿

/ gju / 　ague〔'egju〕瘧疾

/ gjʊ / 　argue〔'ɑrgju〕爭論

14. **s, es**（在名詞後）

/ s / 　stop<u>s</u>〔staps〕　roof<u>s</u>〔rufs〕屋頂　park<u>s</u>〔parks〕　month<u>s</u>〔mʌnθs〕
　　　student<u>s</u>〔'stjudn̩ts〕（在無聲子音（s、ʃ、tʃ 除外）之後所加 s 讀 /s/）

/ ɪz / 　ax<u>es</u>〔'æksɪz〕斧頭　buzz<u>es</u>〔'bʌzɪz〕嗡嗡聲
　　　roug<u>es</u>〔'ruʒɪz〕胭脂　church<u>es</u>〔'tʃɜtʃɪz〕　brush<u>es</u>〔'brʌʃɪz〕刷子
　　　orang<u>es</u>〔'ɔrɪndʒɪz〕柳橙　（在 ks、s、z、ʃ、tʃ、dʒ、ʒ 等音後讀 /ɪz/）

/ z / 　leg<u>s</u>〔lɛgz〕　boy<u>s</u>〔bɔɪz〕　cab<u>s</u>〔kæbz〕計程車
　　　glove<u>s</u>〔glʌvz〕手套　chair<u>s</u>〔tʃɛrz〕　pen<u>s</u>〔pɛnz〕
　　　bamboo<u>s</u>〔bæm'buz〕竹子（其餘全部讀 /z/）

15. **sc**

/ s / 　<u>sc</u>ene〔<u>s</u>in〕情景　<u>sc</u>ent〔<u>s</u>ɛnt〕氣味　<u>sc</u>ience〔'<u>s</u>aɪəns〕科學
　　　<u>sc</u>issors〔'<u>s</u>ɪzɚz〕剪刀 ＿＿＿＿＿＿ ＿＿＿＿＿＿ ＿＿＿＿＿＿

/ sk / 　e<u>sc</u>ape〔ə'<u>sk</u>ep, ɪ-, ɛ-〕逃走　<u>sc</u>are〔<u>sk</u>ɛr〕使害怕
　　　<u>sc</u>out〔<u>sk</u>aʊt〕偵察　<u>sc</u>atter〔'<u>sk</u>ætɚ〕散播
　　　<u>sc</u>ulpture〔'<u>sk</u>ʌlptʃɚ〕雕刻

/ ʃ / 　con<u>sc</u>ience〔'kɑnʃəns〕良心　con<u>sc</u>ious〔'kɑnʃəs〕察覺到的

/ s / or / z / 　di<u>sc</u>ern〔dɪ'<u>z</u>ɜn, dɪ'<u>s</u>ɜn〕辨識

16. **sch**

/ sk / 　<u>sch</u>edule〔'<u>sk</u>ɛdʒʊl〕時間表　<u>sch</u>eme〔<u>sk</u>im〕計畫　<u>sch</u>ool〔<u>sk</u>ul〕
　　　<u>sch</u>olar〔'<u>sk</u>ɑlɚ〕學者 ＿＿＿＿＿＿ ＿＿＿＿＿＿ ＿＿＿＿＿＿

/ ʃ / 　<u>sch</u>lock〔<u>ʃ</u>lak〕不值錢的東西　<u>Sch</u>ubert〔'<u>ʃ</u>ubɚt, '<u>ʃ</u>u-〕舒伯特

17. ss

/ s /　dissipate〔ˈdɪsəˌpet〕驅散　dissuade〔dɪˈswed〕勸阻　press〔prɛs〕壓
　　　　pass〔pæs, pɑs〕經過　poetess〔ˈpoətɪs〕女詩人　success〔səkˈsɛs〕成功

/ ʃ /　issue〔ˈɪʃu, ˈɪʃju〕發行　mission〔ˈmɪʃən〕任務　assure〔əˈʃur〕向…保證
　　　　passion〔ˈpæʃən〕熱情　Russian〔ˈrʌʃən〕俄國人　pressure〔ˈprɛʃɚ〕壓力

/ z /　dessert〔dɪˈzɝt〕甜點　dissolve〔dɪˈzɑlv〕溶解　possess〔pəˈzɛs〕擁有
　　　　scissors〔ˈsɪzɚz〕剪刀

18. sure

/ ʃur /　assure〔əˈʃur〕向…保證　ensure〔ɪnˈʃur〕確保　sure〔ʃur〕確定的
　　　　　（sure 前接子音，在單音節或重音節讀 /ʃur/）

/ ʃɚ /　pressure〔ˈprɛʃɚ〕壓力　（sure 前接子音，在輕音節時讀 /ʃɚ/）

/ ʒɚ /　leisure〔ˈlɛʒɚ, ˈliʒɚ〕閒暇　（sure 前有母音時讀 /ʒɚ/，且 sure 前母音讀短音）

19. th

/ θ /　thank〔θæŋk〕　nothing〔ˈnʌθɪŋ〕　throw〔θro〕投擲　thief〔θif〕小偷
　　　　thunder〔ˈθʌndɚ〕雷　threat〔θrɛt〕威脅　thumb〔θʌm〕大拇指
　　　　athlete〔ˈæθlit〕運動員　ethics〔ˈɛθɪks〕倫理學　wealth〔wɛlθ〕財富
　　　　（th 一律讀 /θ/，其他看成例外）

/ ð /　the〔ði, ðɪ, ðə, ðɪ〕　they〔ðe〕　（包含 the 的單字中，th 讀 /ð/，但有例外）

　　　　【例外】/ θ /　theater　theory　mathematics　theme〔θim〕主題
　　　　　　　　　　　thermometer〔θɚˈmɑmətɚ〕溫度計　theft〔θɛft〕竊盜行為
　　　　　　　　　　　ether〔ˈiθɚ〕醚；天空

/ ð /　this〔ðɪs〕　these〔ðiz〕　that〔ðæt, ðət〕　those〔ðoz〕
　　　　thus〔ðʌs〕因此　though〔ðo〕　although〔ɔlˈðo〕　than〔ðæn〕
　　　　worthy〔ˈwɝðɪ〕值得的　smooth〔smuð〕平滑的
　　　　without〔wɪðˈaut, wɪθˈaut〕　clothing〔ˈkloðɪŋ〕n.　thy〔ðaɪ〕你的

/ t /　Thomas〔ˈtɑməs〕湯瑪斯　Thailand〔ˈtaɪlənd〕泰國
　　　　Thames〔tɛmz〕泰晤士河

/ ð / or / θ /　with〔wɪθ, wɪð〕　mouth〔mauθ〕n. 嘴巴
　　　　　　　　mouth〔mauð〕v. 喃喃地說

【註】 ths 讀 /θs/，但前面是<u>長母音</u>或<u>雙母音</u>或 /æ/，則複數形之 ths 讀 /ðz/

mouth〔maʊθ〕　　→　　mouths〔maʊðz〕 pl.

bath〔bæθ〕　　→　　baths〔bæðz〕 pl.

但 truth〔truθ〕　　→　　truths〔truθs , truðz〕 pl.

【例外】

births〔bɝθs〕 pl. 生產	faiths〔feθs〕 pl. 宗教信仰
growths〔groθs〕 pl. 生長	fourths〔forθs , fɔrθs〕 pl. 第四
worths〔wɝθs〕 pl. 價值	hearths〔harθs〕 pl. 家庭
heaths〔hiθs〕 pl. 荒野	

20. ti

/ ʃ / 　essen<u>ti</u>al〔ə'sɛnʃəl〕 必要的　　influen<u>ti</u>al〔ˌɪnfluˈɛnʃəl〕有影響力的
in<u>iti</u>al〔ɪˈnɪʃəl〕最初的　　par<u>ti</u>al〔ˈparʃəl〕部份的　　ra<u>ti</u>o〔ˈreʃo〕比率
pa<u>ti</u>ence〔ˈpeʃəns〕耐心　_____　_____　_____

/ tʃ / 　cele<u>sti</u>al〔səˈlɛstʃəl〕天上的　　Chri<u>sti</u>an〔ˈkrɪstʃən〕基督教徒
<u>（前有 s 時，ti 讀 /tʃ/）</u>

/ tə / 　beau<u>ti</u>ful〔ˈbjutəfəl〕

21. tion

/ ʃən / 　tui<u>tion</u>〔tjuˈɪʃən〕學費　　na<u>tion</u>〔ˈneʃən〕國家　<u>（tion 一律讀 /ʃən/）</u>

/ tʃən / 　dige<u>stion</u>〔dəˈdʒɛstʃən , daɪ-〕消化　　que<u>stion</u>〔ˈkwɛstʃən〕問題
<u>（前接 s 時讀 /tʃən/）</u>

22. sion

/ ʃən / 　pen<u>sion</u>〔ˈpɛnʃən〕養老金　　man<u>sion</u>〔ˈmænʃən〕大廈
<u>（sion 之前是子音字母時，讀 /ʃən/）</u>

/ ʒən / 　vi<u>sion</u>〔ˈvɪʒən〕視力　　deci<u>sion</u>〔dɪˈsɪʒən〕決定　　divi<u>sion</u>〔dəˈvɪʒən〕分隔
explo<u>sion</u>〔ɪkˈsploʒən〕爆炸　　colli<u>sion</u>〔kəˈlɪʒən〕相撞
<u>（sion 之前是母音字母時，讀 /ʒən/）</u>

23. wh

/ hw / 　<u>wh</u>ale〔hwel〕鯨魚　　<u>wh</u>iskey〔ˈhwɪskɪ〕威士忌酒　　<u>wh</u>en〔hwɛn〕
<u>（英音讀 /w/，美音讀 /hw/）</u>

/ h / 　<u>wh</u>o〔hu〕　　<u>wh</u>olesale〔ˈholˌsel〕批發　　<u>wh</u>ole〔hol〕　<u>（wh 後接 o 時讀 /h/）</u>

24. x

/ ks /　　bo**x**〔bɑ**ks**〕　fo**x**〔fɑ**ks**〕狐狸　ta**x**〔tæ**ks**〕稅　wa**x**〔wæ**ks**〕蠟

/ kʃ /　　an**x**ious〔'æŋ**kʃ**əs , 'æŋʃəs〕焦慮的　lu**x**ury〔'lʌ**kʃ**ərɪ〕豪華
reflе**x**ion〔rɪ'flɛ**kʃ**ən〕反射

/ kʃ / or / gʒ /　　lu**x**urious〔lʌ**g**'**ʒ**urɪəs , lʌ**kʃ**ur-〕豪華的

/ z /　　an**x**iety〔æŋ**'z**aɪətɪ〕焦慮

25. z

/ z /　　**z**eal〔**z**il〕熱忱　**z**ebra〔'**z**ibrə〕斑馬　**z**ero〔'**z**iro〕零
zoo〔**z**u〕動物園　**z**oology〔**z**o'ɑlədʒɪ〕動物學　　　　　　　　

/ ʒ /　　a**z**ure〔'ɛ**ʒ**ɚ , 'æ**ʒ**ɚ〕淡青色　gla**z**ier〔'gle**ʒ**ɚ〕裝玻璃工人
sei**z**ure〔'si**ʒ**ɚ〕捕獲

26. se

/ z /　母音 + se 讀 / z /

advi**se**〔əd'vaɪ**z**〕勸告　becau**se**〔bɪ'kɔ**z**〕　cau**se**〔kɔ**z**〕
Chine**se**〔tʃaɪ'ni**z** , tʃaɪ'nis〕　compromi**se**〔'kɑmprə,maɪ**z**〕和解
choo**se**〔tʃu**z**〕　disea**se**〔dɪ'zi**z**〕疾病　ea**se**〔i**z**〕容易
wi**se**〔waɪ**z**〕　exerci**se**〔'ɛksɚ,saɪ**z**〕　expo**se**〔ɪk'spo**z**〕暴露
tho**se**〔ðo**z**〕　ho**se**〔ho**z**〕長統襪　Japane**se**〔,dʒæpə'ni**z**〕
lo**se**〔lu**z**〕　no**se**〔no**z**〕　pea**se**〔pi**z**〕豌豆　pha**se**〔fe**z**〕階段
plea**se**〔pli**z**〕取悅　prai**se**〔pre**z**〕稱讚　rai**se**〔re**z**〕舉起
surpri**se**〔sə'praɪ**z**〕

【例外】　cea**se**〔si**s**〕停止　goo**se**〔gu**s**〕鵝　loo**se**〔lu**s**〕鬆的
increa**se**〔v. ɪn'kri**s** , n. 'ɪnkri**s** , 'ɪŋk-〕增加
relea**se**〔rɪ'li**s**〕釋放　practi**se**〔'præktɪ**s**〕實行
preci**se**〔prɪ'saɪ**s**〕精確的　purcha**se**〔'pɝtʃəs , -ɪs〕購買
do**se**〔do**s**〕一劑（藥）　ca**se**〔ke**s**〕情況
cha**se**〔tʃe**s**〕追逐　decrea**se**〔dɪ'kri**s**〕減少
deba**se**〔dɪ'be**s**〕貶低　premi**se**〔'prɛmɪ**s**〕前提
ba**se**〔be**s**〕基地　enca**se**〔ɪn'ke**s** , ɛn'ke**s**〕裝在箱內

/s/ 子音（不論有聲或無聲）+ se 讀 /s/

intense〔ɪn'tɛns〕強烈的　　false〔fɔls〕錯誤的

course〔kors, kɔrs〕課程　　else〔ɛls〕

purse〔pɝs〕錢包　　horse〔hɔrs〕馬

discourse〔 n. 'dɪskors, dɪ'skors, v. dɪ'skors〕演講

hearse〔hɝs〕靈車　　immense〔ɪ'mɛns〕極大的

【例外】cleanse〔klɛnz〕使清潔

【註】下面各字詞類不同 "se" 的讀音不同

close〔kloz〕v. n. 完畢；終了　　　　mouse〔maʊs〕n. 老鼠

closed〔klozd〕adj. 關閉的　　　　mouse〔maʊz〕v. 捕鼠

close〔klos〕adj. 接近的　　　　refuse〔'rɛfjus〕n. 垃圾

closely〔'kloslɪ〕adv. 緊密地　　　　refuse〔rɪ'fjuz〕v. 拒絕

house〔haʊs〕n. 房屋　　　　use〔jus〕n. 用途

house〔haʊz〕v. 供給房屋　　　　use〔juz〕v. 使用

27. s（在字首或中間）

/s/　first〔fɝst〕　sister〔'sɪstɚ〕姊妹　task〔tæsk〕工作

save〔sev〕拯救　step〔stɛp〕腳步　disappear〔ˌdɪsə'pɪr〕消失

especial〔ə'spɛʃəl〕特別的　　misunderstand〔ˌmɪsʌndɚ'stænd〕誤解

（s 在字首時、s 之前或後為子音字母時、以及 dis-、es-、mis- 中的 s 讀 /s/）

【例外】misery〔'mɪzərɪ〕悲慘；不幸

/z/　resist〔rɪ'zɪst〕抵抗　reserve〔rɪ'zɝv〕預訂　reason〔'rizn̩〕理由

deposit〔dɪ'pɑzɪt〕存放　busy〔'bɪzɪ〕　easy〔'izɪ〕

observe〔əb'zɝv〕觀察　pleasant〔'plɛzn̩t〕令人愉快的

prison〔'prɪzn̩〕監獄

resemble〔rɪ'zɛmbl̩〕像　thousand〔'θaʊznd〕千

（s 之前為母音字母，且後亦為母音字母或 y 時，讀 /z/）

4. 不發音的字母

1. **n 前面的 k**：　knee〔ni〕膝蓋　　knife〔naɪf〕刀子　　knight〔naɪt〕騎士
   　　　　　　　　knock〔nɑk〕敲　　know〔no〕知道

2. **r 前面的 w**：　wrap〔ræp〕包裹　　wreath〔riθ〕花圈　　wrestle〔'rɛsḷ〕摔角
   　　　　　　　　wring〔rɪŋ〕擰　　write〔raɪt〕　　wrong〔rɔŋ〕

3. **t 前面的 b**：　debt〔dɛt〕債務　　doubt〔daʊt〕懷疑　　subtle〔'sʌtḷ〕微妙的

4. **字尾爲 mb 的 b**：
   　　　bomb〔bɑm〕炸彈　　　comb〔kom〕梳子　　　climb〔klaɪm〕爬
   　　　dumb〔dʌm〕啞的　　　lamb〔læm〕小羊　　　thumb〔θʌm〕大拇指
   　　　tomb〔tum〕墳墓　　　bomber〔'bɑmɚ〕轟炸機
   　　　climber〔'klaɪmɚ〕登山者
   　　　但不是字尾加的 er，b 必須發音，如：
   　　　chamber〔'tʃembɚ〕臥室　　lumber〔'lʌmbɚ〕木材　　number〔'nʌmbɚ〕數字

5. **字尾爲 gm, gn 時的 g**：
   　　　design〔dɪ'zaɪn〕設計　　　　　foreign〔'fɔrɪn,'fɑrɪn〕外國的
   　　　paradigm〔'pærə,dɪm, -,daɪm〕模範　　phlegm〔flɛm〕痰
   　　　resign〔rɪ'zaɪn〕辭職　　　　　sign〔saɪn〕告示

6. **字尾爲 mn 時的 n**：
   　　　autumn〔'ɔtəm〕秋天　　column〔'kɑləm〕圓柱　　hymn〔hɪm〕讚美詩
   　　　condemn〔kən'dɛm〕譴責　　solemn〔'sɑləm〕嚴肅的

7. **p 爲字首且接 n 或 s 時的 p**：
   　　　pneumonia〔nju'monjə, -nɪə, nu-〕肺炎
   　　　psalm〔sɑm〕聖歌　　　　　　　psychology〔saɪ'kɑlədʒɪ〕心理學

8. **p 不發音的字**：
   　　　corps〔kor〕軍團；…隊　　　　cupboard〔'kʌbɚd〕碗櫥
   　　　raspberry〔'ræz,bɛrɪ〕覆盆子　　receipt〔rɪ'sit〕收據

9. **s 不發音的字**：
   　　　aisle〔aɪl〕通道　　　　　　　isle〔aɪl〕小島
   　　　island〔'aɪlənd〕島　　　　　　debris〔'debri, də'bri〕殘骸

10. **d 不發音的字**：
   　　　handkerchief〔'hæŋkɚtʃɪf, -,tʃif〕手帕　　handsome〔'hænsəm〕英俊的
   　　　landscape〔'lænskep〕風景　　　　　　Wednesday〔'wɛnzdɪ〕星期三

11. **t** 不發音的字：

castle〔ˋkɑsḷ, ˋkæsḷ〕城堡　　Christmas〔ˋkrɪsməs〕聖誕節

fasten〔ˋfæsn̩, ˋfɑsn̩〕v. 繫上　　listen〔ˋlɪsn̩〕

often〔ˋɔfən, ˋɔftən〕常常　　rustle〔ˋrʌsḷ〕發出沙沙聲

soften〔ˋsɔfən〕v. 使變軟　　watch〔wɑtʃ〕注視

whistle〔ˋhwɪsḷ〕吹口哨

12. **gh** 不發音的字：

bough〔baʊ〕大樹枝　　bought〔bɔt〕買　　bright〔braɪt〕明亮的

brought〔brɔt〕帶來　　daughter〔ˋdɔtɚ〕女兒　　high〔haɪ〕

light〔laɪt〕光線　　naughty〔ˋnɔtɪ〕頑皮的　　neighbor〔ˋnebɚ〕鄰居

plough〔plaʊ〕犁　　though〔ðo〕雖然　　taught〔tɔt〕教

thought〔θɔt〕想　　through〔θru〕穿過　　sigh〔saɪ〕嘆氣

sleigh〔sle〕雪車　　sought〔sɔt〕尋求　　weigh〔we〕稱…的重量

13. **h** 不發音的字：

annihilate〔əˋnaɪəˌlet〕殲滅　　exhaust〔ɪgˋzɔst, ɛg-〕用盡

exhibit〔ɪgˋzɪbɪt〕展示　　ghost〔gost〕鬼

honest〔ˋɑnɪst〕誠實的　　honor〔ˋɑnɚ〕光榮

hour〔aʊr〕　　rhythm〔ˋrɪðəm〕節奏

14. **l** 在 **-alf**, **-alk**, **-alm** 內不發音：

alms〔ɑmz〕救濟金　　balm〔bɑm〕香膏　　calf〔kæf, kɑf〕小牛

calm〔kɑm〕平靜的　　chalk〔tʃɔk〕粉筆　　half〔hæf, hɑf〕一半

psalm〔sɑm〕聖歌　　talk〔tɔk〕　　walk〔wɔk〕

15. 字尾的 **e** 在含一個以上母音字母的字中不發音：

able〔ˋebḷ〕能夠（做…）的　　awake〔əˋwek〕喚醒

base〔bes〕基地　　before〔bɪˋfor, bɪˋfɔr〕

life〔laɪf〕　　time〔taɪm〕

16. 如最後音節拼法為 **-en**, **-el**, **-in**, **-il**, **-on** 其母音字母大都不發音：

basin〔ˋbesn̩〕水盆　　citizen〔ˋsɪtəzn̩〕人民　　civil〔ˋsɪvl̩〕市民的

cousin〔ˋkʌzn̩〕表（堂）兄弟姊妹　　evil〔ˋivl̩〕邪惡的

garden〔ˋgardn̩〕庭園　　lesson〔ˋlɛsn̩〕課程　　novel〔ˋnɑvl̩〕小說

oven〔ˋʌvən〕烤箱　　pardon〔ˋpardn̩〕原諒　　shovel〔ˋʃʌvl̩〕鏟子

17. 其他不發音的重要字：

answer〔ˋænsɚ〕　　colonel〔ˋkɝnl̩〕上校　　muscle〔ˋmʌsḷ〕肌肉

sword〔sord, sɔrd〕劍　　victual〔ˋvɪtḷ〕食物　　who〔hu〕

whoever〔huˋɛvɚ, huˋɛvɚ〕不論是誰　　yacht〔jɑt〕遊艇

5. 重要同字異音表

I. **動詞與名詞**（二個音節時，動詞重音通常落在第二個音節，名詞重音在第一個音節上）

1. accent〔æk'sɛnt , 'æksɛnt〕vt. 重讀
   accent〔'æksɛnt〕n. 口音

2. attribute〔ə'trɪbjʊt〕vt. 歸因於
   attribute〔'ætrə,bjut〕n. 屬性

3. bow〔baʊ〕v. 鞠躬
   bow〔bo〕n. 弓

4. convict〔kən'vɪkt〕vt. 定罪
   convict〔'kɑnvɪkt〕n. 囚犯

5. concert〔kən'sɜt〕v. 協定；商量
   concert〔'kɑnsɜt〕n. 音樂會

6. conduct〔kən'dʌkt〕v. 進行
   conduct〔'kɑndʌkt〕n. 行為

7. conflict〔kən'flɪkt〕vi. 衝突
   conflict〔'kɑnflɪkt〕n. 衝突

8. contest〔kən'tɛst〕v. 競爭
   contest〔'kɑntɛst〕n. 比賽

9. contract〔kən'trækt〕v. 收縮
   contract〔'kɑntrækt〕n. 合約

10. contrast〔kən'træst〕v. 對照
    contrast〔'kɑntræst〕n. 對照

11. compress〔kəm'prɛs〕vt. 壓縮
    compress〔'kɑmprɛs〕n. 緊壓；繃帶

12. confine〔kən'faɪn〕vt. 限制
    confine〔'kɑnfaɪn〕n. 界限

13. convert〔kən'vɜt〕v. 使轉變
    convert〔'kɑnvɜt〕n. 皈依；改教者

14. decrease〔dɪ'kris〕v. 減少
    decrease〔'dikris , ,di'kris〕n. 減少

15. detail〔dɪ'tel〕vt. 詳述
    detail〔'ditel , dɪ'tel〕n. 細節

16. digest〔daɪ'dʒɛst , də-〕v. 消化
    digest〔'daɪdʒɛst〕n. 文摘

17. discount〔dɪs'kaʊnt , 'dɪskaʊnt〕v. 打折
    discount〔'dɪskaʊnt〕n. 折扣

18. discourse〔dɪ'skors〕vi. 講述
    discourse〔'dɪskors , dɪ'skors〕n. 演說

19. essay〔ɛ'se , ə'se〕v. 試圖
    essay〔'ɛse , 'ɛsɪ〕n. 小品文

20. excuse〔ɪk'skjuz〕v. 原諒
    excuse〔ɪk'skjus〕n. 藉口

21. export〔ɪks'port , 'ɛksport〕vt. 輸出
    export〔'ɛksport〕n. 輸出（品）

22. extract〔ɪk'strækt〕v. 拔出
    extract〔'ɛkstrækt〕n. 萃取物；摘錄

23. escort〔ɪ'skɔrt〕vt. 護送
    escort〔'ɛskɔrt〕n. 護送者

24. import〔ɪm'port , -'pɔrt〕vt. 輸入
    import〔'ɪmport , -pɔrt〕n. 輸入（品）

25. impress〔ɪm'prɛs〕vt. 使印象深刻
    impress〔'ɪmprɛs〕n. 印記

26. imprint〔ɪm'prɪnt〕vt. 蓋印於
    imprint〔'ɪmprɪnt〕n. 印記

27. increase〔ɪn'kris〕v. 增加
    increase〔'ɪnkris〕n. 增加（量）

28. insult〔ɪn'sʌlt〕vt. 侮辱
    insult〔'ɪnsʌlt〕n. 侮辱

29. { object〔əb'dʒɛkt〕v. 反對
　　{ object〔'abdʒɪkt〕n. 物品

30. { lead〔lid〕v. 領導
　　{ lead〔lɛd〕n. 鉛

31. { permit〔pə'mɪt〕v. 准許
　　{ permit〔'pɜmɪt, pə'mɪt〕n. 許可證

32. { prefix〔pri'fɪks〕v. 把…加在前面
　　{ prefix〔'pri,fɪks〕n. 字首

33. { premise〔prɪ'maɪz, 'prɛmɪs〕v. 假定
　　{ premise〔'prɛmɪs〕n. 前提

34. { presage〔prɪ'sedʒ〕vt. 成為…的前兆
　　{ presage〔'prɛsɪdʒ〕n. 預感

35. { produce〔prə'djus〕v. 生產
　　{ produce〔'pradjus〕n. 農產品

36. { progress〔prə'grɛs〕v. 進步
　　{ progress〔'pragrɛs, 'pro-, -grɪs〕n. 進步

37. { perfume〔pə'fjum〕vt. 擦香水於
　　{ perfume〔'pɜfjum〕n. 香水

38. { project〔prə'dʒɛkt〕v. 投射
　　{ project〔'pradʒɛkt〕n. 計劃

39. { protest〔prə'tɛst〕v. 抗議
　　{ protest〔'protɛst〕n. 抗議

40. { record〔rɪ'kɔrd〕vt. 記錄
　　{ record〔'rɛkəd〕n. 紀錄；唱片

41. { refuse〔rɪ'fjuz〕v. 拒絕
　　{ refuse〔'rɛfjus〕n. 垃圾

42. { rebel〔rɪ'bɛl〕vi. 反叛
　　{ rebel〔'rɛbl̩〕n. 反叛者

43. { suspect〔sə'spɛkt〕vt. 懷疑
　　{ suspect〔'sʌspɛkt〕n. 嫌疑犯

44. { survey〔sə've〕vt. 調查
　　{ survey〔'sɜve, sə've〕n. 調查

45. { tear〔tɛr〕v. 撕裂
　　{ tear〔tɪr〕n. 眼淚

46. { torment〔tɔr'mɛnt〕vt. 折磨
　　{ torment〔'tɔrmɛnt〕n. 折磨

47. { transport〔træns'port, -'port〕vt.
　　　運輸
　　{ transport〔'trænsport, -port〕n.
　　　運輸

48. { transfer〔træns'fɝ〕v. 轉移
　　{ transfer〔'trænsfɝ〕n. 轉移

49. { wind〔waɪnd〕v. 上發條
　　{ wind〔wɪnd〕n. 風

II. 名詞與形容詞

1. { August〔'ɔgəst〕n. 八月
　　{ august〔ɔ'gʌst〕adj. 威嚴的

2. { compact〔'kampækt〕n. 小粉盒
　　{ compact〔kəm'pækt〕adj. 緊密的

3. { expert〔'ɛkspɝt〕n. 專家
　　{ expert〔ɪk'spɝt〕adj.【敘述用法】老練的
　　{ expert〔'ɛkspɝt〕adj. 老練的

4. { instinct〔'ɪnstɪŋkt〕n. 本能
　　{ instinct〔ɪn'stɪŋkt〕adj. 充滿的

5. { invalid〔'ɪnvəlɪd〕n. 病人　adj. 衰弱的
　　{ invalid〔ɪn'vælɪd〕adj. 無效的

6. { minute〔'mɪnɪt〕n. 分
　　{ minute〔mə'njut, maɪ-〕adj. 微小的

III. 動詞與形容詞

1. {
absent〔æb'sɛnt〕vt. 缺席【反身式】
absent〔'æbsn̩t〕adj. 缺席的
}

2. {
alternate〔'ɔltɚ,net,'æltɚ-〕v. 輪流
alternate〔'æltənɪt,'ɔltɚ-〕adj. 輪流的
}

3. {
animate〔'ænə,met〕v. 使活潑
animate〔'ænəmɪt〕adj. 活潑的
}

4. {
cursed〔kɜst〕v. 詛咒；咒罵（pt.）
cursed〔'kɜsɪd,kɜst〕adj. 被詛咒的
}

5. {
close〔kloz〕v. 關
close〔klos〕adj. 接近的
}

6. {
frequent〔frɪ'kwɛnt〕vt. 常去（一地點）
frequent〔'frikwənt〕adj. 經常的
}

7. {
hinder〔'hɪndɚ〕v. 妨礙
hinder〔'haɪndɚ〕adj. 後面的
}

8. {
live〔lɪv〕v. 住
live〔laɪv〕adj. 活的
}

9. {
moderate〔'mɑdə,ret〕v. 節制
moderate〔'mɑdərɪt〕adj. 適度的
}

10. {
perfect〔pɚ'fɛkt,'pɜfɪkt〕vt. 使完美
perfect〔'pɜfɪkt〕adj. 完美的
}

IV. 名詞、形容詞、動詞

1. {
abstract〔'æbstrækt〕n. 摘要
abstract〔'æbstrækt,æb'-〕adj. 抽象的
abstract〔æb'strækt〕vt. 提煉出
}

2. {
compound〔'kɑmpaʊnd〕n. 複合物
compound〔'kɑmpaʊnd,kɑm'-〕adj. 合成的
compound〔kɑm'paʊnd〕v. 混合
}

3. {
concrete〔'kɑnkrit,kɑn'krit〕
　n. 混凝土　adj. 具體的
concrete〔kɑn'krit〕vt. 凝固
}

4. {
converse〔'kɑnvɜs〕n. 談話
converse〔kən'vɜs〕adj. 反面的
converse〔kən'vɜs〕vi. 談話
}

5. {
content〔'kɑntɛnt,kən'tɛnt〕n. 內容
content〔kən'tɛnt〕adj. 滿足的
content〔kən'tɛnt〕vt. 使滿足　n. 滿足
}

6. {
desert〔'dɛzɚt〕n. 沙漠　adj. 荒涼的
deserts〔dɪ'zɜts〕n. pl. 某人應得的賞罰
desert〔dɪ'zɜt〕v. 拋棄
* dessert〔dɪ'zɜt〕n.（餐後的）甜點
}

7. {
graduate〔'grædʒuɪt〕n. 畢業生
graduate〔'grædʒuɪt〕adj. 研究生的
graduate〔'grædʒu,et〕v. 畢業
}

8. {
perfect〔'pɜfɪkt〕n. 完成式
perfect〔'pɜfɪkt〕adj. 完美的
perfect〔pɚ'fɛkt,'pɜfɪkt〕vt. 使完美
}

9. {
present〔'prɛznt〕n. 禮物
present〔'prɛznt〕adj. 出席的
present〔prɪ'zɛnt〕vt. 呈現
}

10. {
subject〔'sʌbdʒɪkt〕n. 主題
subject〔'sʌbdʒɪkt〕adj. 受制於…的＜to＞
subject〔səb'dʒɛkt〕vt. 使服從
* subjection〔səb'dʒɛkʃən〕n. 服從
}

6. 重要同音字

A

1. ail〔el〕使煩惱
   ale〔el〕麥酒

2. air〔ɛr〕空氣
   ere〔ɛr, ær〕以前
   heir〔ɛr〕繼承人

3. all〔ɔl〕全部的
   awl〔ɔl〕鑽子

4. allowed〔əˈlaʊd〕pt. & pp. of allow　允許
   aloud〔əˈlaʊd〕出聲地升

5. altar〔ˈɔltɚ〕祭壇
   alter〔ˈɔltɚ〕更改

6. an〔æn, ən〕一個
   Ann〔æn〕安【女子名】

7. ant〔ænt〕螞蟻
   aunt〔ænt〕阿姨

8. arc〔ɑrk〕弧形
   ark〔ɑrk〕方舟

9. ascent〔əˈsɛnt〕上升
   assent〔əˈsɛnt〕同意

B

1. bad〔bæd〕壞的
   bade〔bæd〕pt. of bid　命令

2. bail〔bel〕保釋金
   bale〔bel〕綑

3. ball〔bɔl〕球
   bawl〔bɔl〕大叫

4. barren〔ˈbærən〕貧瘠的
   baron〔ˈbærən〕男爵

5. base〔bes〕基地
   bass〔bes〕低音樂器

6. bay〔be〕海灣
   bey〔be〕總督

7. be〔bi〕是
   bee〔bi〕蜜蜂

8. beach〔bitʃ〕海邊
   beech〔bitʃ〕山毛櫸

9. bear〔bɛr〕熊
   bare〔bɛr〕赤裸的

10. beat〔bit〕打
    beet〔bit〕甜菜

11. beer〔bɪr〕啤酒
    bier〔bɪr〕棺架；棺材

12. bell〔bɛl〕鈴
    belle〔bɛl〕美女

13. berry〔ˈbɛrɪ〕漿果
    bury〔ˈbɛrɪ〕埋葬

14. berth〔bɝθ〕臥舖
    birth〔bɝθ〕出生

15. blew〔blu〕pt. of blow　吹
    blue〔blu〕藍色的

16. bloc〔blɑk〕集團
    block〔blɑk〕街區

17. boar〔bor, bɔr〕野豬
    bore〔bor, bɔr〕鑽洞；使厭煩

18. boll〔bol〕莢殼
    bowl〔bol〕碗

19. border〔ˈbɔrdɚ〕邊界
    boarder〔ˈbɔrdɚ, ˈbordɚ〕寄宿者

20. bow〔bo〕弓
    beau〔bo〕紈褲子弟；情郎

21. { bow〔baʊ〕鞠躬
     { bough〔baʊ〕大樹枝

22. { boy〔bɔɪ〕男孩
     { buoy〔bɔɪ, buɪ〕浮標

23. { bread〔brɛd〕麵包
     { bred〔brɛd〕*pt. & pp.* of breed 養育

24. { break〔brek〕打破
     { brake〔brek〕煞車

25. { but〔bʌt, bət〕但是
     { butt〔bʌt〕煙蒂

26. { by〔baɪ〕以
     { buy〔baɪ〕買
     { bye〔baɪ〕再見

C

1. { candid〔ˈkændɪd〕坦白的
    { candied〔ˈkændɪd〕蜜餞的；好聽的

2. { canon〔ˈkænən〕教規
    { cannon〔ˈkænən〕大砲

3. { canvas〔ˈkænvəs〕帆布
    { canvass〔ˈkænvəs〕遊說；拉票

4. { capital〔ˈkæpətl̩〕首都
    { Capitol〔ˈkæpətl̩〕（美國的）國會大廈

5. { ceil〔sil〕在…裝天花板
    { seal〔sil〕海豹

6. { ceiling〔ˈsilɪŋ〕天花板
    { sealing〔ˈsilɪŋ〕密封

7. { cellar〔ˈsɛlɚ〕地窖
    { seller〔ˈsɛlɚ〕出售者

8. { cense〔sɛns〕焚香敬（神）；用香薰
    { sense〔sɛns〕感覺

9. { censer〔ˈsɛnsɚ〕香爐
    { censor〔ˈsɛnsɚ〕審查員

10. { cent〔sɛnt〕一分錢
     { sent〔sɛnt〕*pt. & pp.* of send 寄；送

11. { cession〔ˈsɛʃən〕割讓
     { session〔ˈsɛʃən〕開會期

12. { check〔tʃɛk〕核對；支票
     { cheque〔tʃɛk〕支票

13. { choir〔kwaɪr〕合唱團
     { quire〔kwaɪr〕= choir

14. { cite〔saɪt〕引用
     { site〔saɪt〕地點

15. { clause〔klɔz〕子句
     { claws〔klɔz〕爪【複數】

16. { clime〔klaɪm〕氣候（= climate）
     { climb〔klaɪm〕爬

17. { coarse〔kors, kɔrs〕粗糙的
     { course〔kors, kɔrs〕課程

18. { coat〔kot〕外套
     { cote〔kot〕（家畜或家禽的）棚；欄

19. { collar〔ˈkɑlɚ〕衣領
     { choler〔ˈkɑlɚ〕怒氣

20. { color〔ˈkʌlɚ〕顏色
     { culler〔ˈkʌlɚ〕採摘者

21. { complement〔ˈkɑmpləmənt〕補充物；補語
     { compliment〔ˈkɑmpləmənt〕稱讚

22. { cord〔kɔrd〕繩索
     { chord〔kɔrd〕弦

23. { core〔kor〕核心
     { corps〔kor〕軍團；…隊

24. { council〔ˈkaʊnsl̩〕會議
     { counsel〔ˈkaʊnsl̩〕勸告

25. { cousin〔ˈkʌzn̩〕表（堂）兄弟姊妹
     { cozen〔ˈkʌzn̩〕欺騙

26. { creak〔krik〕咯吱聲
     { creek〔krik, krɪk〕小溪

27. { cue〔kju〕提示
     { queue〔kju〕一行等待的人；長龍

D

1. { dam〔dæm〕水壩
   { damn〔dæm〕咒罵

2. { dear〔dɪr〕親愛的
   { deer〔dɪr〕鹿

3. { desert〔dɪˋzɝt〕拋棄
   { dessert〔dɪˋzɝt〕餐後甜點

4. { dew〔dju〕露水
   { due〔dju〕到期的

5. { die〔daɪ〕死亡
   { dye〔daɪ〕染料

6. { discreet〔dɪˋskrit〕謹慎的
   { discrete〔dɪˋskrit〕不連續的

7. { doe〔do〕母鹿
   { dough〔do〕生麵糰

8. { dost〔dʌst〕古語 do
   { dust〔dʌst〕灰塵

9. { draft〔dræft〕草稿；通風處
   { draught〔dræft〕= draft

10. { dying〔ˋdaɪɪŋ〕垂死的
    { dyeing〔ˋdaɪɪŋ〕染色

E

1. { earn〔ɝn〕賺
   { urn〔ɝn〕壺；甕；骨灰罈

2. { eight〔et〕八
   { ate〔et〕*pt.* of eat 吃

F

1. { fain〔fen〕樂意地
   { feign〔fen〕假裝
   { fane〔fen〕寺院

2. { faint〔fent〕微弱的；昏倒
   { feint〔fent〕偽裝

3. { fair〔fɛr〕公平的
   { fare〔fɛr〕車資

4. { feat〔fit〕功績
   { feet〔fit〕腳；呎【複數】

5. { find〔faɪnd〕找到
   { fined〔faɪnd〕*pt. & pp.* of fine 處以罰金

6. { fir〔fɝ〕樅樹
   { fur〔fɝ〕毛皮

7. { flea〔fli〕跳蚤
   { flee〔fli〕逃走

8. { flew〔flu〕*pt.* of fly 飛
   { flu〔flu〕流行性感冒

9. { flower〔flaʊr〕花
   { flour〔flaʊr〕麵粉

10. { fore〔for , fɔr〕在前部的
    { four〔for , fɔr〕四

11. { forth〔forθ , fɔrθ〕向前
    { fourth〔forθ , fɔrθ〕第四的

12. { fowl〔faʊl〕家禽
    { foul〔faʊl〕污穢的

G

1. { gate〔get〕大門
   { gait〔get〕步伐

2. { gild〔gɪld〕鍍金
   { guild〔gɪld〕同業公會；協會

3. { great〔gret〕偉大的
   { grate〔gret〕爐架；磨碎

4. { grown〔gron〕*pp.* of grow 生長
   { groan〔gron〕呻吟

5. { guest〔gɛst〕客人
   { guessed〔gɛst〕*pt.* of guess 猜想

6. { guilt〔gɪlt〕罪
   { gilt〔gɪlt〕燙金的

H

1.
hail〔hel〕霰；雹
hale〔hel〕健壯的

2.
hair〔hɛr〕頭髮
hare〔hɛr〕野兔

3.
hall〔hɔl〕大廳
haul〔hɔl〕拖；拉

4.
hangar〔'hæŋɚ,'hæŋɑr〕庫房
hanger〔'hæŋɚ〕衣架

5.
hart〔hɑrt〕雄鹿
heart〔hɑrt〕心

6.
hay〔he〕乾草
hey〔he〕喂！

7.
hear〔hɪr〕聽見
here〔hɪr〕這裡

8.
heard〔hɝd〕pt. & pp. of hear 聽見
herd〔hɝd〕（獸）群

9.
heel〔hil〕腳後跟
heal〔hil〕治癒

10.
heir〔ɛr〕繼承人
air〔ɛr〕空氣

11.
hew〔hju〕砍
hue〔hju〕色調

12.
him〔hɪm〕他
hymn〔hɪm〕讚美詩；聖歌

13.
hole〔hol〕洞
whole〔hol〕全部的

14.
holy〔'holɪ〕神聖的
wholly〔'holɪ,'hollɪ〕整個地

15.
horse〔hɔrs〕馬
hoarse〔hɔrs,hors〕沙啞的

I

1.
I〔aɪ〕我
eye〔aɪ〕眼睛

2.
idle〔'aɪdl̩〕懶惰的
idol〔'aɪdl̩〕偶像

3.
in〔ɪn〕在…裡面
inn〔ɪn〕小旅館

4.
indite〔ɪn'daɪt〕撰寫
indict〔ɪn'daɪt〕起訴；控告

5.
intension〔ɪn'tɛnʃən〕強度
intention〔ɪn,tɛnʃən〕意圖

6.
isle〔aɪl〕小島
aisle〔aɪl〕走道

K

1.
kernel〔'kɝnl̩〕核；仁
colonel〔'kɝnl̩〕上校

2.
key〔ki〕鑰匙
quay〔ki〕碼頭

3.
knap〔næp〕折斷
nap〔næp〕小睡

4.
knave〔nev〕無賴；惡棍
nave〔nev〕教堂的中殿；輪軸

5.
knead〔nid〕搓；揉
need〔nid〕需要

6.
knew〔nju,nu〕pt. of know 知道
new〔nju,nu〕新的

7.
knit〔nɪt〕編織
nit〔nɪt〕（毛蝨等的）卵

8.
knot〔nɑt〕結
not〔nɑt〕不

9.
know〔no〕知道
no〔no〕不

10.
knows〔noz〕知道
nose〔noz〕鼻子

L

1. lac〔læk〕蟲膠；（印度）十萬（盧比）
   lack〔læk〕缺乏

2. laid〔led〕pt. & pp. of lay　放置
   lade〔led〕裝載

3. lain〔len〕pp. of lie　躺
   lane〔len〕小巷；車道

4. lea〔li〕草原
   lee〔li〕庇蔭處；避風處

5. lead〔lɛd〕鉛
   led〔lɛd〕pt. & pp. of lead　帶領

6. leak〔lik〕漏水
   leek〔lik〕韭蔥

7. lesson〔'lɛsn̩〕課程
   lessen〔'lɛsn̩〕減少

8. lo〔lo〕看！瞧！
   low〔lo〕低的

9. lock〔lɑk〕鎖
   loch〔lɑk〕湖

10. lone〔lon〕孤單的
    loan〔lon〕貸款

M

1. made〔med〕pt. & pp. of make　製造
   maid〔med〕少女

2. main〔men〕主要的
   mane〔men〕鬃；長髮

3. male〔mel〕男性的
   mail〔mel〕郵件

4. marshal〔'mɑrʃəl〕元帥
   martial〔'mɑrʃəl〕軍事的

5. mayor〔mɛr , 'meɚ〕市長
   mare〔mɛr〕母馬

6. mean〔min〕意思是
   mien〔min〕風采；態度

7. meet〔mit〕遇見
   meat〔mit〕肉
   mete〔mit〕將…分給

8. medal〔'mɛdl̩〕獎牌
   meddle〔'mɛdl̩〕干預

9. mind〔maɪnd〕想法；介意
   mined〔maɪnd〕pt. & pp. of mine　開採

10. minor〔'maɪnɚ〕較小的
    miner〔'maɪnɚ〕礦工

11. mist〔mɪst〕薄霧
    missed〔mɪst〕pt. & pp. of miss　想念

12. mite〔maɪt〕微小的捐助
    might〔maɪt〕pt. of may　可能

13. moan〔mon〕呻吟
    mown〔mon〕pp. of mow　割草

14. moat〔mot〕壕溝
    mote〔mot〕微塵

15. morning〔'mɔrnɪŋ〕早晨
    mourning〔'mɔrnɪŋ , 'mornɪŋ〕哀悼

N

1. nay〔ne〕不
   neigh〔ne〕馬嘶聲

2. night〔naɪt〕夜晚
   knight〔naɪt〕騎士

3. nun〔nʌn〕修女；尼姑
   none〔nʌn〕沒人；一點也沒有

O

1.
- oar〔ɔr, or〕槳
- or〔ɔr, ə〕或

2.
- oh〔o〕噢！
- owe〔o〕欠

3.
- ought〔ɔt〕應該
- aught〔ɔt〕零

4.
- our〔aʊr〕我們的
- hour〔aʊr〕小時

P

1.
- pail〔pel〕一桶
- pale〔pel〕蒼白的

2.
- pain〔pen〕疼痛
- pane〔pen〕窗玻璃（的一片）

3.
- pair〔pɛr, pær〕一雙
- pare〔pɛr, pær〕削（皮）
- pear〔pɛr〕梨子

4.
- passed〔pæst, pɑst〕*pt.* of pass　通過
- past〔pæst, pɑst〕過去的

5.
- peace〔pis〕和平
- piece〔pis〕片；塊

6.
- peak〔pik〕山頂
- peek〔pik〕偷看

7.
- peal〔pil〕（鐘的）鳴響聲
- peel〔pil〕剝（皮）

8.
- pier〔pɪr〕碼頭
- peer〔pɪr〕同儕；凝視

9.
- plain〔plen〕明白的
- plane〔plen〕飛機

10.
- plate〔plet〕盤子
- plait〔plet〕辮子

11.
- plum〔plʌm〕梅子
- plumb〔plʌm〕鉛錘

12.
- pole〔pol〕（南、北）極
- poll〔pol〕民意調查

13.
- pore〔por, pɔr〕毛孔
- pour〔por, pɔr〕傾倒

14.
- pray〔pre〕祈禱
- prey〔pre〕獵物

15.
- principle〔'prɪnsəpl〕原則
- principal〔'prɪnsəpl〕校長；主要的

16.
- profit〔'prɑfɪt〕利益
- prophet〔'prɑfɪt〕先知

R

1.
- raise〔rez〕提高；舉起
- raze〔rez〕徹底摧毀
- rays〔rez〕光線【複數】

2.
- rap〔ræp〕敲擊
- wrap〔ræp〕包；裹

3.
- read〔rid〕閱讀
- reed〔rid〕蘆葦

4.
- read〔rɛd〕*pt. & pp.* of read　閱讀
- red〔rɛd〕紅色的

5.
- reek〔rik〕惡臭
- wreak〔rik〕發洩（怒氣）

6.
- reign〔ren〕統治期間
- rain〔ren〕雨
- rein〔ren〕韁繩；駕馭

7.
- rest〔rɛst〕休息
- wrest〔rɛst〕奪取

8.
- rhyme〔raɪm〕韻
- rime〔raɪm〕白霜

9.
- right〔raɪt〕權利
- rite〔raɪt〕儀式
- write〔raɪt〕寫
- wright〔raɪt〕工匠；作家

10. {
　road〔rod〕道路
　rowed〔rod〕pt. of row 划（船）
　rode〔rod〕pt. of ride 騎
}

11. {
　roe〔ro〕魚卵
　row〔ro〕一排 〔rau〕爭吵
}

12. {
　role〔rol〕角色
　roll〔rol〕滾動
}

13. {
　Rome〔rom〕羅馬
　roam〔rom〕漫步；閒逛
}

14. {
　root〔rut〕根
　route〔rut , raut〕路線
}

15. {
　rote〔rot〕背誦
　wrote〔rot〕pt. of write 寫
}

16. {
　rough〔rʌf〕粗糙的
　ruff〔rʌf〕（鳥獸的）頸毛
}

S

1. {
　sail〔sel〕帆；航行
　sale〔sel〕出售
}

2. {
　saver〔'sevə〕救助者
　savor〔'sevə〕品嚐；滋味
}

3. {
　seam〔sim〕接縫
　seem〔sim〕似乎
}

4. {
　see〔si〕看見
　sea〔si〕海
}

5. {
　seed〔sid〕種子
　cede〔sid〕放棄；割讓
}

6. {
　seen〔sin〕pp. of see 看見
　scene〔sin〕風景；場景
}

7. {
　sell〔sɛl〕賣
　cell〔sɛl〕細胞
}

8. {
　senior〔'sinjə〕年長的
　seignior〔'sinjə〕諸侯；先生【相當於 Sir 的尊稱】
}

9. {
　sent〔sɛnt〕pt. & pp. of send 寄；送
　scent〔sɛnt〕氣味
　cent〔sɛnt〕一分錢
}

10. {
　sew〔so〕縫
　sow〔so〕播種 〔sau〕母豬
　so〔so〕所以
}

11. {
　shear〔ʃɪr〕大剪刀；剪（羊）毛
　sheer〔ʃɪr〕純粹的
}

12. {
　shown〔ʃon〕pp. of show 顯示
　shone〔ʃon〕pt. & pp. of shine 照耀
}

13. {
　side〔saɪd〕邊；側；面
　sighed〔saɪd〕pt. & pp. of sigh 嘆息
}

14. {
　site〔saɪt〕地點
　sight〔saɪt〕視覺
}

15. {
　slay〔sle〕屠殺
　sleigh〔sle〕雪車
}

16. {
　sleight〔slaɪt〕熟練
　slight〔slaɪt〕輕微的
}

17. {
　sole〔sol〕唯一的
　soul〔sol〕靈魂
}

18. {
　son〔sʌn〕兒子
　sun〔sʌn〕太陽
}

19. {
　sore〔sor , sɔr〕疼痛的
　soar〔sor〕翱翔
}

20. {
　stake〔stek〕木樁
　steak〔stek〕牛排
}

21. {
　stare〔stɛr〕凝視
　stair〔stɛr〕階梯
}

22. {
　stationary〔'steʃən,ɛrɪ〕固定的
　stationery〔'steʃən,ɛrɪ〕文具
}

23. {
　steal〔stil〕偷
　steel〔stil〕鋼
}

24. {
　stile〔staɪl〕階梯
　style〔staɪl〕風格
}

25. {
　strait〔stret〕海峽
　straight〔stret〕直的
}

26. {
　succor〔'sʌkə〕援助
　sucker〔'sʌkə〕吸吮者；傻瓜
}

27. {
　suite〔swit〕套房
　sweet〔swit〕甜的
}

28. {
　sum〔sʌm〕總數
　some〔sʌm , səm , sm̩〕一些
}

29. {
　sword〔sord , sɔrd〕劍
　soared〔sord〕pt. of soar 翱翔
}

T

1.
$\begin{cases} \text{tail} 〔 \text{tel} 〕 尾巴 \\ \text{tale} 〔 \text{tel} 〕 故事 \end{cases}$

2.
$\begin{cases} \text{tax} 〔 \text{tæks} 〕 稅 \\ \text{tacks} 〔 \text{tæks} 〕 大頭釘；圖釘【複數】 \end{cases}$

3.
$\begin{cases} \text{team} 〔 \text{tim} 〕 隊 \\ \text{teem} 〔 \text{tim} 〕 充滿 \end{cases}$

4.
$\begin{cases} \text{their} 〔 \text{ðɛr} 〕 他們的 \\ \text{there} 〔 \text{ðɛr} 〕 那裡 \end{cases}$

5.
$\begin{cases} \text{threw} 〔 \text{θru} 〕 \textit{pt.} \text{ of throw} 丟 \\ \text{through} 〔 \text{θru} 〕 通過 \end{cases}$

6.
$\begin{cases} \text{throw} 〔 \text{θro} 〕 丟 \\ \text{throe} 〔 \text{θro} 〕 劇痛 \end{cases}$

7.
$\begin{cases} \text{thrown} 〔 \text{θron} 〕 \textit{pp.} \text{ of throw} 丟 \\ \text{throne} 〔 \text{θron} 〕 王位 \end{cases}$

8.
$\begin{cases} \text{tied} 〔 \text{taɪd} 〕 \textit{pt. \& pp.} \text{ of tie} 綁 \\ \text{tide} 〔 \text{taɪd} 〕 潮汐 \end{cases}$

9.
$\begin{cases} \text{to} 〔 \text{tu , tʊ , tə} 〕 到；達 \\ \text{too} 〔 \text{tu} 〕 也 \\ \text{two} 〔 \text{tu} 〕 二 \end{cases}$

10.
$\begin{cases} \text{ton} 〔 \text{tʌn} 〕 噸 \\ \text{tun} 〔 \text{tʌn} 〕 大酒桶 \end{cases}$

11.
$\begin{cases} \text{tow} 〔 \text{to} 〕 拖 \\ \text{toe} 〔 \text{to} 〕 腳趾 \end{cases}$

V

1.
$\begin{cases} \text{vail} 〔 \text{vel} 〕 低垂 \\ \text{vale} 〔 \text{vel} 〕 山谷 \\ \text{veil} 〔 \text{vel} 〕 面紗 \end{cases}$

2.
$\begin{cases} \text{vice} 〔 \text{vaɪs} 〕 邪惡 \\ \text{vise} 〔 \text{vaɪs} 〕 老虎鉗 \end{cases}$

3.
$\begin{cases} \text{vain} 〔 \text{ven} 〕 無效的 \\ \text{vein} 〔 \text{ven} 〕 靜脈 \\ \text{vane} 〔 \text{ven} 〕 風信旗；風向計 \end{cases}$

W

1.
$\begin{cases} \text{war} 〔 \text{wɔr} 〕 戰爭 \\ \text{wore} 〔 \text{wɔr , wor} 〕 \textit{pt.} \text{ of wear} 穿；戴 \end{cases}$

2.
$\begin{cases} \text{ware} 〔 \text{wɛr} 〕 製品；用品 \\ \text{wear} 〔 \text{wɛr} 〕 穿；戴 \end{cases}$

3.
$\begin{cases} \text{warn} 〔 \text{wɔrn} 〕 警告 \\ \text{worn} 〔 \text{wɔrn , worn} 〕 \textit{pp.} \text{ of wear} 穿 \end{cases}$

4.
$\begin{cases} \text{waste} 〔 \text{west} 〕 浪費 \\ \text{waist} 〔 \text{west} 〕 腰 \end{cases}$

5.
$\begin{cases} \text{wave} 〔 \text{wev} 〕 波浪 \\ \text{waive} 〔 \text{wev} 〕 放棄 \end{cases}$

6.
$\begin{cases} \text{week} 〔 \text{wik} 〕 星期 \\ \text{weak} 〔 \text{wik} 〕 虛弱的 \end{cases}$

7.
$\begin{cases} \text{weigh} 〔 \text{we} 〕 稱…的重量 \\ \text{way} 〔 \text{we} 〕 道路；方式 \end{cases}$

8.
$\begin{cases} \text{weight} 〔 \text{wet} 〕 重量 \\ \text{wait} 〔 \text{wet} 〕 等 \end{cases}$

9.
$\begin{cases} \text{which} 〔 \text{wɪtʃ , hwɪtʃ} 〕 哪一個 \\ \text{witch} 〔 \text{wɪtʃ} 〕 巫婆 \end{cases}$

10.
$\begin{cases} \text{won} 〔 \text{wʌn} 〕 \textit{pt. \& pp.} \text{ of win} 贏 \\ \text{one} 〔 \text{wʌn} 〕 一個 \end{cases}$

11.
$\begin{cases} \text{would} 〔 \text{wʊd} 〕 \textit{pt.} \text{ of will} 將會 \\ \text{wood} 〔 \text{wʊd} 〕 木頭 \end{cases}$

12.
$\begin{cases} \text{wring} 〔 \text{rɪŋ} 〕 擰；絞 \\ \text{ring} 〔 \text{rɪŋ} 〕 戒指 \end{cases}$

Y

1.
$\begin{cases} \text{yoke} 〔 \text{jok} 〕 使結合 \\ \text{yolk} 〔 \text{jok , jolk} 〕 蛋黃 \end{cases}$

2.
$\begin{cases} \text{you} 〔 \text{ju} 〕 你；你們 \\ \text{yew} 〔 \text{ju} 〕 紫杉木 \\ \text{ewe} 〔 \text{ju} 〕 母羊 \end{cases}$

7. 單字的重音

I. 有下列字尾之單字，其重音皆在其字尾之前一音節

1. -ia

bacteria〔bæk'tɪrɪə〕細菌【複數】　　encyclopedia〔ɪn,saɪklə'pidɪə〕百科全書

cafeteria〔,kæfə'tɪrɪə〕自助餐廳　　pneumonia〔nju'monjə〕肺炎

2. -ial

artificial〔,ɑrtə'fɪʃəl〕人工的　　material〔mə'tɪrɪəl〕原料

ceremonial〔,sɛrə'monɪəl〕儀式的　　official〔ə'fɪʃəl〕官方的

controversial〔,kɑntrə'vɜʃəl〕有爭議的

3. -ible

accessible〔æk'sɛsəbḷ〕可接近的　　comprehensible〔,kɑmprɪ'hɛnsəbḷ〕可理解的

incredible〔ɪn'krɛdəbḷ〕令人無法相信的　　responsible〔rɪ'spɑnsəbḷ〕應負責任的

4. -ic, -ics, -ical

energetic〔,ɛnə'dʒɛtɪk〕精力充沛的

economical〔,ikə'nɑmɪkḷ , ,ɛk-〕節省的

patriotic〔,petrɪ'ɑtɪk〕愛國的　　political〔pə'lɪtɪkḷ〕政治的

phonetics〔fo'nɛtɪks , fə-〕語音學　　theoretical〔,θiə'rɛtɪkḷ〕理論上的

【重要例外】 arithmetic〔ə'rɪθmə,tɪk〕算術　　Catholic〔'kæθəlɪk〕天主教徒
lunatic〔'lunə,tɪk〕瘋狂的　　politic〔'pɑlə,tɪk〕精明的
politics〔'pɑlə,tɪks〕政治學　　rhetoric〔'rɛtərɪk〕修辭學

5. -ian

barbarian〔bɑr'bɛrɪən〕野蠻人　　musician〔mju'zɪʃən〕音樂家

comedian〔kə'midɪən〕喜劇演員　　politician〔,pɑlə'tɪʃən〕政治家

librarian〔laɪ'brɛrɪən〕圖書館員

6. -ion, -eon, -ean

affection〔ə'fɛkʃən〕情愛　　suspicion〔sə'spɪʃən〕懷疑

assumption〔ə'sʌmpʃən〕假定　　pigeon〔'pɪdʒən〕鴿子

companion〔kəm'pænjən〕同伴　　surgeon〔'sɝdʒən〕外科醫生

composition〔,kɑmpə'zɪʃən〕作文　　cerulean〔sə'rulɪən〕深藍色的

cushion〔'kuʃən , 'kuʃɪn〕坐墊　　Mediterranean〔,mɛdətə'renɪən〕地中海

【例外】 television〔'tɛlə,vɪʒən〕電視

7. **-ience**, **-iency**, **-ient**

conscience〔ˈkɑnʃəns〕良心　　sufficiency〔səˈfɪʃənsɪ〕充分；足夠

experience〔ɪkˈspɪrɪəns〕經驗　　convenient〔kənˈvinjənt〕方便的

efficiency〔əˈfɪʃənsɪ〕效率　　deficient〔dɪˈfɪʃənt〕不足的

proficiency〔prəˈfɪʃənsɪ〕熟練；精通　　impatient〔ɪmˈpeʃənt〕不耐煩的

8. **-eous**, **-ious**, **-uous**

courageous〔kəˈredʒəs〕勇敢的　　suspicious〔səˈspɪʃəs〕懷疑的

instantaneous〔ˌɪnstənˈtenɪəs〕瞬間的　　victorious〔vɪkˈtorɪəs〕勝利的

spontaneous〔spanˈtenɪəs〕自動自發的　　ambiguous〔æmˈbɪgjuəs〕含糊的

harmonious〔harˈmonɪəs〕和諧的　　continuous〔kənˈtɪnjuəs〕繼續的

9. **-ium**

aquarium〔əˈkwɛrɪəm〕水族館　　stadium〔ˈstedɪəm〕運動場；體育場

auditorium〔ˌɔdəˈtorɪəm〕禮堂　　uranium〔juˈrenɪəm〕鈾

calcium〔ˈkælsɪəm〕鈣

10. **-ify**（即倒數第三音節）

beautify〔ˈbjutəˌfaɪ〕美化　　magnify〔ˈmægnəˌfaɪ〕放大；擴大

classify〔ˈklæsəˌfaɪ〕分類　　modify〔ˈmɑdəˌfaɪ〕修改；修飾

clarify〔ˈklærəˌfaɪ〕淨化　　personify〔pəˈsɑnəˌfaɪ〕使擬人化

11. **-ety**

anxiety〔æŋˈzaɪətɪ〕焦慮　　society〔səˈsaɪətɪ〕社會

notoriety〔ˌnotəˈraɪətɪ〕惡名昭彰的人　　variety〔vəˈraɪətɪ〕變化；多樣性

piety〔ˈpaɪətɪ〕孝順

12. **-ity**

ability〔əˈbɪlətɪ〕能力　　majority〔məˈdʒɔrətɪ , -ˈdʒar-〕多數

calamity〔kəˈlæmətɪ〕災難　　minority〔məˈnɔrətɪ , maɪ-〕少數

electricity〔ɪˌlɛkˈtrɪsətɪ , ə- , ˌilɛk-〕電　　personality〔ˌpɝsṇˈælətɪ〕個性

13. **-ury**

century〔ˈsɛntʃərɪ〕世紀　　mercury〔ˈmɝkjərɪ〕水銀

luxury〔ˈlʌkʃərɪ〕奢侈　　treasury〔ˈtrɛʒərɪ〕寶庫

14. -meter

baro meter〔bə'ramətə〕氣壓計　　speedo meter〔spi'damətə〕速度計
dia meter〔daɪ'æmətə〕直徑　　thermo meter〔θə'mamətə〕溫度計

15. -liar

fami liar〔fə'mɪljə〕熟悉的　　pecu liar〔pɪ'kjuljə〕特殊的

16. -ior

beha vior〔bɪ'hevjə〕行為　　senior〔'sinjə〕年長的
inte rior〔ɪn'tɪrɪə〕內部的　　supe rior〔sə'pɪrɪə〕較優秀的
infe rior〔ɪn'fɪrɪə〕較差的

17. -ctor

condu ctor〔kən'dʌktə〕指揮者　　instru ctor〔ɪn'strʌktə〕講師
dire ctor〔də'rɛktə〕導演　　obstru ctor〔əb'strʌktə〕障礙物
inspe ctor〔ɪn'spɛktə〕檢查者　　prote ctor〔prə'tɛktə〕保護者

18. -sor

aggre ssor〔ə'grɛsə〕侵略者　　sponsor〔'spansə〕贊助者
profe ssor〔prə'fɛsə〕教授　　supervi sor〔ˌsupə'vaɪzə〕監督者

19. -sive

deci sive〔dɪ'saɪsɪv〕決定性的　　offen sive〔ə'fɛnsɪv〕無禮的；攻擊的
expen sive〔ɪk'spɛnsɪv〕昂貴的　　posse ssive〔pə'zɛsɪv〕所有的

20. -ish（只限動詞）

asto nish〔ə'stanɪʃ〕使驚訝　　extin guish〔ɪk'stɪŋgwɪʃ〕熄滅
accom plish〔ə'kamplɪʃ〕完成　　nourish〔'nɝɪʃ〕滋養

【註】 有 **-ish** 的形容詞，重音在前二音節
　　　fe verish〔'fivərɪʃ〕發燒的　　yellow ish〔'jɛloˑɪʃ〕略帶黃色的

21. -o

pot ato〔pə'teto〕馬鈴薯　　tom ato〔tə'meto〕蕃茄
toba cco〔tə'bæko〕煙草　　volc ano〔val'keno〕火山

II. 有下列字尾的單字，其重音在倒數第三音節

1. **-tude**

attitude〔ˈætəˌtjud〕態度　　longitude〔ˈlɑndʒəˌtjud〕經度

gratitude〔ˈgrætəˌtjud〕感激　　latitude〔ˈlætəˌtjud〕緯度

2. **-ute**

absolute〔ˈæbsəˌlut〕絕對的　　persecute〔ˈpɝsɪˌkjut〕迫害

constitute〔ˈkɑnstəˌtjut〕構成　　resolute〔ˈrɛzəˌlut〕堅決的

parachute〔ˈpærəˌʃut〕降落傘　　substitute〔ˈsʌbstəˌtjut〕用…代替

3. **-ate**

appropriate〔adj. əˈproprɪɪt, v. əˈproprɪˌet〕適合（的）；撥（款）

concentrate〔ˈkɑnsn̩ˌtret, -sɛn-〕集中　　desperate〔ˈdɛspərɪt〕絕望的

separate〔v. ˈsɛpəˌret, -prɪt, adj. n. ˈsɛpərɪt, -prɪt〕使分開；分開的；不同的

participate〔pəˈtɪsəˌpet, pɑr-〕參與

4. **-ite**

appetite〔ˈæpəˌtaɪt〕食慾　　opposite〔ˈɑpəzɪt〕相反的

definite〔ˈdɛfənɪt〕一定的；明確的　　satellite〔ˈsætl̩ˌaɪt〕人造衛星

【例外】impolite〔ˌɪmpəˈlaɪt〕無禮的

5. **-ise**

advertise〔ˈædvɚˌtaɪz〕為…刊登廣告　　merchandise〔ˈmɝtʃənˌdaɪz〕商品

compromise〔ˈkɑmprəˌmaɪz〕妥協　　paradise〔ˈpærəˌdaɪs〕天堂

enterprise〔ˈɛntɚˌpraɪz〕企業

6. **-ize**

apologize〔əˈpɑləˌdʒaɪz〕道歉　　fertilize〔ˈfɝtl̩ˌaɪz〕使肥沃

civilize〔ˈsɪvl̩ˌaɪz〕教化　　monopolize〔məˈnɑpl̩ˌaɪz〕壟斷

criticize〔ˈkrɪtəˌsaɪz〕批評

7. **-cide**

insecticide〔ɪnˈsɛktəˌsaɪd〕殺蟲劑　　patricide〔ˈpætrɪˌsaɪd〕弒父

matricide〔ˈmetrəˌsaɪd, ˈmætrə-〕弒母　　suicide〔ˈsuəˌsaɪd〕自殺

8. **-gram**

diagram〔'daɪə͵græm〕圖解　　telegram〔'tɛlə͵græm〕電報
kilogram〔'kɪlə͵græm〕公斤

9. **-graph**

paragraph〔'pærə͵græf〕段落　　phonograph〔'fonə͵græf , -͵grɑf〕留聲機
photograph〔'fotə͵græf〕照片

10. **-phy**

autobiography〔͵ɔtəbaɪ'ɑgrəfɪ〕自傳　　philosophy〔fə'lɑsəfɪ〕哲學
geography〔dʒi'ɑgrəfɪ〕地理學

11. **-thy**

apathy〔'æpəθɪ〕無情　　wealthy〔'wɛlθɪ〕有錢的
sympathy〔'sɪmpəθɪ〕同情　　trustworthy〔'trʌst͵wɝðɪ〕可信賴的

12. **-try**

chemistry〔'kɛmɪstrɪ〕化學　　industry〔'ɪndəstrɪ〕工業
geometry〔dʒi'ɑmətrɪ〕幾何學　　ministry〔'mɪnɪstrɪ〕部

13. **-ctory**

introductory〔͵ɪntrə'dʌktərɪ〕介紹的　　satisfactory〔͵sætɪs'fæktərɪ〕令人滿意的
manufactory〔͵mænjə'fæktərɪ〕工廠　　victory〔'vɪktərɪ , 'vɪktrɪ〕勝利

14. **-cy**

democracy〔də'mɑkrəsɪ〕民主政治　　policy〔'pɑləsɪ〕政策
diplomacy〔dɪ'ploməsɪ〕外交（手腕）　　privacy〔'praɪvəsɪ〕隱私
frequency〔'frikwənsɪ〕頻率　　vacancy〔'vekənsɪ〕空房間

15. **-dy**

comedy〔'kɑmədɪ〕喜劇　　remedy〔'rɛmədɪ〕治療法
malady〔'mælədɪ〕疾病　　tragedy〔'trædʒədɪ〕悲劇

16. **-gy**

biology〔baɪ'ɑlədʒɪ〕生物學　　mythology〔mɪ'θɑlədʒɪ〕神話
energy〔'ɛnɚdʒɪ〕精力　　strategy〔'strætədʒɪ〕策略

17. **-my**

academy〔ə'kædəmɪ〕學院　　economy〔ɪ'kanəmɪ〕經濟

astronomy〔ə'stranəmɪ〕天文學　　enemy〔'ɛnəmɪ〕敵人

18. **-ny**

balcony〔'bælkənɪ〕陽台　　destiny〔'dɛstənɪ〕命運

company〔'kʌmpənɪ〕公司　　monotony〔mə'natn̩ɪ〕單調

colony〔'kalənɪ〕殖民地　　symphony〔'sɪmfənɪ〕交響樂

19. **-sy**

courtesy〔'kɝtəsɪ〕禮貌　　hypocrisy〔hɪ'pakrəsɪ〕偽善

embassy〔'ɛmbəsɪ〕大使館　　jealousy〔'dʒɛləsɪ〕嫉妒

20. **-cle**

article〔'artɪkl̩〕文章　　obstacle〔'abstəkl̩〕障礙

bicycle〔'baɪ,sɪkl̩〕腳踏車　　particle〔'partɪkl̩〕粒子

miracle〔'mɪrəkl̩〕奇蹟　　spectacle〔'spɛktəkl̩〕奇觀

Ⅲ. 有下列字尾之單字，其重音在最後一音節

1. **-ade**

blockade〔bla'ked〕封鎖　　lemonade〔,lɛmən'ed〕檸檬汁

cascade〔kæs'ked〕小瀑布　　persuade〔pə'swed〕說服

【例外】　comrade〔'kamrɪd , 'kamræd〕同志

decade〔'dɛked , dɛk'ed〕十年　　renegade〔'rɛnə,ged〕 *n.* 叛徒

2. **-aire**

billionaire〔,bɪljən'ɛr , -ær〕億萬富翁　　millionaire〔,mɪljən'ɛr〕百萬富翁

questionnaire〔,kwɛstʃən'ɛr〕問卷

3. **-esque**

burlesque〔bə'lɛsk〕有諷刺性的　　picturesque〔,pɪktʃə'rɛsk〕如畫的

grotesque〔gro'tɛsk〕怪異的　　Romanesque〔,romən'ɛsk〕羅馬式的

4. **-ette**

brunette〔bru'nɛt〕有深褐色頭髮的　　cigarette〔,sɪgə'rɛt , 'sɪgə,rɛt〕香煙

cassette〔kə'sɛt〕卡式錄音匣　　gazette〔gə'zɛt〕…報；官報

【例外】　etiquette〔'ɛtɪ,kɛt〕禮節　　omelette〔'amlɪt , 'aməlɪt〕煎蛋捲

5. **-ee**

　　agr<u>ee</u>〔əˋgri〕同意　　employ<u>ee</u>〔ɪmˋplɔɪ‧i , ͵ɛmplɔɪˋi〕員工
　　guarant<u>ee</u>〔͵gærənˋti〕保證　　refug<u>ee</u>〔͵rɛfjʊˋdʒi〕難民

　　【例外】　coffee〔ˋkɔfɪ〕咖啡　　committee〔kəˋmɪtɪ〕委員會

6. **-eer**

　　car<u>eer</u>〔kəˋrɪr〕事業　　pion<u>eer</u>〔͵paɪəˋnɪr〕拓荒者；先鋒
　　engin<u>eer</u>〔͵ɛndʒəˋnɪr〕工程師　　volunt<u>eer</u>〔͵vɑlənˋtɪr〕志願者

7. **-ese**

　　Chin<u>ese</u>〔tʃaɪˋniz , tʃaɪˋnis〕中國人　　Japan<u>ese</u>〔͵dʒæpəˋniz〕日本人

8. **-oo**

　　bamb<u>oo</u>〔bæmˋbu〕竹子　　kangar<u>oo</u>〔͵kæŋəˋru〕袋鼠
　　shamp<u>oo</u>〔ʃæmˋpu〕洗髮精

　　【例外】　cuckoo〔ˋkʊku , kʊˋku〕布穀鳥

9. **-oon**

　　ball<u>oon</u>〔bəˋlun〕汽球　　drag<u>oon</u>〔drəˋgun〕騎兵
　　cart<u>oon</u>〔kɑrˋtun〕卡通　　typh<u>oon</u>〔taɪˋfun〕颱風

10. **-ose**

　　comp<u>ose</u>〔kəmˋpoz〕組成　　prop<u>ose</u>〔prəˋpoz〕提議
　　disp<u>ose</u>〔dɪˋspoz〕處置　　supp<u>ose</u>〔səˋpoz〕假定
　　imp<u>ose</u>〔ɪmˋpoz〕施加

　　【例外】　purpose〔ˋpɝpəs〕目的

11. **-igue**

　　fat<u>igue</u>〔fəˋtig〕疲勞　　intr<u>igue</u>〔ɪnˋtrig〕陰謀

12. **-ique**

　　ant<u>ique</u>〔ænˋtik〕古代的；古董　　un<u>ique</u>〔juˋnik〕獨特的
　　techn<u>ique</u>〔tɛkˋnik〕技術

13. **-ever**

　　how<u>ever</u>〔haʊˋɛvɚ〕然而　　what<u>ever</u>〔hwɑtˋɛvɚ〕無論什麼

14. **-self**

　　my<u>self</u>〔maɪˋsɛlf〕我自己　　your<u>self</u>〔jʊrˋsɛlf〕你自己

IV. 以 **abb, acc, aff, all, ann, app, arr, ass, att** 等字首開頭的動詞均不重讀，其重音通常在第二音節上

abbreviate〔ə'brivɪ,et〕縮寫　　acc omplish〔ə'kamplɪʃ〕完成　　all ow〔ə'lau〕允許

ann ounce〔ə'nauns〕宣布　　app oint〔ə'pɔɪnt〕指派　　arr ange〔ə'rendʒ〕安排

ass ociate〔v. ə'soʃɪ,et , n. adj. ə'soʃɪɪt〕聯想；同事；同事的　　att end〔ə'tɛnd〕參加；上（學）

在上面諸動詞之後如接名詞尾 -ance 或 -ment 時，其重音位置不變

allowance〔ə'lauəns〕零用錢　　accomplishment〔ə'kamplɪʃmənt〕成就

appointment〔ə'pɔɪntmənt〕約會

【注意】如接 tion 則重音移至倒數第二音節上

abbreviation〔ə,brivɪ'eʃən〕縮寫　　association〔ə,sosɪ'eʃən , ə,soʃɪ'eʃən〕協會

V. 以 **be, coll, com, con, corr, de, dis, em, en, im, in, mis, per, pre, pro, re, sub, suc, sug, sup, sus, trans** 等字首開頭的動詞均不重讀，其重音通常在第二音節

behold〔bɪ'hold〕看【文學語】　　collect〔kə'lɛkt〕收集　　compare〔kəm'pɛr〕比較

consider〔kən'sɪdə〕考慮　　correct〔kə'rɛkt〕正確的　　define〔dɪ'faɪn〕下定義

dispatch〔dɪ'spætʃ〕派遣　　employ〔ɪm'plɔɪ〕雇用　　encourage〔ɪn'kɝɪdʒ〕鼓勵

improve〔ɪm'pruv〕改善　　inform〔ɪn'fɔrm〕通知　　mistake〔mə'stek〕錯誤

perform〔pə'fɔrm〕執行　　presume〔prɪ'zum〕推測；假定　　produce〔prə'djus〕生產

repeat〔rɪ'pit〕重複　　subscribe〔səb'skraɪb〕訂閱　　succeed〔sək'sid〕成功

suggest〔səg'dʒɛst , sə'dʒɛst〕建議　　supply〔sə'plaɪ〕供給　　suspect〔sə'spɛkt〕懷疑

transfer〔v. træns'fɝ , n. 'trænsfɝ〕轉移　　translate〔træns'let , 'trænslet〕翻譯

【例外】 emphasize〔'ɛmfə,saɪz〕強調

VI. 字中有 -trib- 音節者其重音必在該音節上

attribute〔v. ə'trɪbjut , n. 'ætrə,bjut〕v. 歸因於　　n. 屬性

contribute〔kən'trɪbjut〕貢獻　　distributive〔dɪ'strɪbjətɪv〕分配的

但如字尾是 tion 則重音須依 ion 之重音規則，即在倒數第二音節

contribution〔,kantrə'bjuʃən〕貢獻；捐獻

VII. 具有下列字首的單字，其重音在第一音節

1. **any-**, **every-**

anybody〔'ɛnɪ,badɪ〕任何人　　anyhow〔'ɛnɪ,hau〕無論如何

everyone〔'ɛvrɪ,wʌn〕每個人

2. **some-**, **no-**, **by-**

somebody〔'sʌm,badɪ〕某人　　something〔'sʌmθɪŋ〕某事

somehow〔'sʌm,hau〕以某種方法　　somewhat〔'sʌm,hwat , 'sʌmhwət〕有一點

nobody〔'no,badɪ , 'nobʌdɪ , -bədɪ〕無人　　by-election〔'baɪɪ,lɛkʃən〕補選

練習 1：請選出重音落於相同號碼之各組。

1. (A) <u>ab</u>-<u>sen</u>-tee
　　　1　2　3

　(B) <u>ab</u>-<u>so</u>-lute
　　　1　2　3

　(C) <u>ac</u>-ces-<u>sa</u>-<u>ry</u>
　　　1　2　3　4

　(D) <u>ac</u>-ci-<u>den</u>-<u>tal</u>
　　　1　2　3　4

　(E) <u>ac</u>-com-<u>mo</u>-<u>da</u>-tion
　　　1　2　3　4　5

2. (A) <u>ac</u>-cu-<u>rate</u>
　　　1　2　3

　(B) ad-<u>van</u>-tage
　　　1　2　3

　(C) <u>ad</u>-<u>mi</u>-ra-<u>ble</u>
　　　1　2　3　4

　(D) <u>ag</u>-<u>ri</u>-cul-<u>ture</u>
　　　1　2　3　4

　(E) as-<u>cer</u>-tain
　　　1　2　3

3. (A) <u>ad</u>-e-<u>quate</u>
　　　1　2　3

　(B) <u>al</u>-pha-<u>bet</u>-i-<u>cal</u>
　　　1　2　3　4　5

　(C) <u>an</u>-<u>ec</u>-dote
　　　1　2　3

　(D) an-<u>ni</u>-<u>hi</u>-<u>late</u>
　　　1　2　3　4

　(E) <u>ap</u>-pe-<u>tite</u>
　　　1　2　3

4. (A) ad-<u>mire</u>
　　　1　2

　(B) ad-<u>van</u>-ta-geous
　　　1　2　3　4

　(C) al-<u>ter</u>-na-<u>tive</u>
　　　1　2　3　4

　(D) <u>an</u>-ces-<u>tor</u>
　　　1　2　3

　(E) <u>anx</u>-i-e-ty
　　　1　2 3 4

5. (A) an-<u>tic</u>-i-<u>pate</u>
　　　1　2　3　4

　(B) ap-<u>pro</u>-pri-<u>ate</u>
　　　1　2　3　4

　(C) ap-<u>prov</u>-al
　　　1　2　3

　(D) <u>ar</u>-chi-<u>tect</u>
　　　1　2　3

　(E) ar-<u>ti</u>-<u>fi</u>-<u>cial</u>
　　　1　2　3　4

6. (A) <u>ar</u>-chi-<u>tec</u>-<u>ture</u>
　　　1　2　3　4

　(B) al-<u>though</u>
　　　1　2

　(C) a-<u>rith</u>-<u>me</u>-<u>tic</u>
　　　1　2　3　4

　(D) ap-<u>pre</u>-ci-<u>ate</u>
　　　1　2　3　4

　(E) un-<u>der</u>-stand
　　　1　2　3

7. (A) <u>at</u>-<u>ti</u>-<u>tude</u>
　　　1 2 3

　(B) At-<u>lan</u>-tic
　　　1　2　3

　(C) au-<u>to</u>-bi-<u>og</u>-ra-phy
　　　1　2　3　4　5　6

　(D) be-<u>nev</u>-o-<u>lent</u>
　　　1　2　3　4

　(E) ca-<u>lam</u>-i-ty
　　　1　2　3 4

8. (A) <u>at</u>-mos-<u>phere</u>
　　　1　2　　3

　(B) ba-<u>rom</u>-e-ter
　　　1　2　3　4

　(C) bi-<u>og</u>-ra-<u>phy</u>
　　　1　2　3　4

　(D) ca-<u>reer</u>
　　　1　2

　(E) con-<u>grat</u>-u-<u>late</u>
　　　1　2　3　4

---

1. (A)(D)　　　〔A3, B1, C2, D3, E4〕
2. (A)(C)(D)　〔A1, B2, C1, D1, E3〕
3. (A)(C)(E)　〔A1, B3, C1, D2, E1〕
4. (A)(C)(E)　〔A2, B3, C2, D1, E2〕
5. (A)(B)(C)　〔A2, B2, C2, D1, E3〕
6. (B)(C)(D)　〔A1, B2, C2, D2, E3〕
7. (B)(D)(E)　〔A1, B2, C4, D2, E2〕
8. (B)(C)(D)(E)〔A1, B2, C2, D2, E2〕

練習 2：請選出重音落於相同號碼之各組。

1. (A) <u>cal</u>-en-dar
　　 1　　2　　3

(B) ca-<u>nal</u>
　　1　　2

(C) <u>cir</u>-cum-stance
　　1　　2　　　3

　 (D) <u>com</u>-fort
　　 1　　2

(E) <u>com</u>-merce
　　1　　2

2. (A) cig-a-<u>rette</u>
　　 1　 2　　3

(B) cer-<u>tif</u>-i-cate
　　1　　2　3　4

(C) com-<u>mend</u>
　　1　　2

　 (D) com-<u>mit</u>-<u>tee</u>
　　 1　　2　　3

(E) <u>con</u>-cen-trate
　　1　　2　　3

3. (A) <u>com</u>-pa-ra-<u>ble</u>
　　 1　　2　 3　 4

(B) <u>com</u>-pli-cat-ed
　　1　　2　　3　4

(C) con-<u>cise</u>
　　1　　2

　 (D) <u>com</u>-pro-mise
　　 1　　2　　3

(E) dem-o-<u>crat</u>-ic
　　1　 2　　3　4

4. (A) con-<u>sci</u>-en-tious
　　 1　　2　 3　　4

(B) con-<u>spic</u>-u-ous
　　1　　2　 3　 4

(C) con-<u>tem</u>-po-ra-ry
　　1　　2　　3　4　5

　 (D) <u>dram</u>-a-tist
　　 1　 2　 3

(E) dis-<u>as</u>-trous
　　1　 2　　3

5. (A) con-<u>ser</u>-va-<u>tive</u>
　　 1　　2　 3　　4

(B) con-<u>tin</u>-ue
　　1　　2　3

(C) con-<u>trib</u>-ute
　　1　　2　　3

　 (D) cre-<u>ate</u>
　　 1　　2

(E) <u>dem</u>-o-crat
　　1　 2　 3

6. (A) de-<u>moc</u>-ra-cy
　　 1　　2　 3　4

(B) <u>dem</u>-on-strate
　　1　　2　　3

(C) de-<u>ter</u>-mine
　　1　　2　　3

　 (D) di-<u>am</u>-e-ter
　　 1　 2　3　 4

(E) dis-<u>trib</u>-ute
　　1　　2　 3

7. (A) <u>dip</u>-lo-<u>mat</u>
　　 1　　2　 3

(B) e-co-<u>nom</u>-ic
　　1　 2　　3　 4

(C) e-co-<u>nom</u>-ics
　　1　 2　　3　　4

　 (D) e-<u>con</u>-o-my
　　 1　 2　3　4

(E) en-gi-<u>neer</u>
　　1　 2　　3

8. (A) dis-<u>turb</u>-ance
　　 1　　2　　3

(B) Eu-ro-<u>pe</u>-an
　　1　 2　　3　4

(C) ex-<u>ag</u>-ger-<u>ate</u>
　　1　　2　　3　 4

　 (D) fa-<u>mil</u>-i-ar-i-ty
　　 1　 2　 3 4 5 6

(E) ex-<u>clam</u>-a-to-ry
　　1　　2　 3　4　5

---

1. (A)(C)(D)(E)	〔A1, B2, C1, D1, E1〕	5. (A)(B)(C)(D)	〔A2, B2, C2, D2, E1〕
2. (B)(C)(D)	〔A3, B2, C2, D2, E1〕	6. (A)(C)(D)(E)	〔A2, B1, C2, D2, E2〕
3. (A)(B)(D)	〔A1, B1, C2, D1, E3〕	7. (B)(C)(E)	〔A1, B3, C3, D2, E3〕
4. (B)(C)(E)	〔A3, B2, C2, D1, E2〕	8. (A)(C)(E)	〔A2, B3, C2, D4, E2〕

練習 3：請選出重音落於相同號碼之各組。

1. (A) <u>e</u>-co-<u>nom</u>-i-cal
   1　2　　3　　4　5

   (B) <u>ed</u>-<u>u</u>-<u>cate</u>
   1　2　　3

   (C) <u>el</u>-<u>e</u>-<u>va</u>-<u>tor</u>
   1　2　　3　　4

   (D) <u>en</u>-<u>ter</u>-<u>prise</u>
   1　　2　　3

   (E) <u>E</u>-<u>liz</u>-<u>a</u>-<u>beth</u>
   1　2　　3　　4

2. (A) <u>ex</u>-<u>cuse</u>
   1　　2

   (B) <u>en</u>-<u>er</u>-<u>get</u>-<u>ic</u>
   1　2　　3　　4

   (C) <u>fa</u>-<u>tigue</u>
   1　　2

   (D) <u>fre</u>-<u>quent</u> (*adj.*)
   1　　2

   (E) <u>ha</u>-<u>bit</u>-<u>u</u>-<u>al</u>
   1　2　　3　　4

3. (A) <u>en</u>-<u>ter</u>-<u>tain</u>
   1　2　　3

   (B) <u>how</u>-<u>ev</u>-<u>er</u>
   1　　2　　3

   (C) <u>im</u>-<u>i</u>-<u>tate</u>
   1　2　　3

   (D) <u>in</u>-<u>fa</u>-<u>mous</u>
   1　2　　3

   (E) <u>in</u>-<u>stru</u>-<u>ment</u>
   1　2　　3

4. (A) <u>fan</u>-<u>tas</u>-<u>tic</u>
   1　2　　3

   (B) <u>ho</u>-<u>ri</u>-<u>zon</u>
   1　　2　　3

   (C) <u>hes</u>-<u>i</u>-<u>tate</u>
   1　　2　　3

   (D) <u>hor</u>-<u>i</u>-<u>zon</u>-<u>tal</u>
   1　2　　3　　4

   (E) <u>in</u>-<u>di</u>-<u>vid</u>-<u>u</u>-<u>al</u>-<u>i</u>-<u>ty</u>
   1　2　　3　　4　5　6　7

5. (A) <u>ig</u>-<u>no</u>-<u>rance</u>
   1　2　　3

   (B) <u>im</u>-<u>mi</u>-<u>grant</u>
   1　2　　3

   (C) <u>in</u>-<u>ter</u>-<u>fer</u>-<u>ence</u>
   1　2　　3　　4

   (D) <u>in</u>-<u>ci</u>-<u>dent</u>
   1　2　　3

   (E) <u>ther</u>-<u>mom</u>-<u>e</u>-<u>ter</u>
   1　　2　　3　　4

6. (A) <u>im</u>-<u>me</u>-<u>di</u>-<u>ate</u>
   1　2　　3　　4

   (B) <u>in</u>-<u>di</u>-<u>vid</u>-<u>u</u>-<u>al</u>
   1　2　　3　　4　5

   (C) <u>in</u>-<u>dus</u>-<u>tri</u>-<u>al</u>
   1　　2　　3　　4

   (D) <u>in</u>-<u>dus</u>-<u>try</u>
   1　2　　3

   (E) <u>in</u>-<u>ter</u>-<u>pret</u>
   1　2　　3

7. (A) <u>in</u>-<u>tel</u>-<u>lect</u>
   1　2　　3

   (B) <u>in</u>-<u>ter</u>-<u>est</u>-<u>ing</u>
   1　2　　3　　4

   (C) <u>in</u>-<u>ter</u>-<u>fere</u>
   1　2　　3

   (D) <u>in</u>-<u>ter</u>-<u>pret</u>-<u>er</u>
   1　2　　3　　4

   (E) <u>in</u>-<u>ti</u>-<u>mate</u>
   1　2　　3

8. (A) <u>in</u>-<u>tel</u>-<u>lec</u>-<u>tu</u>-<u>al</u>
   1　2　　3　　4　5

   (B) <u>in</u>-<u>ter</u>-<u>val</u>
   1　2　　3

   (C) <u>lam</u>-<u>en</u>-<u>ta</u>-<u>ble</u>
   1　　2　　3　　4

   (D) <u>lit</u>-<u>er</u>-<u>a</u>-<u>ture</u>
   1　2　　3　　4

   (E) <u>mel</u>-<u>an</u>-<u>chol</u>-<u>y</u>
   1　　2　　3　　4

---

1. (B)(C)(D)	〔A3, B1, C1, D1, E2〕	5. (A)(B)(D)	〔A1, B1, C3, D1, E2〕
2. (A)(C)(E)	〔A2, B3, C2, D1, E2〕	6. (A)(C)(E)	〔A2, B3, C2, D1, E2〕
3. (C)(D)(E)	〔A3, B2, C1, D1, E1〕	7. (A)(B)(E)	〔A1, B1, C3, D2, E1〕
4. (A)(B)	〔A2, B2, C1, D3, E5〕	8. (B)(C)(D)(E)	〔A3, B1, C1, D1, E1〕

練習 4：請選出重音落於相同號碼之各組。

1. (A) <u>in</u>-tro-<u>duce</u>　　　(B) <u>math</u>-e-<u>mat</u>-ics　　　(C) <u>me</u>-<u>trop</u>-o-<u>lis</u>
　　　　1　2　　3　　　　　　　1　　2　　3　4　　　　　　　1　　2　　3　4

　　(D) <u>mod</u>-er-<u>ate</u>　　　(E) <u>moun</u>-tain-<u>eer</u>
　　　　1　2　　3　　　　　　　1　　2　　3

2. (A) <u>mo</u>-<u>men</u>-<u>ta</u>-<u>ry</u>　　(B) <u>mo</u>-<u>not</u>-<u>o</u>-<u>nous</u>　　(C) <u>ne</u>-<u>ces</u>-<u>si</u>-<u>ty</u>
　　　　1　　2　　3　4　　　　　1　　2　3　4　　　　　　1　　2　3　4

　　(D) <u>mu</u>-<u>se</u>-<u>um</u>　　　(E) <u>op</u>-<u>por</u>-<u>tu</u>-<u>ni</u>-<u>ty</u>
　　　　1　2　　3　　　　　　　1　　2　　3　4　5

3. (A) <u>oc</u>-<u>cur</u>-<u>rence</u>　　(B) <u>or</u>-<u>ches</u>-<u>tra</u>　　　(C) <u>par</u>-<u>tic</u>-u-<u>lar</u>
　　　　1　　2　　3　　　　　　1　　2　　3　　　　　　1　　2　3　4

　　(D) <u>pe</u>-<u>cul</u>-<u>iar</u>　　　(E) <u>per</u>-<u>ceive</u>
　　　　1　2　　3　　　　　　　1　　2

4. (A) <u>or</u>-i-<u>gin</u>　　　　(B) <u>pho</u>-to-<u>graph</u>　　　(C) <u>pho</u>-<u>tog</u>-ra-<u>pher</u>
　　　　1　2　3　　　　　　　1　　2　　3　　　　　　1　　2　　3　4

　　(D) <u>pol</u>-i-<u>tics</u>　　　(E) <u>pic</u>-<u>tur</u>-<u>esque</u>
　　　　1　2　3　　　　　　　1　　2　　3

5. (A) <u>pi</u>-o-<u>neer</u>　　　(B) <u>pho</u>-<u>tog</u>-ra-<u>phy</u>　　(C) <u>pref</u>-<u>ace</u>
　　　　1　2　3　　　　　　　1　　2　　3　4　　　　　　1　　2

　　(D) <u>pre</u>-<u>fec</u>-<u>ture</u>　　(E) <u>pref</u>-<u>er</u>-<u>a</u>-<u>ble</u>
　　　　1　2　　3　　　　　　1　　2　3　4

6. (A) <u>pre</u>-<u>fer</u>　　　　(B) <u>pref</u>-<u>er</u>-<u>ence</u>　　(C) <u>pu</u>-<u>ri</u>-<u>fy</u>
　　　　1　2　　　　　　　　1　　2　3　　　　　　　1　2　3

　　(D) <u>rec</u>-<u>om</u>-<u>mend</u>　　(E) <u>rec</u>-<u>og</u>-<u>nize</u>
　　　　1　　2　　3　　　　　　1　　2　3

7. (A) <u>re</u>-<u>fer</u>　　　　(B) <u>rep</u>-<u>re</u>-<u>sent</u>　　　(C) <u>sac</u>-<u>ri</u>-<u>fice</u>
　　　　1　2　　　　　　　　1　　2　3　　　　　　　1　　2　3

　　(D) <u>sat</u>-<u>is</u>-<u>fac</u>-<u>to</u>-<u>ry</u>　(E) <u>sci</u>-<u>en</u>-<u>tif</u>-<u>ic</u>
　　　　1　2　3　　4　5　　　　1　　2　3　4

8. (A) <u>sat</u>-<u>is</u>-<u>fy</u>　　　(B) <u>sim</u>-<u>ul</u>-<u>ta</u>-<u>ne</u>-<u>ous</u>　(C) <u>spir</u>-<u>it</u>-<u>u</u>-<u>al</u>
　　　　1　2　3　　　　　　　1　　2　3　4　5　　　　1　2　3　4

　　(D) <u>su</u>-<u>pe</u>-<u>ri</u>-<u>or</u>　　(E) <u>veg</u>-<u>e</u>-<u>ta</u>-<u>ble</u>
　　　　1　2　3　4　　　　　1　　2　3　4

---

1. (A)(B)(E)	〔A3, B3, C2, D1, E3〕	5. (C)(D)(E)	〔A3, B2, C1, D1, E1〕
2. (B)(C)(D)	〔A1, B2, C2, D2, E3〕	6. (B)(C)(E)	〔A2, B1, C1, D3, E1〕
3. (A)(C)(D)(E)	〔A2, B1, C2, D2, E2〕	7. (B)(D)(E)	〔A2, B3, C1, D3, E3〕
4. (A)(B)(D)	〔A1, B1, C2, D1, E3〕	8. (A)(C)(E)	〔A1, B3, C1, D2, E1〕

8. 字群的重音

1. 複合名詞重音在第一個字（複合名詞爲二個以上的字所組成，視爲單一名詞）

(1) 凡有連字號或已完全合成之複合名詞，不論由何種詞類合成，重音在第一個字。

áfterthought（回想）　　blúebook（社會名人錄）　　blúejacket（水兵）

blúeprint（藍圖）　　blúestocking（才女；女學者）　　bláckball（反對票）

bláckmail（勒索）　　chéapskate（小氣鬼）　　dárkroom（暗房）

fíre-eater（吞火的人；脾氣火爆者）　　fármhouse（農舍）

gréenhouse（溫室）　　gréenback（美鈔）　　gréenroom（演員休息室；後台）

híghway（公路）　　hóuseguest（在家過夜的訪客）　　hóusewife（家庭主婦）

líghthouse（燈塔）　　mád-doctor（精神病科醫生）　　schóolboy（男學生）

stréet-lamp（街燈）　　shórthand（速記）　　stróngbox（保險櫃）

wátchmaker（錶匠）　　wrístband（襯衫等的袖口）　　córnflakes（玉米片）

hóusekeeper（女管家）…………。

(2) ′n + n 重音在第一個名詞。

concentrátion camp（集中營）　　bárber shop（理髮店）　　cóffee cup（咖啡杯）

wéather bureau（氣象局）　　políce station（警察局）　　assémbly line（裝配線）

bús ticket（公車票）　　stóck market（股票市場）　　súrface mail（平信）

detéctive movie（偵探電影）　　sóup spoon（湯匙）　　cótton mill（紡織廠）

íce skate（溜冰鞋）　　mílk bottle（奶瓶）　　frúit store（水果店）

táxi cab（計程車）　　óil field（油田）　　góld fever（淘金熱）

wáter glass（玻璃杯）　　*retúrn visit（覆診）　　ráin cap（雨帽）

fáiry tale（童話）　　*retúrn ticket（來回票）…………。

【註1】　重音不同，造成意義不同。

　　wóman doctor（婦科醫生）　　　bríck yard（磚廠）
　　woman dóctor（女醫師）　　　　brick yárd（磚舖的庭院）

　　héad doctor（精神科醫生）
　　head dóctor（主治醫師）

【註2】　字序掉換，重音改變，字義也不同。

　　hóuse dog（家犬；守門犬）
　　dóghouse（狗屋）

　　wátchdog（警犬；監視者）
　　dógwatch（二小時輪換的值班；額外值班）

【例外 1 】第一個名詞表地方時，重音在第二個名詞。

city góvernment（市政府）　　Atlantic Ócean（大西洋）

school diplóma（畢業證書）　　front dóor（正門）　　Pacific Ócean（太平洋）

office týpewriter（辦公室的打字機）　　downtown tráffic（市區交通）

school líbrary（學校圖書館）　　kitchen líght（廚房的燈）　　city háll（市政廳）

church státue（教堂雕像）　　kitchen stóve（廚房爐子）　　side dóor（側門）

basement flóor（地下室的地板）　　workshop bénch（工廠的長椅）

garden bénch（花園的長椅）　　state ecónomy（國家經濟）

Washington Univérsity（華盛頓大學）　　Yale Univérsity（耶魯大學）

但下列的字群最重音在第一個字。

líbrary book（圖書館的書）　　líbrary card（借書證）　　hóme run（全壘打）

bánk deposit（銀行存款）　　schóol book（教科書）　　óffice clerk（職員）

fárm equipment（農場設備）　　chúrch steeple（教堂的尖塔）

príson sentence（監禁判決）　　óffice worker（辦公人員）

óffice boy（辦公室的工友）　　óffice manager（辦公室經理）

fárm hand（農場工人）　　schóol teacher（學校老師）

bánk clerk（銀行職員）　　schóol board〔（學區的）教育委員會〕

hóuse detective〔（旅館、商店等的）保全人員；警衛〕　　hóuse key（房門鑰匙）

bánk manager（銀行經理）　　bánk director（銀行理事）

cíty manager（市政管理官員）　　cíty dweller（城市居民）

chúrch attendance（上教堂的人）　　fáctory worker（工廠工人）

stréet cleaner（清道夫）　　fíeld events（田賽項目）　　schóol bus（校車）

schóol building（學校建築物）　　stréet corner（街角）

【例外 2 】第二個名詞為第一個名詞原料製成，或涉及食物時，重音在第二個名詞。

gold wátch（金錶）　　silver spóon（銀湯匙）　　iron dóor（鐵門）

steel lóck（鋼鎖）　　glass dóor（玻璃門）　　stone wáll（石牆）

brick hóuse（磚房）　　wood stíck（木棍）　　paper cáp（紙帽）

wool súit（羊毛西裝）　　cotton dréss（棉質衣服）　　leather glóves（皮手套）

leather shóes（皮鞋）　　leather jácket（皮夾克）　　cotton nápkin（棉質餐巾）

linen nápkin（亞麻餐巾）　　fur cóat（毛皮大衣）　　curry ríce（咖哩飯）

steak dínner（牛排大餐）　　beef stéak（牛排）　　peach píe（桃子餅）

chocolate mílk（巧克力牛奶）　　chocolate púdding（巧克力布丁）

ham ómelette（火腿蛋捲）　　lettuce sálad（萵苣沙拉）　　ice créam（冰淇淋）

milk chócolate（牛奶巧克力）　　tomato sándwich（蕃茄三明治）

tomato sóup（蕃茄湯）　　veal stéw（燉牛肉）

但下列字群最重音在第一個字。（以下字群重音，許多參考書標錯）

<u>frúit</u> juice（果汁）　　<u>grápe</u> juice（葡萄汁）　　<u>órange</u> juice（柳橙汁）

<u>tomáto</u> juice（蕃茄汁）　　<u>papáya</u> juice（木瓜汁）　　<u>swéet</u> potato（蕃薯）

<u>lémon</u> juice（檸檬汁）　　<u>potáto</u> chips（洋芋片）

<u>spaghétti</u> sauce（義大利麵醬）　　<u>banána</u> oil（香蕉油）

<u>brán</u> flakes（穀麥片）　　<u>potáto</u> flakes（馬鈴薯薄片）

<u>cóffee</u> cream（咖啡奶油）　　<u>cóffee</u> cake（咖啡蛋糕）

【例外 3】有關<u>時間</u>、<u>四季</u>、<u>月份</u>重音在第二個名詞。

summer <u>cóat</u>（夏天的外套）　　summer <u>súit</u>（夏裝）

autumn <u>ráin</u>（秋雨）　　midsummer <u>dréam</u>（仲夏夢）

morning <u>néws</u>（晨間新聞）　　winter <u>wéather</u>（冬天的天氣）

happy June <u>bríde</u>（快樂的六月新娘）　　April <u>ráin</u>（四月雨）

May <u>flówer</u>（五月花）　　evening <u>néws</u>（晚間新聞）

tomorrow <u>mórning</u>（明天早上）

但下列字群重讀在第一個字。

<u>Sáturday</u> morning　　<u>dáy</u> school（日校）

<u>níght</u> school（夜校）　　<u>Súnday</u> morning

【例外 4】student <u>Únion</u>（學生聯盟）　　guest <u>spéaker</u>（特邀演講者）

<u>ápple</u> p<u>íe</u>（蘋果派）　　child <u>dóctor</u>（小兒科醫生）

⑶ **三個名詞連成一個複合名詞，重音在第一個名詞，次重音在第三個名詞。**

<u>spéech</u> improvement class（演講訓練班）

<u>áir</u> conditioning unit（空氣調節機）

<u>depártment</u> store manager（百貨公司經理）

<u>gás</u> station attendant（加油站職員）

<u>píng</u>-pong table（兵乓球桌）　　<u>grócery</u> store owner（雜貨店所有人）

<u>Póst</u> Office Department〔（美國）郵政部〕

2. 名和姓或頭銜和姓的字群和同位語，重音在最後一個字

Mary <u>Cóoper</u>（瑪麗·庫伯）　　Richard Franklin <u>Gráy</u>（理察·富蘭克林·格瑞）

John Abe <u>Róberts</u>（約翰·阿貝·羅勃茲）　　Mrs. <u>Róbinson</u>（羅賓遜太太）

Miss <u>Jónes</u>（瓊斯小姐）　　Mr. <u>Smíth</u>（史密斯先生）

Dr. <u>Stóne</u>（史東醫生）　　President <u>Fórd</u>（福特總統）

Uncle <u>Jóe</u>（喬伊叔叔）　　Admiral <u>Whíte</u>（懷特將軍）

my boyfriend <u>Dávid</u>（我的男朋友大衛）

3. 形容詞 + 名詞，重音在名詞

　　smart stúdent（聰明的學生）　　cloudy dáy（多雲的日子）

　　speedy retréat（迅速的撤退）　　long róad（漫長的道路）

　　excellent schóol（很好的學校）　　quiet hóspital（安靜的醫院）

　　English úsage（英文的用法）　　important léssons（重要的課程）

　　his pícture（他的畫）　　hungry ánimal（飢餓的動物）

　　beautiful piáno（漂亮的鋼琴）　　upstairs wíndow（樓上的窗戶）

　　basic Énglish（基本英文）

【例外】形容詞加名詞，構成複合名詞，含有特殊意義，重音在前面。

　　　　hígh school（高中）　　thís way（這邊）

　　　　déntal appointment（牙科約診）　　míddle school（中學）

　　　　eléctric shop（電器行）　　médical school（醫學院）

　　　　vocátional school（職業學校）

【註 1】有些字重音不同，意義會不同。

　　{ Énglish teacher（教英文的老師，′n＋n 表功用）
　　{ English téacher（英國籍的老師，*adj.* ＋ ′n）

　　{ Whíte House（白宮）　　　　　{ hót plate（電爐）
　　{ white hóuse（白色的房子）　　　{ hot pláte（熱的盤子）

　　{ bíg top（馬戲團的大帳蓬）
　　{ big tóp（巨大的頂蓋）

【註 2】下列幾項要分清楚複合名詞或形容詞 + 名詞。

　　{ dárkroom（暗房）　　　　　{ bláckbird（黑鸝）
　　{ dark róom（黑暗的房間）　　{ black bírd（黑色的鳥）

　　{ gréenhouse（溫室）
　　{ green hóuse（綠色的房子）

4. 名詞 + 形容詞，重音在形容詞

　　Alexander the Gréat（亞歷山大大帝）　　Asia Mínor（小亞細亞）

　　a consul géneral（總領事）　　God Almíghty（全能的上帝）

　　a governor géneral（總督）　　an heir appárent（法定繼承人）

　　Henry the Éighth（亨利八世）　　on Monday néxt（下星期一）

　　the President eléct（總統當選人）　　on Sunday lást（上星期天）

　　court mártial（軍事法庭）　　Poet Láureate（桂冠詩人）

　　the sum tótal（總數）

5. 形容詞 + 形容詞 + 名詞，重音在名詞

> a funny old <u>lády</u>（一位有趣的老太太）
> a marvelous green <u>désk</u>（一張很棒的綠色書桌）
> a big black <u>cát</u>（一隻大黑貓）　　a wonderful new <u>cár</u>（一輛很棒的新車）
> a long interesting <u>létter</u>（一封又長又有趣的信）
> a tired hungry <u>bóy</u>（一個又累又餓的男孩）
> some dirty white <u>shóes</u>（一些髒的白鞋子）

6. 形容詞 + 形容詞 + 複合名詞，重音在第一個名詞

> a long difficult <u>grámmar</u> book（一本又冗長又困難的文法書）
> a new red <u>fíre</u> engine（一輛新的紅色救火車）
> an interesting old <u>téapot</u>（一個有趣的舊茶壺）
> a beautiful gold <u>wrístwatch</u>（一只漂亮的金手錶）

7. 人稱名詞所有格 + 名詞，重音在人稱名詞

> <u>ófficer's</u> club（軍官俱樂部）　　<u>Fáther's</u> Day（父親節）
> <u>wómen's</u> rights（婦女的權利）　　<u>chíldren's</u> hospital（兒童醫院）
> <u>ládies'</u> shoes（女鞋）

8. 無生物所有格（時間、價值、距離、重量）+ 名詞，重音在名詞

> this month's <u>sálary</u>（這個月的薪水）　　two weeks' <u>vacátion</u>（兩個星期的假期）
> three dollars' <u>wórth</u>（三塊錢的價值）　　twenty minutes' <u>bréak</u>（二十分鐘的休息）
> today's <u>páper</u>（今天的報紙）　　a boat's <u>léngth</u>（一條船的長度）

9. 分詞 + 名詞，重音在名詞（現在分詞修飾名詞，表狀態）

> a dancing <u>gírl</u>（一個正在跳舞的女孩）　　a running <u>dóg</u>（一隻正在跑的狗）
> a walking <u>díctionary</u>（一本活字典；博學之士）
> a sleeping <u>báby</u>（一個正在睡覺的嬰兒）　　a drinking <u>hórse</u>（一匹正在喝水的馬）

10. 動名詞 + 名詞，重音在動名詞（動名詞和名詞一樣加上名詞構成複合名詞，此時動名詞表示用途或功用）

> <u>dáncing</u> girl（舞女）　　<u>sléeping</u> car（臥車）　　<u>vísiting</u> card（名片）
> <u>drínking</u> water（飲用水）　　<u>swímming</u> pool（游泳池）　　<u>smóking</u> room（吸煙室）

【註】
- 動名詞 + 名詞 → 因動名詞相當於名詞，動名詞的重音節要重讀。
- 分　詞 + 名詞 → 因分詞相當於形容詞，名詞的重音節要重讀。

- <u>sléeping</u> car（睡眠用的車）
- sleeping <u>báby</u>（在睡覺的嬰兒）

- <u>swímming</u> pool（游泳用的池）
- swimming <u>físh</u>（在游泳的魚）

11. **動詞（＋代名詞）＋介副詞，重音在介副詞**

think óver（仔細考慮）　　turn ón（打開）　　take óff（脫掉）　　look óver（檢查）

put ón（穿上）　　take it óff（把它脫掉）　　look it óver（把它檢查一下）

think it óver（仔細考慮它）　　turn it ón（把它打開）　　put it ón（把它穿上）

12. **動詞＋介副詞＋受詞；動詞＋受詞＋介副詞，重音在受詞（名詞）上**

Put on your shóes.（穿上你的鞋子。）　　Take off your cóat.（把你的外套脫掉。）

turn on the líght（打開電燈）　　call his fríend up（打電話給他的朋友）

turn the switch on（打開開關）　　put the tóy away（把玩具收拾好）

13. **單位名詞＋of＋名詞，重音在名詞**

a glass of béer（一杯啤酒）　　a pound of méat（一磅肉）

a piece of páper（一張紙）　　a piece of fúrniture（一件傢俱）

a spoonful of sált（一匙鹽）　　a set of próblems（一組問題）

14. **副詞＋形容詞或副詞，重音在形容詞或副詞**

pretty góod（非常好）　　extremely bád（非常壞）　　very, very ángry（非常生氣）

exceedingly sád（極為悲傷）　　terribly dífficult（非常困難）

usually láte（經常遲到）　　sometimes ríght（有時候對）

15. **～＋and＋～，重音在後面**

ham an(d) éggs（火腿蛋）　　man and wífe（夫婦）　　bread an(d) bútter（奶油麵包）

coffee an(d) tóast（咖啡和土司）　　now and thén（偶爾）　　up and dówn（上上下下）

give and táke（公平交換；互相讓步）　　come (and) sée me（來看我）

John and Máry（約翰和瑪麗）　　A, B (and) Ć（A, B 和 C）

※ an(d) 表 d 可不讀音，(and) 表可省略。

【例外】the kíng and I（國王與我）

16. **something, someone, somebody,**
　　anything, anyone, everywhere,　⋯⋯⋯⎫＋形容詞（片語），重音在後面
　　everyone, everything, nothing　　⎭

something béautiful and úseful（一些漂亮有用的東西）

someone élse（別人）　　everything in the hóuse（所有在房子裡的東西）

something to éat（可吃的東西）　　someone at the dóor（在門口的某人）

anyone élse（任何其他的人）　　somewhere élse（其他的地方）

anything wróng（有任何不對勁的事）

17. 電話號碼，重音在每組後面

　　2708 2029 = two seven oh éight　　two oh two níne
　　2381 5371 = two three eight óne　　five three seven óne
　　077 931 3555 = oh seven séven　　nine three óne　　three five five fíve

18. 錢數、數字重音在最後面，長數目中間有 **million**, **thousand**, **hundred** 時，則這些
　　字讀次重音

　　$ 5.39 = five dollars and thirty-nine cénts 或讀作 five thirty-níne
　　$ 271.00 = two hundred and seventy-one dóllars 或讀作 two seventy-óne
　　137 = one hundred and thirty-séven　　12 1/5 = twelve and one-fífth
　　3,652,171 = three míllion, six hundred and fifty-two thóusand, one hundred and
　　　　　　　　　seventy-óne

19. 時間，連續字母重音在最後

　　Feb. 9, 1945 = February (the) nínth, nineteen forty-fíve
　　6：30 p.m. = six thirty p.ḿ.　　the 8：15 train = the eight fifteen tráin
　　1975 A.D. = nineteen seventy-five A.D́.

20. 住址重音在末尾和在 **Avenue**, **Lane**, **Road** 上，如果 **Street** 是地址一部份時，重音
　　在 **Street** 前面字上

　　8312 Róss Street, Buffalo, New Yórk（紐約州，水牛城，羅絲街 8312 號）
　　912 Cherry Láne, Denver, Colorádo（科羅拉多州，丹佛市，櫻桃巷 912 號）

21. 複合形容詞，重音在第一個字上面

　　héart-breaking（令人傷心的）　　héartsick（悲痛的）　　clóckwise（順時鐘方向的）
　　cólor-blind（色盲的）　　hómesick（想家的）　　lífelong（終身的）

22. 複合動詞，重音在第二個字上面

　　overlóok（俯瞰）　　underlíne（劃底線）　　underpáy（少付）

23. 字群的重音和句子一樣有落在最後一個主要字的傾向（參照句子的重讀）

　　weren't lístening（沒有在聽）　　please remémber（請記住）　　want to gó（想走）
　　stop réading（停止閱讀）　　be níce to her（要對她好）　　pretty góod（非常好）
　　like playing the piáno（喜歡彈鋼琴）
　　但 twíce in a month（一個月兩次）

9. 句子的重音

1. 句子的最重音，落在倒數第一個強讀字上

句子的單字屬於強讀的字有<u>名詞</u>、<u>動詞</u>（包含<u>動狀詞</u>）、<u>形容詞</u>、<u>副詞</u>、<u>感歎詞</u>、<u>指示代名詞</u>、<u>所有格代名詞</u>及<u>介副詞</u>。（冠詞、介系詞、連接詞、助動詞、人稱代名詞、關係代名詞，是弱讀字。）

Her mother <u>réad</u> it to her.

【從句尾算起，人稱代名詞 her、介系詞 to、人稱代名詞 it 是弱讀字，所以最重音落在動詞 <u>réad</u> 上】

Do you want me to choose a <u>trúck</u> driver for you?

【代名詞 you、介系詞 for 是弱讀字，所以最重音落到 <u>trúck</u> driver 上】

I like to watch the children <u>pláy</u>.

How many eggs does the recipe <u>cáll</u> for?（食譜上說需要幾個蛋？）

【for 是介詞，How many eggs 除了引導疑問句外又做 for 的受詞】

That was very <u>stúpid</u> of her.　　I want you to do this work <u>cárefully</u>.

The arithmetic problem is <u>impóssible</u>.　　Ruth always gets up at seven <u>a.ḿ.</u>

Why didn't he <u>cóme</u> with you?　　I haven't finished my <u>dáncing</u>.

How are you getting <u>ón</u>?【on 後沒有受詞所以是介副詞】

My shoes are worn <u>óut</u>.　　We'd better write that <u>dówn</u>.

<u>Alás</u>!　He was <u>kílled</u>.　　<u>Déar</u> me!　The teacher is <u>cóming</u>.（不得了！老師來了。）

What is <u>thís</u>?　　Who is <u>thát</u>?　　Those books are <u>yóurs</u>.

【註 1】　在疑問句尾 **is it** 不重讀。

What <u>tíme</u> is it?　　<u>Whát</u> is it?　　How <u>fár</u> is it?

【比較】　How <u>áre</u> you?　　Who <u>áre</u> you?

He told me where you <u>wére</u>.（be 動詞和助動詞在句尾常重讀）

I don't know who he <u>ís</u>.　　He thinks he <u>cóuld</u>.

【註 2】　介副詞前有名詞，則介副詞不重讀。

She hung his <u>cóat</u> up for him.　　Please turn the <u>rádio</u> on for me.

【註 3】 here, now, yet, there, ago, before, then, not, so 通常是弱讀字。

I've never <u>bée</u>n here.　　　　Are you going to order <u>dessér</u>t now?

He hasn't started to <u>stúdy</u> yet.　　I have never been in New <u>Yór</u>k before.

What time will he <u>arríve</u> there?　　Of <u>cóurse</u> not.

We went to Japan two <u>yéar</u>s ago.　　I <u>hópe</u> not.

I don't <u>thín</u>k so.　　　　　　　I <u>hópe</u> so.

但　I am afraid <u>nót</u>.　　No, I am <u>nót</u>.【屬簡答句重音規則】

I have been there <u>befóre</u>.（因前無強讀字）

I am <u>hére</u>.　　He is <u>hére</u>.

【例外】 **命令句或加強用法的 here, there, now 需要重讀。**

Please come <u>hére</u>.　　Put it <u>thére</u>.　　Sign <u>hére</u>.

Johnny, I want you to sit <u>hére</u>.　　He is always <u>hére</u>.

Do it <u>nów</u>.　　They're over <u>thére</u>.

<u>Hére</u> you are!（拿去吧！）【但 Here we <u>áre</u>.（我們到了。）】

【註 4】 句子或字群中若沒有強讀字，則重音在末字。

after <u>áll</u>（畢竟）　　not in the <u>léast</u>（一點也不）

After <u>yóu</u>.（你先請。）　　Not at <u>áll</u>.

Once (and) for <u>áll</u>.（只此一次，下不為例。）　　above <u>áll</u>（尤其）

【註 5】 to ＋ 原形動詞，重音在原形動詞上；若無原形動詞時，重音在 to 前的名詞、
形容詞或動詞上。

Do they hope to <u>wín</u>?　　Did you tell him the <u>trúth</u>?

Yes.　They <u>hópe</u> to.　　No.　I didn't have <u>chánce</u> to.

【註 6】 it, one 通常是弱讀字。

<u>Whát</u> is it?　　He took the <u>óld</u> ones.　　the <u>óther</u> one

I can <u>dó</u> it for you.

【註 7】 助動詞加強肯定的動詞語氣時應強讀。

But I <u>díd</u> write.　　I <u>dó</u> have seventeen cats.

【註 8】 一些日常習慣讀法。

from <u>nów</u> on　　and <u>só</u> on　　<u>fírst</u> of all　　Lady <u>fírst</u>.

【註9】　介系詞若直接放在疑問句之後，或介系詞之前無強讀字時，介系詞重讀。

Whére tó?（去哪裡呢？）　　Whére fróm?（從哪裡來的呢？）

Whát fór?（為什麼？）　　Where are you fróm?（你是哪裡人？）

Whát néxt?（下一個是什麼？）

2.　$\left\{\begin{array}{l}\textbf{so}\\ \textbf{neither}\\ \textbf{nor}\end{array}\right\}$ + $\left\{\begin{array}{l}助\\ \textbf{Be}\end{array}\right\}$ +（代）名詞，重音在後面（代）名詞上。

$\left\{\begin{array}{l}\text{John likes his téacher.}\\ \text{So does Máry.}\end{array}\right.$　　$\left\{\begin{array}{l}\text{I'm not going to gó.}\\ \text{Neither am Í.}\end{array}\right.$

$\left\{\begin{array}{l}\text{I've already read the bóok.}\\ \text{So have Í.}\end{array}\right.$

3.　在比較的句子中，重音在 as 或 than 後的（代）名詞上。

These are more expensive than thát one.　　She is as happy as a lárk.

Milk is better than téa.　　No one is happier than Í.

但 He is more bráve than wise.（他有勇無謀。）

4.　重音在相對人稱及 too、either 上。

Tóny speaks English, and Í do, tóo.

Hé saw that man, and wé did, tóo.

Hé couldn't quit smoking, and Í couldn't, éither.

5.　簡答句、簡問句、附加句，重音在助動詞或 be 動詞上。

(1) A：He is báck now.

　　B：Ís he?

(2) A：You can dó it, cán't you?　　A：They weren't trýing, wére they?

　　B：Yes, I cán.　　B：No, they wéren't.

(3) Mrs. Smith wasn't very níce to us, wás she, Rúth?

【注意】　It's raining, ísn't it?（I am sure it's raining.）

　　　　It's raining, isn't ít?（I am not sure whether it is raining.）

6. 主要子句＋副詞子句，短複句重音在後；長複句重音前後都有。

I'll tell him when he <u>cómes</u>.　　　They did it because they <u>hád</u> to.

The children came in the <u>hóuse</u> after they finished <u>pláying</u>.

** 副詞子句＋主要子句，不論句子長短，前後都有重音。

If I had <u>móney</u>, I'd <u>trável</u>.　　　Before I <u>réalized</u> it, she was <u>góne</u>.

When the light turned <u>gréen</u>, they crossed the <u>stréet</u>.

7. 凡是句子前後文意「對比」或需「強調」時，重音落在「強調」或「對比」上。

Is he getting <u>ín</u> the taxi, or <u>óut</u> of it?

Is he walking <u>towárd</u> the office, or <u>awáy</u> from it?

It was in the <u>párk</u> that I saw Mary yesterday.

Alice isn't a <u>béautiful</u> child, but she's very <u>prétty</u>.

John worked for the <u>cíty</u> government, not the <u>státe</u> government.

Does Mary <u>wálk</u> to school or <u>ride the bús</u>?

You have to <u>wríte</u> letters in order to <u>recéive</u> them.

Do you want to <u>rént</u> a new house, or <u>búy</u> one?

I saw him <u>yésterday</u>, but I didn't see him the day <u>befóre</u> yesterday.

He visited his family <u>lást</u> year, but he couldn't see them <u>thís</u> year.

Is the letter <u>ín</u> the desk, or <u>ón</u> the desk?

Does John sit in <u>frónt</u> of Bill, or in <u>báck</u> of him?

Is he <u>fór</u> the proposal, or <u>agáinst</u> it?

Did you say "<u>éncouraged</u>" or "<u>díscouraged</u>"?　　（為了表示對照，輕音節可變成

Do "<u>díslike</u>" and "<u>únlike</u>" have the same meaning?　　重音節，重音節變成輕音節）

I enjoy <u>táking</u> movies more than <u>lóoking</u> at them.

We work <u>hárder</u> than they do, but we don't get as much <u>dóne</u>.

This chair is <u>préttier</u> than that one, but it isn't as <u>cómfortable</u>.

There aren't our <u>bést</u> tires, but they are very <u>góod</u>.

John is <u>ólder</u> than his brother, but he isn't as <u>táll</u>.

This mountain is <u>hí</u>gher than the other one, but it isn't as <u>stéep</u>.

<u>Í</u> like <u>blúe</u>, but <u>hé</u> likes <u>brówn</u>.

Carol doesn't want a <u>blúe</u> sweater, she wants a <u>brówn</u> one.

It's not <u>héavy</u>, it's <u>líght</u>.　<u>Thís</u> suitcase is lighter than <u>thát</u> one.

<u>Téaching</u> languages is harder than <u>léarning</u> them.

The truth is that <u>áll</u> the buildings are tall, not just <u>sóme</u> of them.

A horse like <u>thát</u> won't win anything; you need a <u>ráce</u> horse to do the job.

A： "Hasn't John gone to <u>béd</u> yet?"
B： "<u>Nó</u>.　He's been studying for six <u>hóurs</u>.　And he hasn't done <u>yét</u>."

A： "Is Mary at your <u>hóuse</u> now?"
B： "<u>Nó</u>.　She's not <u>hére</u> now.　She was here a little whíle ago.　But she's not here <u>nów</u>."

A： "It isn't <u>ráining</u>, <u>ís</u> it?"
B： "<u>Nó</u>.　Not <u>nów</u>."

A： Are you leaving <u>tomórrow</u>?
B： <u>Nó</u>.　I am leaving the day <u>áfter</u> tomorrow.

A： Do you know who finished the <u>wórk</u>?
B： <u>Yés</u>.　<u>Jáck</u> finished it.

A： Was it a long <u>tríp</u>?
B： <u>Yés</u>.　It was <u>tóo</u> long.

A： How <u>áre</u> you?
B： <u>Fíne</u>, <u>thánk</u> you, and how are <u>yóu</u>?

A： Does Mary often <u>vísit</u> you?
B： <u>Nó</u>.　She <u>séldom</u> comes.

A： Does anyone have a <u>díctionary</u>?
B： <u>Yés</u>, <u>Í</u> have one.

A： Can we eat <u>lúnch</u> here?
B： <u>Nó</u>, you can't eat <u>hére</u>.　This room will be <u>óccupied</u>.

A： Is Mr. Jones thoughtful at <u>hóme</u>?
B： He's not <u>álways</u> thoughtful, but he's <u>úsually</u> thoughtful.

10. 意群（Thought Group）停頓的原則

1. 依照標點符號而停頓

標點符號如句點（Full stop）、逗點（Comma）、問號（Interrogation Mark）、驚嘆號（Exclamation Mark）、分號（Semicolon）、破折號（Dash）等，通常都自然成為意群（Thought Group）區分的界限。以下用斜線 / 表示停頓。

a beautiful, / young girl

Elizabeth, / come this way.

Yes, / I'll.

No, / it won't do.

All right, / I'll go with you.

There was nothing for it / but to go back as I had come— / on foot. （— 為破折號）

Generally speaking, / they are good students.

"We will send somebody." "Who? / When? / Where to?"

There! / There! / Don't cry.

You are, / to speak the truth, / afraid of the enemy.

【注意下列例外】

(A) 省略號不停頓

　　P.O.O. （ = post-office order ）　　　　Dr. Brown

(B) 表示單位的標點不停頓

　　2.20（二元二角）　　　　　　　　8：10 A.M.（上午八點十分）

(C) 代名詞和同位語之間的逗點不停頓

　　We, Chinese people, / are peace-loving people.

(D) 簡短回答有 sir 時，不停頓

　　Yes, sir.　　　　　Here, sir.　　　　　No, sir.

(E) 感嘆詞和稱呼主格可不停頓

　　Oh, Mother, / what shall I do?

2. 名詞以及在它前面的修飾語構成一單位

the teacher	a dog	an American
two books	my new knife	an intimate friend
beautiful house	black paper	the damaged car

3. 介詞片語在句中構成一單位

   They lived / in a beautiful house / near a wood.

   First of all, / plant needs water / for its growth.

4. 疑問詞＋不定詞；**how**＋形容詞、副詞或現在分詞構成一單位

   how to swim　　　how beautiful　　　how pleasing

5. 動詞片語構成一單位

   will come　　　could go　　　are eating　　　must have done

6. 代名詞和動詞（片語）構成一單位

   I went.　　　Do you see?　　　He can write.

   She weeps.　　　They are coming.　　　We should eat / to live.

7. （代名詞）動詞與補語構成一單位

   I am familiar / with this story.

   He is a man / who loves the truth.

8. 名詞子句構成一單位

   That he loved her / was certain.

   It was certain / that he loved her.

   I think it certain / that he will succeed.

9. 引句獨立構成一單位

   John asked, / "What time shall I come?"

   "Dinner will be served at seven," / replied Mary.

10. 連接詞和它後面接的語詞構成一單位

   Sam enjoys tennis, / golf, / and baseball.

   You can go to Hualien by bus, / or by boat, / or by airplane.

   He gave me money / as well as advice.

   Edison is an inventor / whose fame is world-wide.

   I will come / when I am at leisure.

   I shall wait / until he arrives.

   She wept aloud / as soon as she heard the news.